MINE TO SAVE – Gefährliche Hingabe

Getaway-Romance-Reihe

Band 1: MINE TO SAVE – Gefährliche Hingabe
Band 2: MINE TO RESCUE – Riskante Leidenschaft
Band 3: MINE TO CATCH – Dunkle Begierde

Jay Crownover lebt in Colorado, wo auch ihre Romane spielen. Sie liebt Tattoos und Körperschmuck, und so ist es kein Wunder, dass ihre Helden allesamt tätowierte und gepiercte Bad Boys sind. Ihre Leidenschaft galt schon immer dem Lesen und Schreiben, und mit dem Erfolg ihrer Serie »Marked Men« ist ein Traum für sie wahr geworden.
Mehr Informationen unter: www.jaycrownover.com.

Jay Crownover

MINE TO SAVE – Gefährliche Hingabe

Roman

Aus dem Amerikanischen von
Michaela Link

Weltbild

Die amerikanische Originalausgabe erschien unter dem Titel *RETREAT*.

MIX
Papier | Fördert gute Waldnutzung
FSC® C083411

Besuchen Sie uns im Internet:
www.weltbild.de

Übersetzung: Michaela Link
Umschlaggestaltung: Atelier Seidel – Verlagsgrafik, Teising
Umschlagmotiv: iStockphoto
Satz: Datagroup int. SRL, Timisoara
Druck und Bindung: CPI Moravia Books s.r.o., Pohorelice
Printed in the EU
ISBN 978-3-98507-368-9

Gewidmet jedem und jeder, die mir gesagt haben, sie würden auch eine Einkaufsliste lesen, wenn sie von mir wäre. Ich mache dann mal die Probe aufs Exempel.

Vom Schreibtisch und aus dem überaktiven Hirn von Jay Crownover

Kratzt ihr euch verwirrt den Kopf und fragt euch, woher dieses Buch wohl kommt? Lest ihr den Klappentext und tut es wieder und wieder, um herauszufinden, worum es eigentlich geht? Nun, habt keine Angst, meine Freunde, in meiner typisch offenen und unverblümten Art werde ich euch alles sagen, was ihr wissen müsst, um weiterzukommen.

Zuallererst: Wenn ihr dieses Buch angeklickt habt, nur weil mein Name draufsteht, dann danke ich euch. Danke, dass ihr mir vertraut. Danke, dass ihr an mich glaubt. Und danke, dass ihr meinen Worten vertraut. Wenn ihr es angeklickt habt, weil euch das Cover gefallen hat, der Klappentext euch neugierig gemacht hat oder einfach nur so … dann ist an keinem dieser Gründe etwas auszusetzen, finde ich. Ich werde euch sagen, dass dies keine Kopie von irgendetwas ist, das ich vorher geschrieben habe, wenn ihr also Tattoo-Künstler, Heavy-Metal-Sänger oder Autodiebe erwartet, werdet ihr enttäuscht sein. Es ist eher wie ein romantischer Spannungsroman alter Schule aufgebaut. Das bedeutet nicht, dass die weibliche und männliche Hauptfigur nicht viel miteinander zu tun haben und sich gegenseitig auf die Nerven gehen … Es heißt nur, dass es auch sehr eindeutige Bösewichte gibt, die auftauchen und allen Beteiligten das Leben zur Hölle machen.

Dieses Buch ist außerdem aus einer einzigen Perspektive geschrieben; die Geschichte entfaltet sich, während wir unserer kleinen Löwin Leora durch die wichtigste Woche ihres Lebens folgen. Ich habe Gründe dafür, dass ich es so geschrieben habe, auf die ich hier gleich eingehen werde.

Wie bin ich auf diese Geschichte gekommen?

Nun, das ist sowohl einfach als auch kompliziert. Ende 2015 und zu Beginn des Jahres 2016 hatte ich mit ziemlich hartnäckigen und lähmenden Schmerzen zu kämpfen, die von einer verpfuschten Zahnextraktion herrührten. Es endete mit einer Infektion, und ich brauchte eine Operation. Die Wunde infizierte sich ebenfalls und so weiter und so fort. ES WAR ERBÄRMLICH. Ich fühlte mich elend. Außerdem stand ich etwa vier Monate lang unter einer Vielzahl von Schmerzmitteln. Ich konnte mich nicht konzentrieren, ich konnte definitiv nicht schreiben. Ich war wertlos. Diese erzwungene Auszeit bedeutete, dass ich eine Menge Stunden mit Netflix vor dem Fernseher verbrachte.

Ich ertappte mich dabei, wie ich alle Staffeln von *Longmire* am Stück schaute und in Ashton Kutchers Serie *The Ranch* förmlich hineingesaugt wurde. Ich schaute *The Hateful Eight*, *Jane's Got a Gun* und alle möglichen anderen westernmäßigen Filme und Fernsehsendungen.

Ich weiß, ihr fragt euch, warum? Ihr dachtet sicher, ich schaue mir nur *Stirb Langsam* und *Bob's Burgers* an, aber leider …

Ich bin tatsächlich in einer kleinen Stadt in den Bergen aufgewachsen, in der es von Cowboys und Ranchern nur so wimmelte. Die Jungs, mit denen ich zur Highschool ging, hatten Gewehrständer in ihren Pick-ups und trugen Wranglers, keine Dickies. Als Teenager arbeitete mein bester Freund auf der, dem Land meiner Großmutter benachbarten, Ranch auf den Hügeln. An den Wochenenden wartete ich, bis er von irgendeiner Zuchtausstellung oder vom Rodeo zurück war oder einfach vom Kontrollritt über die Ranch, und bettelte, mich mitzunehmen. (Mit dem Reiten bin ich nie ganz warm geworden, aber auf dem Tanzboden konnte ich es mit jedem aufnehmen.)

Ich glaube, weil ich so krank war und so viele Schmerzen hatte, dachte ich an meine Kindheit zurück, als meine Mutter sich um mich gekümmert und ich nichts anderes zu tun gehabt hatte, als Jesse zu nerven und auf seinem Pferd zu reiten. Ich wurde richtig nostalgisch … schwelgte in Erinnerungen und beschloss, ein Buch zu schreiben, das mir auf eine andere Art vertrauter sein würde, als Tinte es war. Ich wollte an einen Ort zurückkehren, der nicht mehr zu mir passte, aber immer noch in der hintersten Ecke meines Schranks hing, als Erinnerung an das, was einmal gewesen war.

Ich wollte etwas schreiben, das in den Bergen spielte, auf einer Ranch, die von Typen betrieben wurde, die nicht gerade Cowboys waren.

Kommt schon … ihr habt doch nicht gedacht, dass ich mit Hut, Stiefeln und Sporen auf euch losgehen würde, oder? Ihr solltest mich inzwischen besser kennen!

Ich wollte über *meine* Art von Typen schreiben, sie aber in ein Westernsetting stecken und sehen, wie sie sich schlagen. Sie haben sich verdammt gut geschlagen, wenn ihr mich fragt. Aber ihr müsst weiterlesen und die Warner-

Brüder kennenlernen, um zu sehen, ob ihr mir zustimmt oder nicht.

Dass dieses Buch nur aus der Perspektive unserer Heldin erzählt wird, liegt daran, dass es *ihre* Geschichte ist, ihre Reise, ihre Zeit, in der alles so schiefläuft, obwohl sie sich so sehr bemüht, alles genau richtig zu machen.

Da ich körperlich angeschlagen war, habe ich wohl die Geschichte einer Frau erzählen wollen, die ebenfalls zu leiden hatte, wenn auch emotional. Die Stimme des Helden blieb in meinen Gedanken stumm, weil ich zu sehr damit beschäftigt war, all die schlimmen Dinge, die in mir vorgingen, in die Geschichte unserer Heldin zu spülen. Ich kann keine Figur schreiben, wenn ich sie nicht sprechen höre; Cy war still, aber Leo hatte viel zu sagen.

Sie wird euch anfangs wahrscheinlich auf die Palme bringen, aber gebt ihr Zeit, sich zu sammeln. Verrat brennt tief, und es dauert lange, bis diese Glut abklingt.

Also, wie auch immer … Das ist die lange und kurze Erklärung, wie ich auf dieses Buch kam. Es ist völlig anders als alles andere, was ich bisher geschrieben habe … aber es hat verblüffende Ähnlichkeit mit all den Büchern, die ich am liebsten lese. Ich hoffe, ihr gebt ihm eine Chance.

Wie immer, danke, dass ihr hier seid … und danke, dass ihr mich hier sein lasst. :-)

Viel Spaß beim Lesen!
xoxo
Jay

Kapitel 1

Kein ganz echter Cowboy

»Sie sehen nicht mal aus wie echte Cowboys«, murmelte ich so leise, dass nur meine beste Freundin es hören konnte. Sie warf mir einen Blick zu, der mir sagte, dass sie genug von meinem Gejammer und meinen endlosen bissigen Kommentaren hatte. Wir waren früh aufgestanden, um von San Francisco aus ein Flugzeug zu nehmen, und wir waren in Billings, Montana, zwischengelandet und dann in ein winzig kleines Charterflugzeug gehüpft, das uns nach Sheridan in Wyoming gebracht hatte. Es war ein anstrengender Reisetag gewesen, und mein Sarkasmus und meine Bissigkeit hatten einen historischen Höchststand erreicht. Zum Teil, weil ich wirklich kein Interesse daran hatte hier zu sein, aber vor allem, weil ich während der letzten Monate ein Häufchen Elend gewesen war und es keinen Spaß gemacht hatte, mit mir zusammen zu sein. Ich war anscheinend nicht in der Lage, meine miese Laune im Zaum zu halten, auch wenn ich das wirklich wollte. Und genau das war meine Freundin Emrys langsam leid. Ich konnte ihr kaum einen Vorwurf machen.

»Auch wenn sie keine Cowboyhüte und Lederchaps tragen, können es trotzdem Cowboys sein. Du hast ja überhaupt keine Ahnung, was ein richtiger Cowboy ist. Wann warst du je zuvor auf einer Ranch oder bist in Richtung Osten weiter als Las Vegas gekommen? An einem Cowboy am nächsten dran warst du, als du vor einigen Jahren Garth Brooks Konzert besucht hast. Du hast versprochen, offen zu sein, und bisher machst du das ziemlich mies.«

Ich seufzte und rückte ein Stück von Emrys weg. Sie durchbohrte mich mit einem Blick aus ihren dramatisch geschnittenen Augen, und ich konnte keine zusätzlichen Schuldgefühle gebrauchen, weil ich mich ohnehin schon beschissen fühlte. Ich richtete meine Aufmerksamkeit wieder auf die drei Männer vor uns und gestand mir widerstrebend ein, dass sie als fleischgewordene, sorgfältig vermarktete Countrymusik-Version dessen durchgehen konnten, was Cowboys sein sollten. Sie konnten Luke Bryan mühelos zeigen, wo es langging, so gut füllten sie ihre engen Jeans aus.

Zwei von ihnen waren geradezu verboten attraktiv, soweit ich das unter den Krempen ihrer identischen Baseballkappen in Tarnmuster mit dem vorn aufgestickten Logo der Ranch erkennen konnte.

Als sie sich vorstellten, kam heraus, dass sie auch beide Namen hatten, die ich als authentische Cowboynamen betrachten würde: Sutton und Lane. Ich wusste nicht, wer wer war, weil mich das dritte Mitglied des nicht allzu herzlichen Begrüßungsausschusses komplett abgelenkt hatte. Er war derjenige, den ich insbesondere gemeint hatte, als mir die Bemerkung über Cowboys über die Lippen gekommen war. Er sah genauso deplatziert aus auf dieser waschechten Ranch mitten im Nirgendwo in Wyoming, wie ich mich fühlte. Er beobachtete mich außerdem genauso eingehend wie ich ihn. Sein Name war Cyrus. Vielleicht auch ein Cowboyname, er klang für mich aber mehr so wie der eines Herrschers eines uralten Königreichs. Tatsächlich hätte er viel besser nach Sparta gepasst als hier auf diese Ranch. Der Gedanke entlockte mir ein Kichern, was mir von Em einen Stoß in die Rippen eintrug, obwohl ich den abwegigen Gedanken für mich behalten hatte.

Der Mann, der definitiv nicht aussah wie ein Cowboy, trug keinerlei Kopfbedeckung, daher war es unübersehbar, dass der Blick seiner schmalen Augen auf mich gerichtet war. Er trug sein dunkles Haar in einer trendigen Kurzhaarfrisur und hatte es sich auf eine Weise nach hinten gekämmt, die ein entsprechendes Pflegeprodukt und Knowhow erforderte. Zwei Dinge, die ich niemals mit einem echten Cowboy in Verbindung gebracht hätte. Außerdem sah man so, dass sich über seinen perfekt gleichmäßig geschnittenen Koteletten an den Schläfen ein winziger Anflug von Silber eingeschlichen hatte. Dennoch schätzte ich ihn auf Anfang bis Mitte dreißig. Das Silber in seinem Haar hätte ihm ein vor der Zeit gealtertes Aussehen verleihen können, aber so war es nicht. Er sah tough und distinguiert aus, und wenn er etwas anderes angehabt hätte als liebevoll abgetragene Levi's und ein verwaschenes T-Shirt von Jack Daniel's, hätte er den Geschäftsführern und CEOs, mit denen ich beruflich zu tun hatte, gezeigt, was eine Harke ist. Kein Mann aus meinem beruflichen Umfeld sah so gut aus wie dieser hier. Wie das Baumwoll-T-Shirt sich eng über seine breite Brust spannte, das hatte schon etwas. Und wie er ungeduldig von einem schwer aussehenden schwarzen Stiefel auf den anderen trat, zog den Jeansstoff nur straff über Stellen, die zu betrachten mir peinlich sein sollte. Ich hätte ihn gern gefragt, warum er

Stiefel trug, die eher auf eine Harley gehörten als in einen Steigbügel, aber ich wollte mir nicht noch einen Rippenstoß von Em einhandeln, daher behielt ich meine Überlegungen für mich.

Nein, der Mann namens Cyrus passte nicht zu dem, was ich seit meiner Zustimmung zu Emrys' verrücktem Plan erwartet hatte. Und wenn er nicht mit den beiden anderen Männern auf uns zugekommen wäre, um uns zu begrüßen, als der Shuttlebus uns abgesetzt hatte, hätte ich automatisch angenommen, dass er ein Teil der Reisegruppe war, nicht einer der Cowboys. Er sah nicht so aus, wie ich es von jemandem erwartete, der auf intime Weise vertraut mit der Wildnis oder dem ungastlichen und dünn besiedelten Landstrich von Wyoming war. Sein raues Äußeres und sein harter Blick brachten mich erneut auf die Frage, warum ich mich von Emrys zu diesem Urlaub hatte überreden lassen – einer Aktion, die sich mehr nach Strafe anhörte als nach irgendeiner Art von Spaß, mit der ich vertraut war. Ich konnte mir immer weniger vorstellen, mich in die bewaldeten Berge zu wagen, je länger sich mein Blickduell mit dem Mann in die Länge zog – bis zu dem Punkt, an dem mir klar war, dass es eine Niederlage bedeuten würde, wenn ich wegschaute. Ich wusste nicht, worum es bei diesem Kampf eigentlich ging, aber ich war selbst zu meinen besten Zeiten eine schlechte Verliererin gewesen. Und wenn man bedachte, dass ich meinen persönlichen Tiefpunkt aktuell erreicht hatte, war klar, dass ich auf keinen Fall die Erste sein durfte, die den Blickkontakt löste. Ich liebte meine beste Freundin, aber im Moment hätte ich sie mit Freuden erwürgt. Sie war es schließlich gewesen, die beschlossen hatte, dass wir diese Reise brauchten, um uns für eine Woche zu entspannen und zu sammeln.

»Ladys, Sie sind die Letzten aus der Gruppe, die hier angekommen sind. Wir werden Ihnen Ihr Quartier zeigen, dann können sich alle im Haupthaus zum Abendessen treffen, damit wir besprechen können, was Sie in der nächsten Woche erwartet.« Es war der Mann in der Mitte, der das Wort ergriffen hatte. Er war der kleinste der drei und der Einzige, der lächelte. Der muskulöse Mann mit dem finsteren Blick beobachtete mich weiter, während der letzte Mann gelangweilt und verärgert wirkte. Sein Gesichtsausdruck verriet, dass er nicht die geringste Lust hatte, für zwei Stadtmädels das Willkommenskomitee zu spielen. Wenn man bedachte, dass dieser kleine Ausflug Em und mich ein Vermögen kostete, hätten diese Möchtegern-Cowboys zumindest den roten Willkommensteppich ausrollen und so tun können, als wären sie ganz begeistert davon. Wir bezahlten für ein unvergessliches Erlebnis, und sie hatten zwar inzwischen geliefert, aber nichts Erfreuliches.

Ich drückte den Rücken durch und kniff die Augen zusammen. Unglücklicherweise war mein Einschüchterungsfaktor gleich null, wenn man bedachte, dass ich bequeme Leggins trug und einen übergroßen Cowboyhut, den ich meinem Ex geklaut hatte. Mein Outfit war großartig zum Reisen, trug aber nicht besonders dazu bei, wie eine toughe Städterin auszusehen, an der die offenkundige Gleichgültigkeit des dritten Mannes in dem Trio abprallte. Einem Trio, das während der nächsten Woche für meine Gesundheit und mein Wohlergehen verantwortlich sein würde.

Ich konnte den Blick einfach nicht von dem Mann abwenden. Ganz sicher würde ich die auffallende Feindseligkeit, die er verströmte, nicht kommentarlos hinnehmen. Ich war eine der Frauen, die immer ein wenig zerzaust und derangiert wirkten, daher bedeutete es für mich echte Arbeit, chic auszusehen. Es war an jedem einzelnen Morgen ein Kampf, wenn ich mich für die Arbeit fertig machte. Ich konnte mit minimaler Anstrengung niedlich wirken, aber es kostete einige Zeit und erhebliche Fähigkeiten sowohl mit meinen Kleidern als auch mit meinem Make-up, um mich in die Sphäre von Eleganz und Professionalität zu katapultieren. Wenn man bedachte, dass ich in aller Herrgottsfrühe aufgestanden war, waren mein Haar, meine Garderobe und meine Kriegsbemalung praktisch nicht existent. Mit meinen unzähmbaren rotblonden Locken, die ich mir zu einem lockeren Pferdeschwanz zurückgebunden hatte, war ich mir durch und durch bewusst, dass ich eher aussah wie ein gerupftes Huhn und weniger wie eine höchst erfolgreiche Marktanalytikerin – eine mit allen Wassern gewaschene und unabhängige Frau. Oder zumindest war ich das gewesen, bis ich auf den falschen Mann hereingefallen war und er mir das Gegenteil bewiesen hatte.

Das einzig freundliche Mitglied des Trios lächelte abermals und deutete mit dem Kopf auf das Gepäck zu unseren Füßen. Als Em den Trip gebucht hatte, war absolut klar formuliert worden, dass dies ein Abenteuerurlaub werden würde. Wir würden uns tief in die Berge vorwagen, und wir sollten jedwede Technologie und Zivilisation hinter uns lassen. Es hatte strenge Anweisungen darüber gegeben, was wir einpacken sollten, weshalb die Tasche zu meinen Füßen vollgestopft war und größtenteils neue, nicht anprobierte, für die Berge angemessene Kleidung enthielt. Es waren Sachen, die ich anschließend in den hintersten Winkel meines Kleiderschranks vergraben und sie dann Jahre später einer caritativen Einrichtung spenden würde, weil ich in meinem alltäglichen Leben daheim in der Bay Area herzlich wenig Verwendung für irgendetwas davon hatte.

»Sutton und ich werden Ihre Taschen nach oben bringen und Ihnen zeigen, wo Sie für die Nacht untergebracht sind. Sie haben vor dem Abendessen ungefähr eine Stunde Zeit, also können Sie sich entspannen und frisch machen.«

Sich frisch machen klang herrlich. Vielleicht konnte ich, wenn ich etwas Rouge auflegte und die Brauen zusammenzog, Mr Charakterkopf – der mit dem Todesblick – dazu bringen, mich ernst zu nehmen, wenn ich ihm sagte, dass sein Verhalten inakzeptabel sei.

Der gelangweilte Mann musste Sutton sein, denn er trat einen Schritt vor und griff nach Emrys' Tasche. Ich glaubte, sie seufzen zu hören, als er sich vorbeugte, aber es konnte auch ein Luftzug gewesen sein. Der Mann, der aussah, als gehörte er nicht einmal ansatzweise in die Nähe eines Ortes, der häufig als der »Cowboystaat« bezeichnet wurde, kam einige Schritte auf mich zu. Mir blieb nichts anderes übrig, als den Kopf in den Nacken zu legen und ihn anzusehen. Ich schnappte nach Luft, als ich in das schärfste, klarste und makelloseste Paar grauer Augen blickte, dem ich jemals so nahe gekommen war. Es hatte die Farbe von Rauch und Silber. Seine Augen trafen mich wie die geschärfte Klinge eines Messers, als er den Blick über mich hinwegwandern ließ, angefangen von meinem wirren Haar bis zu den Zehen, die sich vor Schreck krümmten, obwohl sie in einem Paar superbequemer Uggs steckten. Wiederum war meine Entscheidung in Sachen Schuhen großartig zum Reisen gewesen, aber nicht so toll, um einen wirkungsvollen ersten Eindruck zu hinterlassen.

Als Cy sprach, war seine Stimme tief und rau. Sie klang leicht gebrochen und kratzig, als würde er nicht oft den Mund aufmachen, und wenn doch, dann mit einem Zögern, bis die Worte ihren Weg hinausfanden. Es war eine echte Cowboystimme.

»Das hier ist kein Badeort oder irgendein All-inclusive-Hotel, wo man sich um jeden Ihrer Wünsche kümmert, Ms Connor. Das hier ist der Wilde Westen, und wenn Sie nicht auf die Jungs hören und darauf achten, was sie Ihnen sagen, dann kann das Ganze schneller, als Sie blinzeln können, ziemlich schiefgehen.«

Es lag eine Warnung in seinen Worten, aber ich konnte nur an Nächte am warmen Lagerfeuer denken und an noch wärmere Nächte im Schlafzimmer. Er hatte eine Stimme, die mich an rauen Sex denken ließ und an talentierte Hände, zu denen ich nicht Nein gesagt hätte.

»Sutton und Lane kommen prima mit Stadtfrauen klar, die hierherkommen und Cowgirls spielen wollen. Sie sollten sie nicht ansehen, als wären sie nicht einmal gut genug, um Ihre Tasche zu tragen, oder als würden sie Ihre hohen Maßstäbe irgendwie nicht erfüllen können.«

Cy hatte eine tolle Stimme, aber gottverdammt, seine Persönlichkeit ließ zu wünschen übrig.

Also war die Frohnatur Lane, und der Mürrische war Sutton. Emrys hatte mir den Prospekt nicht weniger als zwanzigmal laut vorgelesen, als sie versucht hatte, mich davon zu überzeugen, dass wir diesen Urlaub brauchten und dass ich wirklich, wirklich einmal rausmusste. Also wusste ich, dass die Männer, denen die Ranch gehörte und die die Exkursionen leiteten, Brüder waren. Seiner schützenden Haltung nach zu urteilen und dem attraktiven Silber in seinem Haar und seinem Versuch, mich wegen meiner eingebildeten Schmähungen an meinen Platz zu verweisen, war er garantiert der große Bruder … Betonung auf *groß*. Ich hatte eine völlig normale Größe, ein winzig kleines bisschen über einem Meter fünfundsechzig, aber dieser Mann überragte mich und hatte null Probleme mit seinem Einschüchterungsfaktor. Er hob weder die Stimme, noch warf er sich besonders in Pose. Er stand einfach vor mir, und seine Worte mit ihrer Rauheit und ihrem Knurren ließen mich erschaudern – vor Furcht und weil ich mir seiner mit allen Sinnen bewusst war.

»Mir ist klar, dass dies kein Badeort oder Luxushotel ist, Mr …« Ich errötete und brach ab, als mir aufging, dass ich zu beschäftigt damit gewesen war, ihn zu taxieren, statt aufzupassen, als die Männer sich vorgestellt hatten.

»Warner, aber die meisten Leute nennen mich Cy.«

Ich räusperte mich und hielt ihm widerstrebend eine Hand hin. »Okay, Cy. Ich habe keinen von Ihnen irgendwie merkwürdig angesehen. Ich habe lediglich über Ihre Qualifikationen nachgedacht, eine Gruppe von unerfahrenen Menschen in die Wildnis zu begleiten. Ich denke, das ist eine ziemlich verständliche Sorge. Wir beiden scheinen uns einfach auf dem falschen Fuß erwischt zu haben.« Das passierte häufig angesichts meiner ungefilterten Art und übertriebenen Aufrichtigkeit. Es fiel mir schwer, gute Miene zum bösen Spiel zu machen, und genau das war auch gerade wieder das Problem gewesen.

»Ich bin Leora, aber die meisten meiner Freunde nennen mich Leo.« Meine Hand blieb ausgestreckt zwischen uns beiden und das über eine unbehaglich lange Zeit hinweg, bis ich sie sinken ließ, während er mich weiter anstarrte. Ich spürte, dass Emrys sich an meiner Seite bewegte, und wurde mir sehr bewusst, dass der kleine Zusammenstoß sich nicht mehr verborgen zwischen ihm und mir abspielte. Seine Brüder standen einige Schritte entfernt und beobachteten mit neugierigen Mienen unser angespanntes Intermezzo. Ich hatte meiner besten Freundin versprochen, offen an diese Sache heranzugehen, hatte ihr versichert, dass mir der Tapetenwechsel willkommen sei und ich mein Bestes tun würde, mich zu amüsieren. In letzter Zeit war ich eine superbeschissene Freundin gewesen, daher war ich es Emrys schuldig, mein Versprechen zu halten – auch wenn dieser Mann entschlossen schien zu beweisen, dass es tatsächlich ein Fehler gewesen war hierherzukommen.

»Sutton und Lane werden Ihr Leben schützen, weil das ihr Job ist. Sie werden außerdem dafür sorgen, dass Ihre Reise jeden einzelnen Penny wert ist, den Sie dafür ausgegeben haben, denn unser Ruf ist alles auf diesem hart umkämpften Markt. Zu Ihrem Glück haben die beiden Jungs tatsächlich Spaß an dem, was sie tun. Ihre Qualifikationen sind in all unseren Informationsblättern verzeichnet und finden sich selbstverständlich auch auf unserer Website. Nur weil sie in Ihrer Vorstellung vielleicht nicht so aussehen wie qualifizierte Wilderness Guides, bedeutet das nicht, dass sie weniger tüchtig oder kompetent sind.«

Peng! Er erhob Schroffheit und Unverblümtheit auf ein ganz neues Level. Irgendwie respektierte ich das, auch wenn sich mir dabei die Nackenhaare sträubten und ich vor Entrüstung plötzlich stocksteif dastand. Ich überlegte, ob es sich so anfühlte, meiner brutalen Ehrlichkeit gegenüberzustehen, wenn ich vergaß, mich in Zurückhaltung zu üben und nett zu sein.

Ich trat einen Schritt zurück und öffnete den Mund, um zu erwidern, dass er und keiner seiner zugegebenermaßen attraktiven Brüder derjenige war, der meiner Meinung nach unterqualifiziert aussah, um uns in den Wald und durch die Berge zu führen. Emrys legte mir eine Hand auf den Unterarm und griff ein, bevor mein angeborenes irisches Temperament wirklich aufloderte. Ich war drauf und dran, mich mit diesem großen, unfreundlichen Mann anzulegen. In genau einer Sekunde hätte ich mein Geld zurückverlangt und ihn für seine Unhöflichkeit und Taktlosigkeit beschimpft. Wie immer, wenn ich erregt war und mich aufplusterte, schaltete Em sich ein und kippte Wasser auf die Glut, damit keine Stichflamme emporschoss.

»Verzeihen Sie meiner Freundin, Mr Warner. Sie ist in der Stadt geboren und aufgewachsen, und ich denke, all die frische Luft, der Friede und die Stille schüchtern sie ein klein wenig ein. Ich versichere Ihnen, dass wir beide äußerst dankbar für Ihre Zeit sind, und wir sind ganz aus dem Häuschen, dass wir hier sein dürfen. Wir freuen uns beide darauf zu sehen, was Ihr wunderbarer Staat zu bieten hat.«

Sie rammte mir den Ellbogen in die Seite, und ich drehte den Kopf, um ihr einen bösen Blick zuzuwerfen.

»Habe ich nicht recht, Leo?«

Ich sah meine größtenteils makellos wirkende beste Freundin an, verdrehte die Augen und überlegte, wie sie nach einem vollen Reisetag immer noch so frisch und unzerknittert aussehen konnte. Während ich rundherum ziemlich durchschnittlich war, war Emrys Santos alles andere als das. Sie war groß und brachte es ohne die Hilfe hoher Absätze auf annähernd einen Meter achtzig. Ihr glänzendes fast schwarzes Haar fiel ihr glatt und perfekt über den Rücken, als hätte es noch nie etwas von Feuchtigkeit oder statischer Aufladung gehört. Ihre dunklen Augen, die mich gerade stumm anflehten, mich zu benehmen, standen leicht schräg, was ihre insgesamt exotische, unleugbare Schönheit nur vergrößerte. Sie war fast perfekt, bis auf die Tatsache, dass sie dazu neigte, sich einzumischen, und fest entschlossen war, ihren Willen zu bekommen, wobei sie höchst unschuldig wirkte.

Sie wusste, dass ich hart an meiner jüngsten Trennung zu knabbern hatte. Hinzu kam, dass ich bei der Arbeit Probleme hatte, der einen stabilen Sache in meinem Leben, die ich stets im Griff gehabt hatte. Aber sie hatte gequengelt, gedrängelt und gefleht, bis ich zugestimmt hatte, diesen Urlaub mit ihr in der Natur zu verbringen, obwohl es absolut nicht mein Ding war, auf Komfort zu verzichten. Am liebsten hätte ich ihr gesagt, sie müsse mit der Tatsache fertig werden, dass ich hier war, aber keineswegs begeistert darüber sei. Doch im Grunde wusste ich, dass sie nur zu helfen versuchte und ihr Bestes tat, mich wieder auf Kurs zu bringen. Also legte ich meinem rebellischen Temperament die Zügel an, biss mir auf die Zunge und nickte ihr steif zu – zum Zeichen meiner Zustimmung.

Cys schillernde Augen blitzten vor Erheiterung auf, ich hätte schwören können, dass er wusste, wie schwer es mir fiel, cool zu bleiben. Ich knirschte mit den Zähnen und setzte ein Lächeln auf, das so falsch war, dass mein Gesicht schmerzte. Dann stellte ich fest: »Wie gesagt, ich denke, wir haben uns einfach auf dem falschen Fuß erwischt.«

Die einzige Reaktion, die ich bekam, war ein Grunzen, dann richtete er seine Aufmerksamkeit wieder auf die beiden anderen Männer, die das hitzige Gespräch zwischen mir und ihrem älteren Bruder geflissentlich ignorierten. Sie waren sogar beide einige Schritte zurückgetreten, als wüssten sie, dass der Zorn ihres älteren Bruders so auflodern konnte, dass er alles versengte, das nah genug war, um davon berührt zu werden.

Schließlich blaffte er schroff: »Nun haut schon ab und bringt die beiden in ihr Quartier. Ich gehe rein und sag Brynn Bescheid, dass alle hier sind.«

Und einfach so waren wir entlassen, während er sich auf dem Absatz seines absolut nicht cowboymäßigen Stiefels umdrehte und auf ein weitläufiges Blockhaus zu stolzierte. Das Haupthaus sah eher aus wie ein Chalet in den Schweizer Bergen, aber ich vermutete, dass ich mir mit einer diesbezüglichen Bemerkung keine Freunde machen würde, und ich stand sowieso schon auf der Roten Liste, obwohl ich noch keine Stunde auf der Ranch war.

Lane, der Bruder, der keine Probleme damit hatte, seine Zähne in einem charmanten Lächeln aufblitzen zu lassen, hievte meine Tasche hoch und schenkte mir sein entzückendes Grinsen, das ich schon jetzt als typisch für ihn ansah. »Machen Sie sich wegen Cy keine allzu großen Sorgen. Er bellt mehr, als er beißt, und Sie werden ihn ab morgen nicht mehr oft sehen. Er kommt nur mit raus, wenn es sich nicht vermeiden lässt.«

Aus irgendeinem Grund durchlief mich bei der Vorstellung von Cys Biss ein Schauer. Ich folgte Lane, dessen Bruder und Emrys, als sie zu einer Reihe von Hütten gingen, die einige Hundert Meter von dem riesigen Haupthaus entfernt standen.

»Ich kann mir nicht vorstellen, dass Sie viele Stammkunden haben, wenn er mit all Ihren Gästen unmittelbar nach deren Ankunft so spricht.«

Er stieß ein tiefes Lachen aus, das in mir den Wunsch weckte, mit einem Lächeln zu antworten. Dieser Bruder war offensichtlich der umgänglichste der drei. Ich kam zu dem Schluss, dass ich ihn am liebsten mochte.

»Es war die Bemerkung darüber, dass wir nicht mal wie ›echte Cowboys‹ aussehen. Cy ist empfindlich, wenn Leute aus der Stadt mit vorgefassten Meinungen darüber herkommen, wie der Westen sein müsse und was nötig sei, um draußen in den Bergen überleben zu können. Wir haben es hier mit vielen Wochenendkriegern zu tun, die denken, sie könnten es mit der Wildnis aufnehmen, und am Ende entpuppen sie sich während des ganzen Ritts als gewaltige Nervensägen. Er hat einen ausgeprägten Beschützerinstinkt, was das Land und unseren Lebensstil betrifft, daher fällt es ihm schwer, Außenstehende an sich heranzulassen, auch wenn wir damit unseren Lebensunterhalt verdienen. Nicht alle Cowboys tragen breitkrempige Hüte und haben Schnurrbärte wie Sam Elliott. Cy hat sich nie entsprechend angezogen, nicht einmal, als wir jünger waren. Glauben Sie mir, Sie sind keineswegs die Erste, die eine Exkursion bei uns gebucht hat und dann erstaunt war, dass wir nicht so herumlaufen wie Figuren aus *The Hateful Eight*.«

Ich seufzte und warf ihm aus dem Augenwinkel einen Blick zu. »Ich verstehe nicht, wieso Sie das überhaupt gehört haben.« Ich war mir absolut sicher gewesen, dass ich so leise geflüstert hatte, dass nur Emrys mich hatte hören können.

»Sie sind an den Lärm der Stadt gewohnt und daran, dass die Geräusche an einem so überfüllten Ort alles übertönen, was andere nicht hören sollen. In der weiten, offenen Natur gibt es nichts, hinter dem man sich verstecken kann, und alle Geräusche verbreiten sich ungehindert. Hier draußen gewöhnen Sie sich daran zu sagen, was Sie wirklich meinen, und Sie lernen sehr schnell, das Worte etwas Dauerhaftes sind. Sie können versuchen, sie zurückzunehmen, aber ihr Echo bleibt für immer.«

»Das werde ich mir merken.« Ich legte den Kopf schräg und fragte ihn: »Wenn Sie und Sutton diejenigen sind, die Reisegruppen führen, was tut dann Mr Charakterkopf … abgesehen davon, dass er die zahlenden Gäste einschüchtert und beschimpft?« Keine Ahnung, warum ich so neugierig auf den unfreundlichsten der Brüder war. Aber ich hatte eine Menge Fragen, und ich musste mich wirklich beherrschen, sie nicht alle gleichzeitig hervorsprudeln zu lassen.

Ein weiteres Lachen erklang, und diesmal lächelte ich den Mann vor mir tatsächlich an. Aus der Nähe und ohne den Schatten seines Hutes über dem Gesicht sah ich, dass er nicht nur verboten attraktiv war, wie ich es ja schon vermutet hatte. Lane war viel jünger als Cy, seine Augenfarbe eher ein Blau als Grau. Er hatte ähnliche Kieferkonturen, und der Schnitt seiner Wangenknochen entsprach dem seines älteren Bruders, aber dieser Mann war auf eine zugänglichere Art und Weise attraktiv. Lane Warner hatte außerdem ein Grübchen in einer Wange, wenn er grinste, was ihn in meinen Augen absolut entzückend machte. Ich wusste nicht, ob echte Cowboys Grübchen hatten, aber ich kam zu dem Schluss, dass sie alle welche haben sollten, wenn es bedeutete, dass sie so gut aussahen wie dieser hier. Lane hatte eine solch natürliche Attraktivität, die jeder Frau unter der Sonne gefallen würde, während sein älterer Bruder mit seiner grüblerischen Art und schroffen Attraktivität denjenigen Frauen gefiel, die etwas Besonderes wollten, jemanden, der unvergesslich war und unmöglich zu übersehen.

»Mr Charakterkopf … Cy würde ausrasten, wenn er wüsste, dass Sie ihn so genannt haben. Er geht Gästen aus genau diesem Grund für gewöhnlich aus dem Weg. Er taucht immer auf, wenn Gäste ankommen, und er bleibt in der Nähe, um sich davon zu überzeugen, dass alle aufpassen, wenn wir die Regeln und Vorschriften für die Zeit draußen besprechen, aber danach kümmert er sich wieder um die Leitung der Ranch und all die anderen Dinge, mit denen er beschäftigt ist. Sutton und ich leisten die Beinarbeit, aber Cy ist das Gehirn hinter dem Unternehmen. Er hat die Ranch vor einigen Jahren übernommen, als sich die Gesundheit meines alten Herrn verschlechtert hat. Die geführten Touren und Abenteuerurlaube waren seine Idee. Als er auf dem College war, kamen meistens seine Kumpel mit ihm in den Ferien nach Hause, damit sie draußen im Wald reiten und Outdoorspielchen machen konnten. Cy hat aus etwas so Einfachem wie dem Wunsch seiner Collegekumpel, rumzuhängen und sich zu amüsieren, eine Geschäftsidee gemacht. Da Sie dafür bezahlt haben, hier zu sein, wissen Sie, dass seine Idee profitabel für uns ist. Er hat die Ranch gerettet und meinem Dad einige letzte ruhige Jahre verschafft, damit unser alter Herr sich an seinem Lebensabend keine Sorgen um uns zu machen brauchte.«

Es waren mehr Informationen, als ich erbeten hatte, aber es war ein wertvoller Einblick in die Psyche des Mannes, der mich von Anfang an ebenso verärgert wie fasziniert hatte. Der jüngere Mann sprach mit offensichtlichem Stolz, wenn er von seinem älteren Bruder redete, was mir ein Lächeln entlockte. Doch mein Lächeln erstarb, als wir die Hütte erreichten und der mürrische Bruder – der weniger Ähnlichkeit mit dem hatte, der mich faszinierte – die Tür aufstieß und Emrys Tasche mit einem lauten Knall auf den Boden fallen ließ. Sutton deutete mit dem Kinn auf sie, dann rauschte er an uns vorbei, bis er am Fuß der Vortreppe angelangt war. Er war groß und breit wie sein älterer Bruder, aber seine Augen waren grün und nicht ansatzweise grau oder blau. Seine herabgezogenen Mundwinkel und die Falte zwischen seinen Augen ließen ihn griesgrämig und übellaunig erscheinen und nicht grüblerisch und konzentriert wie seinen älteren Bruder. Er war trotzdem ein unverschämt attraktiver junger Mann, und ich bemerkte, dass Emrys nicht aufhören konnte, ihn anzustarren. Angesichts dessen, dass ich mich in meinem Unwillen selbst in eine Wolke grüblerischer Gedanken hüllte, hatte ich weder Zeit noch Interesse an seiner säuerlichen Einstellung oder dem Grund dahinter. Lane stellte meine Tasche viel behutsamer auf den Boden, schenkte mir ein klägliches Lächeln und tippte sich dann mit den Fingern an den Schirm seiner Baseballkappe.

»Arbeit mit Verwandten ist niemals langweilig, so viel steht fest. Ihr Ladys werdet eine tolle Reise erleben. Überlasst das einfach mir.«

Die Brüder verschwanden, und Emrys schloss die Tür. Sie drehte sich mit einem perfekten Haarschwung zu mir um, dann kniff sie ihre fesselnden dunklen Augen zusammen.

»Du übertreibst es ein bisschen, das weißt du, oder?« Sie war sauer, und ich konnte ihr keinen Vorwurf daraus machen.

»Es tut mir leid, okay? Ich habe wirklich nicht gedacht, dass außer dir noch jemand das hören konnte, was mir als Angriff ausgelegt wurde.«

Sie klopfte mit dem Fuß, der in einem perfekt ins Ambiente passenden ledernen Reitstiefel steckte, auf den Boden und stieß ein verärgertes Schnauben aus.

»Ich weiß, du hast nicht gedacht, dass sie dich hören können, aber darum geht es nicht. Es geht darum, dass du denkst, alle würden sich als etwas ausgeben, das sie nicht sind, nach all dem Scheiß, den Chris dir zugemutet hat. Du lässt andere dafür leiden.«

Chris war der Ex-Freund, von dem ich mir so sicher gewesen war, dass ich für immer mit ihm zusammenbleiben würde. Er war der Ex-Freund, mit dem ich glückselig eine Zukunft geplant und mit dem ich mir träumerisch vorgestellt hatte, Kinder zu haben. Er war der Ex-Freund, den ich im Gegensatz zu allen anderen an mich herangelassen hatte, weil er mir als perfekt erschienen war und, noch wichtiger, weil ich gedacht hatte, wir wären absolut perfekt zusammen. Es war so einfach gewesen, mit ihm zusammen zu sein, mühelos, unkompliziert. Er war der Ex-Freund, der alles gewesen war, was ich je gewollt hatte, und er war der Ex-Freund, der mich von Anfang bis Ende und in allen Dingen verarscht hatte.

Er hatte mich mit fast allem belogen: womit er seinen Lebensunterhalt verdiente, was seine Vergangenheit betraf und seine Zukunft sein würde, wer er war und wer ich für ihn war. Er hatte gelogen und gelogen und noch ein wenig mehr gelogen, und als ich ihn für seine endlosen Unwahrheiten zur Rede gestellt hatte, hatte er mir das Gefühl gegeben, als hätte ich um die Unehrlichkeit gebeten. Er hatte gesagt, ich hätte es ihm leicht gemacht zu lügen, weil ich ihn nie nach der Wahrheit gefragt hätte. Ich hätte all die offensichtlichen Zeichen ignoriert, dass ich hineingelegt wurde. Das hatte mich wütend gemacht, weil ich ein Auge zugedrückt hatte, wenn etwas nicht ganz zusammengepasst hatte, weil es leichter für mich gewesen war, als der Sache auf den Grund zu gehen und zu riskieren, mehr zu erfahren, als ich hatte wissen wollen.

Ich hatte vor über drei Monaten mit Chris Schluss gemacht. Ich leckte noch immer meine Wunden, weil ich nicht glauben konnte, dass ich so dumm gewesen war, mich in jemanden zu verlieben, der so unecht, so verlogen gewesen war. Das Ende der Beziehung war verantwortlich für mein gegenwärtiges Maß an Selbstverachtung und meinen allgemeinen Menschenhass. Seine Lügen und meine Leichtgläubigkeit hatten mir den Boden unter den Füßen weggezogen und mir das Gefühl vermittelt, als könne ich meinem Urteil nicht mehr trauen, ebenso wenig wie meinen Fähigkeiten, Entscheidungen zu treffen. Ich war immer so achtsam gewesen, so vorsichtig, aber Chris hatte meine Verteidigungswälle durchbrochen, und nun kam ich mir töricht und verschmäht vor. In der Folge hatte ich meine Mauern wieder hochgezogen und sie so uneinnehmbar gemacht, dass nicht einmal meine beste Freundin darüber hatte hinwegklettern können, die einzige Person in meinem Leben, die nicht zu meiner Familie gehörte und der ich blind vertraute. Es war mir schrecklich unangenehm, dass ich Em im Laufe der letzten Monate wiederholt enttäuscht hatte. Während meiner Beziehung hatte ich es wieder und wieder ignoriert, wenn sie mich gewarnt hatte, dass mit Chris etwas nicht stimme. Sie hatte mir immer wieder gesagt, ich solle mir ansehen, wo er lebte, solle seine Freunde kennenlernen und mir seine Familie vorstellen lassen. Immerhin waren wir über sechs Monate zusammen gewesen.

Ich hatte sie nach der Trennung enttäuscht, als ich mich in mich selbst zurückgezogen hatte, um über all das hinwegzukommen. Ich hatte mir eingeredet, dass das letzte halbe Jahr meine Selbstachtung völlig zerstört hatte. Ich war keine Frau, die sich weit aus dem Fenster lehnte, und bei der einen Gelegenheit, bei der ich das getan hatte, war ich abgestürzt. Emrys verdiente eine bessere Freundin, denn selbst als ich mit meinen eigenen beschissenen Problemen beschäftigt gewesen war, hatte sie immer fest zu mir gestanden.

Ich streckte die Hände aus und legte sie ihr auf die Schultern. Ich musste aufschauen, um ihr in die Augen sehen zu können, aber genau das tat ich jetzt mit voller Aufrichtigkeit. »Wir werden eine tolle Woche zusammen erleben. Ich verspreche es, ich bin ganz da. Ich werde den Mund halten, wenn es darum geht, ob die Männer echte Cowboys sind oder nicht. Ich werde mich amüsieren und diese abscheulich saubere, nicht verunreinigte Luft und diesen unverdorbenen Frieden genießen. Ich werde sogar versuchen, die Wogen mit Mr Charakterkopf zu glätten, wenn dich das glücklich macht, okay?«

Sie schüttelte den Kopf, aber dann verzog sie den Mund zu einem widerwilligen Grinsen, einen Mund, der keinen Lippenstift brauchte und keinen Konturenstift, damit der Amorbogen aussah wie gemalt. Wenn sie nicht meine allerbeste Freundin auf der ganzen Welt gewesen wäre und ich nicht gewusst hätte, wie groß ihr Herz und wie endlos gütig sie war, wäre es leicht gewesen, sie nicht zu mögen, weil sie es so einfach erscheinen ließ, fehlerlos zu wirken. Glücklicherweise hatten wir uns kennengelernt, lange bevor Chris mich in einen argwöhnischen Zweifler verwandelt hatte, der alles und jeden infrage stellte. Es wäre der größte Verlust meines ganzen Lebens gewesen, mir die

Freundschaft mit Emrys entgehen zu lassen, nur weil sie so einschüchternd fehlerlos schien.

»Ich will, dass du einen Neustart hinlegst und die Batterien wieder auflädst, Leo. Ich will, dass du dich daran erinnerst, dass du die klügste und tüchtigste Frau bist, die ich kenne. Was mit Chris passiert ist, definiert dich nicht. Du bist von einem charmanten Mann mit einem hübschen Gesicht aufs Kreuz gelegt worden. Das hat Konsequenzen, aber es ist nicht das Ende der Welt. Du bist nicht die erste Frau, der so etwas passiert ist. Du wirst nicht die Letzte sein. Ich will, dass du weiterziehst und wieder die Frau wirst, die schon immer meine beste Freundin war.«

Sie klang so traurig, so frustriert, dass mein Magen sich noch fester zusammenkrampfte. Dann schüttelte sie leicht den Kopf und warf mir einen Blick zu, der mir im Herzen wehtat. »Denn von *dieser* Frau hier …«

Sie zeigte auf mich, und ich schaute zu Boden, weil sie mein Shirt betrachtete. Ich hätte es verbrennen sollen, nachdem ich ihm gesagt hatte, ich wolle ihn nie wiedersehen.

»… bin ich nicht gerade ein Fan.«

Ich war auch kein Fan von ihr, wusste aber nicht recht, wie ich sie vertreiben sollte. So langsam fragte ich mich, ob sie diejenige war, die zu sein mir von jetzt an bestimmt war.

Dieser Gedanke war so niederschmetternd, dass ich erklärte: »Ich mach mal weiter.«

Ich ließ die Hände von ihren Schultern sinken, dann bückte ich mich, um meine Tasche hochzuheben und auf eins der schmalen Betten zu stellen, das ein entzückendes bäuerliches Gestell hatte. Die Leute hier hatten sich ein Bein ausgerissen, damit die Quartiere sehr ranchmäßig wirkten, und ich hasste es zuzugeben, dass unseres wirklich hübsch war. Es waren offensichtlich Nachforschungen angestellt worden, was Urlaubern gefallen würde, und da ich meinen Lebensunterhalt damit verdiente herauszufinden und zu analysieren, wofür Menschen ihr Geld ausgeben würden, wusste ich es zu schätzen, wenn ein Unternehmen sich extra darum bemühte, seine Klienten und den Markt zu verstehen.

Ich hörte Emrys hinter mir seufzen. »Vor Chris hättest du diese Männer niemals als unechte Cowboys abgetan. Du wärst zu abgelenkt davon gewesen, wie unglaublich ihre Ärsche in diesen Jeans aussehen, um dir darüber Gedanken zu machen, ob sie Cowboy genug sind oder nicht.«

Traurigerweise hatte sie nicht ganz unrecht mit dieser Einschätzung. Ein ersticktes Lachen entfuhr mir, und ich schaute über meine Schulter. »Ihre Ärsche haben wirklich phänomenal in diesen Jeans ausgesehen.« Besonders der von Cy, als er mit seinem langbeinigen, selbstbewussten Gang davonstolziert war, nachdem er mich heruntergeputzt hatte.

Er war ein Mann, der sich zielstrebig und entschlossen bewegte. Er tat es, als würde ihn nichts beirren, nichts von dem Pfad ablenken, auf dem er sich befand, als sei, was immer er zu tun hatte, viel wichtiger als alles andere, was geschah. Ich hatte mir immer vorgestellt, dass ein richtiger Cowboy sich so bewegen würde, zuzüglich einer leicht o-beinigen Haltung, die meine überaktive Fantasie der Dramatik halber oft hinzugefügt hatte.

Emrys lachte, und die Last, die ich in letzter Zeit in meinem Herzen mit mir herumgetragen hatte, wurde ein wenig leichter.

»Sei einfach während der nächsten Woche nett zu jedem, Leo. Das ist alles, worum ich dich bitte.«

»Das kriege ich hin.« Sie verlangte nicht viel, und so lange, wie der große Bruder des Warner-Trios sich von mir fernhielt, sollte ich problemlos imstande sein, ihre Bitte zu erfüllen. Ich war hier, um ein wenig wertvolle Zeit in unsere Freundschaft zu investieren und um meinem geschundenen Herzen und meinem geschwächten Selbstbewusstsein etwas dringend erforderlichen Halt zu verschaffen. Meine Fähigkeit, an andere zu glauben und meinem eigenen Urteil zu vertrauen, war untergraben worden. Vielleicht würden die Ruhe und der Abstand zu allem Vertrauten dazu beitragen, all das zu heilen, was Chris und seine Lügen zerfetzt und bloßgelegt hatten.

Ich würde mein Bestes tun, darauf zu vertrauen, dass diese nicht ganz echten Cowboys uns nicht nur durch die Berge und die Wildnis führten, sondern es ihnen irgendwann dabei gelang, mich zu der Person zurückzugeleiten, die ich gewesen war, bevor man mich zerbrochen hatte.

Kapitel 2

Eine merkwürdige Dinnerkonversation

Da mein Showdown mit Mr Charakterkopf einen Teil der Stunde geraubt hatte, die man uns bis zum Abendessen eingeräumt hatte, überließ ich Emrys das winzige, perfekt rustikale, aber trotzdem moderne Badezimmer, statt es für mich selbst zu fordern. Ich hatte vermutlich sowieso bereits jeden guten Eindruck verspielt, den ich für heute hätte hinterlassen können. Daher hatte es nicht wirklich Sinn, mich aufzudonnern und so zu tun, als sei ich jemand Freundlicheres und Aufgeschlosseneres, als es tatsächlich der Fall war. Außerdem war ich entschlossen, mich meiner besten Freundin gegenüber zusammenzureißen, ihr den Vortritt zu lassen und ihr das denkwürdige verbindende Erlebnis zu schenken, das sie sich offensichtlich von dieser Reise erhoffte. Es gab nicht viele Menschen auf der Welt, für die ich versuchen würde, meine Einstellung zu korrigieren. Emrys stand zufällig ganz oben auf dieser Liste. Und um die Wahrheit zu sagen, ich war es leid, unglücklich zu sein und andere, denen ich etwas bedeutete, ebenfalls unglücklich zu machen.

Als die Wahrheit über Chris und die Farce unserer Beziehung ans Licht gekommen war, war ich zuerst am Boden zerstört und todunglücklich gewesen. Es hatte nicht lange gedauert, bis sich Verlegenheit und Zorn in diese Gefühle gemischt hatten. Die Verlegenheit hatte mit sich gebracht, dass ich möglichst für mich geblieben war. Ich hatte ungestört meine Wunden lecken wollen und alles getan, was mir eingefallen war, um meine tyrannische beste Freundin von mir fernzuhalten. Ich hatte sie versetzt, unsere regelmäßigen alltäglichen Zusammenkünfte abgesagt, ihre Anrufe ignoriert und sie in der Luft hängen lassen. Ich hatte anfangs sogar mehrere geschäftliche Termine abgesagt, die wir zusammen hatten wahrnehmen wollen, sodass sie ganz allein mit irgendwelchen geilen Geschäftsmännern hatte fertigwerden müssen.

Ich hatte ihren Geburtstag ignoriert und bewusst angefangen, mit ihr zu streiten, als sie mich wegen meines miesen Verhaltens zur Rede gestellt hatte. Ich hatte niemanden so nah an mich heranlassen wollen, dass er gesehen hätte, wie sehr ich litt, erst recht nicht die Person, die mich besser kannte als alle anderen. Zu meinem Glück war Em ebenso halsstarrig wie fordernd. Ich hatte sie von mir gestoßen, so heftig es mir möglich gewesen war, aber sie war nicht weggeblieben. Sie hatte diese kilometerhohen Mauern erklommen und sich nach Kräften bemüht, mich ins Land der Lebenden zurückzuzerren. Ich schuldete ihr also die beste Zeit, die ich ihr nur geben konnte.

Emrys verschwand im Badezimmer, und ich nutzte die Zeit allein im Schlafzimmer, um Jeans und eine eng anliegende, karierte Bluse anzuziehen. Ich löste meinen Pferdeschwanz, der während der nächsten Woche höchstwahrscheinlich meine Standardfrisur sein würde, und rieb mir die Kopfhaut, die vor Erleichterung kribbelte. Ich grinste, als ich mich in dem großen Spiegel sah, der an der Rückseite der Kleiderschranktür hing. Sobald ich in die neuen

Justin-Roper-Stiefel schlüpfen würde, die ich eigens für diese Reise gekauft hatte, würde ich schon mehr dem Bild ähneln, das ich immer von einer traditionellen Rancherin gehabt hatte. Entsprechend flocht ich mir das Haar zu zwei Zöpfen, die beidseits meines Kopfes hinunterhingen, eine Frisur, die ich nicht mehr getragen hatte, seit ich ein kleines Mädchen gewesen war.

Mein Haar hatte gerade so viel Rot in sich, dass ich in meiner Jugend immer Angst vor Pippi-Langstrumpf-Witzen gehabt hatte, aber weil es sich wild lockte und mir in alle Himmelsrichtungen vom Kopf abstand, hatte ich stattdessen Witze über das kleine Waisenkind Annie zu hören bekommen. Die Seitenhiebe hatten wehgetan, vor allem wegen der Gründe für den Spitznamen. Es war allgemein bekannt gewesen, dass meine Großeltern mich aufzogen, weil meine Mutter mich nicht wollte und mein Vater niemals eine Rolle gespielt hatte. Das Wissen, dass die Person, die einen auf die Welt gebracht hatte, einen nicht bei sich haben wollte, war eine bittere Pille. Glücklicherweise hatten meine Großmutter und mein Großvater sich ein Bein ausgerissen, um dafür zu sorgen, dass ich in dem Wissen heranwuchs, dass sie mich über alles liebten und mir alles geben würden, was in ihrer Macht stand, um die Vernachlässigung durch meine Mutter auszugleichen. Mir hatte es nie im Leben an irgendetwas gemangelt, bis auf die schwer fassbaren Antworten auf die Frage, warum meine Mutter beschlossen hatte, mich nicht ins Herz zu schließen, als ich nicht einmal alt genug gewesen war, um ihr einen Grund für diese Ablehnung zu geben.

Ich hatte die Frage meinen beiden Großeltern gestellt, ebenso der Frau, die mir das Leben geschenkt hatte. Niemand hatte eine Antwort gehabt, die mir irgendeine Erleichterung geschenkt hätte. Es gab keine Antworten. Es gab keinen Grund. Für meine Mutter war ich einfach eine unerwünschte Unannehmlichkeit gewesen. Sie hatte ihr Leben bereits geplant, und ich war darin nicht vorgekommen. Ich war problematisch gewesen, und das hatte mich unliebsam gemacht. Grund genug, mich herzugeben und mir für immer den Rücken zuzukehren.

Emrys sagte mir, ich hätte Glück gehabt, dass sie mich verlassen hatte. Meine Großeltern schickten mich auf die besten Schulen und ließen mich an allen möglichen außerschulischen Aktivitäten teilnehmen, sie machten mit mir Reisen, um mir die Welt zu zeigen, lehrten mich Dinge über verschiedene Kulturen und weckten in mir die Würdigung von harter Arbeit und Unabhängigkeit. Sie erzogen mich dazu, mich auf mich selbst zu verlassen, für mich selbst zu denken. Aber die Tatsache, dass mir all diese Gelegenheiten geboten wurden, weil man mich im Stich gelassen hatte, nagte immer irgendwo in meinem Hinterkopf an mir. Es trieb mich dazu, alles so perfekt zu machen, wie ich es nur einrichten konnte. Ich wusste, dass nichts an mir auszusetzen war, dass das Problem bei der Frau lag, die keine Mutter sein konnte. Trotzdem blieben die Fragen, und mit ihnen ging die Furcht einher, dass ich vielleicht, nur vielleicht, etwas an mir hatte, das es den Menschen schwermachte, mich zu lieben. Es hatte mich defensiv und reizbar gemacht, vor allem Menschen gegenüber, die versuchten, nah an mich heranzukommen.

Verärgert über diese düsteren Gedanken zog ich den Ranchprospekt, mit dem Em mir während der letzten Wochen wie eine Art Urlaubsbibel vor der Nase herumgewedelt hatte, aus ihrer Tasche und blätterte ihn durch.

Da waren Fotos von den Bergen und der wunderschönen Umgebung. Ein makelloser See, gespeist von einem klaren Bergbach, und natürlich war da der unverzichtbare Angler in Anglerhose auf dem Foto – mit einem Lächeln auf dem Gesicht von der Größe Wyomings. Da waren Fotos von attraktiv gekleideten Touristen auf wunderschönen Pferden, beladen mit allen möglichen Ausrüstungsgegenständen, und sie alle lachten und amüsierten sich offensichtlich prächtig. Da waren Fotos von den entzückenden Hütten und den Ställen voller Pferde. Auf einem Foto saß Sutton auf einem stattlichen Tier. Ich tippte mit dem Zeigefinger darauf, weil er einen schwarzen Stetson und eine Jeansjacke mit Lammfell am Kragen trug. Er stützte sich auf den Sattelknauf, und weil er außerstande schien zu lächeln, sah er von Kopf bis Fuß aus wie der raubeinige heimatlose Cowboy. Es fand sich auch ein Foto von Lane in dem Prospekt. Von dem Bruder, der sehr wohl lächeln konnte. Auf dem Bild tat er genau das, während er mit einer Gitarre vor einem lodernden Lagerfeuer saß. Er hatte außerdem einen Cowboyhut auf dem Kopf, nur dass seiner aus Stroh war. Sein Hemd ähnelte der trendigen Flanellbluse, die ich gerade angezogen hatte. In dem Prospekt waren sie durch und durch Cowboys; wenn man ihnen persönlich begegnete, war diese Eigenschaft weniger ausgeprägt.

Ich schnaubte und blätterte das Ding durch. Ich konnte nicht verhindern, dass mir der Atem stockte, als ich das Foto auf der Rückseite sah. Es gab einige Bilder vom Haupthaus und von dem riesigen hölzernen Esstisch, der aussah, als käme er direkt aus der Serie *Vikings*. Hier war ein Foto von einer zauberhaften rothaarigen Frau, die mit in den Nacken gelegtem Kopf lachte, während sie auf einer mehlbedeckten Arbeitsfläche Teig knetete. Aber was mir die Luft direkt aus der Lunge saugte, war das Foto von Cyrus Warner in seinem Büro hinter einem riesigen Schreibtisch. Auf dem Bild lehnte er sich in einem ledernen Ohrensessel zurück und hatte die Arme vor seiner breiten Brust verschränkt, einen eindringlichen Ausdruck auf dem Gesicht. Der Raum ähnelte keinem Büro, das ich je gesehen hatte. An der Wand über Cys Kopf hing ein riesiger Schädel eines Langhornrinds. Es sah aus, als hätte jemand aus einem alten Wagenrad eine Lampe gefertigt. Ganz zu schweigen davon, dass die Sessel daneben mit etwas bezogen waren, das kuhfellartig aussah. Ich war bereit zu wetten, dass diese Bezüge tatsächlich von einem Rind stammten. Es war unmissverständlich westernmäßig und ohne Frage ein Büro, das auf eine Ranch gehörte. Es war außerdem unwiderruflich männlich und machtvoll – genau wie der Mann, der den Raum beherrschte. Selbst auf dem Papier war Cyrus beeindruckend, aber nicht annähernd so wie ein Cowboy. Im Gegensatz zu seinen Brüdern war er fast genauso gekleidet wie heute: ein schwarzes T-Shirt, gegeltes Haar mit einem Hauch Silbergrau an den Seiten. Er sah weder aus wie ein Cowboy noch wie ein Geschäftsmann. Er sah wie nichts aus, das ich hätte etikettieren oder einordnen können, was dazu führte, dass ein Schauder der Neugier mich überlief und ich mich herausgefordert fühlte.

»Interessiert es dich endlich, wie wir die nächsten Tage unsere Zeit verbringen werden?« Emrys kam aus dem Bad und hatte ein Handtuch um ihr langes Haar geschlungen. Eine Dampfwolke folgte ihr.

Sie war ähnlich gekleidet wie ich, wobei sie in dieser Aufmachung auch angekommen war. Im Gegensatz zu mir war Em gut bekannt mit der weiten Natur.

»Das freut mich. Ich glaube wirklich, dass wir eine Menge Spaß haben werden, wenn du der Sache eine Chance gibst.«

Ich seufzte und warf den Prospekt neben mich aufs Bett. »Du hast gelesen, dass man ein versierter Reiter sein muss, oder? Ich habe seit Teenagerzeiten nicht mehr auf einem Pferd gesessen.«

Eine der außerschulischen Aktivitäten, die ich hatte ausprobieren wollen, als ich jünger gewesen war, war das Reiten gewesen. Mein Grandpa war in Texas mit Pferden aufgewachsen, lange bevor er nach Nordkalifornien gezogen war. Er war begeistert gewesen, als ich Interesse an etwas gezeigt hatte, das wir zusammen tun konnten. Und er hatte mich schneller, als ich »Hü« sagen konnte, in einem einheimischen Stall zu Reitstunden angemeldet.

Einen ganzen Sommer lang hielt ich durch. Ich kam ziemlich gut mit den großen Tieren klar und begann wirklich, das Reiten zu mögen. Es gefiel mir, die totale Kontrolle über ein solch gewaltiges und mächtiges Tier zu haben. Oder zumindest bildete ich mir das ein, bis ein scheues Reittier, das einen Sprung verweigerte, mich abwarf, als sei ich ein Fliegengewicht. Ich brach mir an zwei Stellen das Handgelenk und beschloss, genug vom Reiten zu haben. Es war zu unberechenbar, und ich hatte lange nicht so viel Kontrolle, wie ich mir vorgegaukelt hatte. Die Geschichte meines Lebens, so schien es. Ich hasste es zu versagen, und wenn es mir einmal passierte, riskierte ich keine Wiederholung dieser Erfahrung. Ich hatte gekniffen und war nie wieder einem Pferd zu nahe gekommen.

»Versiert bedeutet nicht professionell. Du weißt, wie man einen Sattel und ein Zaumzeug anlegt, und du kannst mehrere Stunden am Tag reiten, ohne runterzufallen. Das war alles, was in der Haftungsverzichtserklärung verlangt war, die wir unterschrieben haben.« Sie befreite ihr Haar aus dem Handtuch, und die dunklen Strähnen flossen ihr wie schwarze Seide um die Schultern. »Ich habe seit Jahren auf keinem Pferd mehr gesessen. Nicht mehr, seit ich auf dem College mit diesem spanischen Polospieler zusammen war.«

Wir tauschten einen Blick und stießen beide einen träumerischen Seufzer aus. Der Polospieler war heiß gewesen, aber andererseits waren alle Männer heiß, mit denen Em ausging. Meine beste Freundin gab sich nicht mit dem Durchschnitt ab. Es war eine der Eigenschaften, die ich am meisten an ihr bewunderte. Sie weigerte sich, sich mit irgendetwas zu begnügen.

»Dein Haar sieht süß aus.« Sie streckte die Hand aus und zog am Ende eines der Zöpfe, während ich vom Bett aufstand. »Erinnert mich stark an Elly May Clampett.«

Ich schlug grinsend ihre Hand weg, und mein Magen knurrte und ließ mich wissen, dass der Müsliriegel und die Pepsi, die ich mir einverleibt hatte, nicht genug Nahrung für den Tag gewesen waren.

»Ich glaube, Elly May war einfach nur ein Landei, kein Cowgirl. Lass uns zu diesem Haus hinübergehen. Ich bin halb verhungert.«

Sie zeigte auf ihr immer noch tropfnasses Haar und zog eine Braue hoch. »Ich muss zuerst diesen Mob trocknen, aber du kannst schon ohne mich vorgehen.«

Ich wusste, dass ihr Haar mindestens eine halbe Stunde brauchte, um auch nur ansatzweise trocken zu werden, da sie so verdammt viel davon hatte. Ich wollte ihr gerade sagen, dass ich einfach auf sie warten würde, als mein Magen ein weiteres zorniges Geräusch ausstieß, so laut, dass selbst sie es hörte. Sie zog beide Brauen hoch, als ich eine Hand über den verräterischen Laut schlug und mir die Hitze in die Wangen stieg.

»Okay. Ich gehe vor und schaue, ob sie irgendetwas haben, das ich in mich reinstopfen kann, bevor mein Körper anfängt, sich selbst zu verschlingen. Ich werde Bescheid sagen, dass du dich ein wenig verspätest.«

Sie nickte und ging zum Waschbecken, wo sie mich im Spiegel beobachtete, während ich mir meine neuen Stiefel schnappte und sie anzog. Sie waren anders als alles, das normalerweise meine Füße zierte, aber ich musste zugeben, dass die kleinen Troddeln am Ende der Schnürung supersüß waren. Sie stemmte die Hände in die Hüften und betrachtete mich mit einem Grinsen im Spiegel.

»Du bist entzückend, Leo. Danke, dass du es versuchst, das bedeutet mir wirklich viel.« In ihrer Stimme schwang eine Unbekümmertheit mit, die gefehlt hatte, seit ich mich in meinem Mauseloch verkrochen hatte. Ich hatte den Rest der Welt ignoriert, während ich versucht hatte, die Wunden zu schließen, die viel tiefer gingen, als es irgendjemand wusste.

Ich stieß ein Schnauben aus und ging zur Tür. »Wünsch mir Glück. Ich hoffe, ich werde auf dem Weg zu diesem Holzhaus nicht von einem Bären gefressen oder von einem Berglöwen angegriffen.«

Sie lachte und sah mich im Spiegel an. »Wenn du schreist, wette ich gutes Geld darauf, dass mehr als einer dieser Typen in den engen Wranglers herbeigeeilt kommt, um dich zu retten. Es könnte sich lohnen, es einfach mal zu probieren. Wer will nicht von einem höllisch erotischen Cowboy gerettet werden?«

Ich stöhnte, als ich die Tür aufzog. »Nun, ich glaube immer noch nicht, dass diese Männer Cowboys sind, also befürchte ich, dass ich mich selbst retten muss.« Etwas, von dem ich überzeugt gewesen war, dass ich es konnte, bevor Chris die Fundamente meines Glaubens an mich selbst erschüttert hatte. Jetzt war ich mir nicht mehr so sicher, ob ich der Aufgabe gewachsen war, mich selbst und die Stellen zu schützen, die empfindlich und weich waren. »Wir sehen uns später.«

Em winkte mir über ihre Schulter hinweg zu.

Ich zuckte zusammen, als die Tür mit einem lauten Knall hinter mir zufiel und ich deutlich hören konnte, wie die Absätze meiner Stiefel auf der Holztreppe klapperten, die nach unten führte. Es war so still hier, so lautlos. Ich konnte mein Herz schlagen hören, genauso, wie ich jeden Atemzug vernahm. Ich konnte hören, wie meine Kleider sich an meiner Haut rieben und mir die leichte Brise durchs Haar strich, als ich zu dem hell erleuchteten Haupthaus hinüberging. Ich war mir mit allen Sinnen bewusst, wie leicht Geräusche sich ohne Gebäude und Schwärme von Menschen, die sie schluckten, verbreiten konnten. Meine Stimme würde man bis auf die Berggipfel hören können, wenn ich sprach. Daher war es kein Wunder, dass Cy und seine Brüder vorhin meine sarkastische Bemerkung gehört hatten.

Hier draußen gewöhnen Sie sich daran zu sagen, was Sie wirklich meinen …

Lanes Worte trieben durch meinen Kopf, während ich dem imposanten Haus immer näher kam. Eine breite Veranda zog sich über die gesamte Vorderfront. Darauf standen mehrere hölzerne Stühle, über denen etwas lag, das wie Pferdedecken aussah. Antik wirkende Laternen verströmten ein sanftes Licht, und jemand hatte sich die Zeit genommen, das Logo, das man mit der Ranch in Verbindung brachte, auf jede der Latten des hölzernen Geländers zu brennen. Die Szenerie erinnerte direkt an einen alten Western, war aber hübsch und einladend genug, um eine breite Palette von Besuchern anzusprechen. Wer immer die Verantwortung für die Außendarstellung dieses Besitzes hatte, hatte größte Sorgfalt walten lassen, um alles genau richtig hinzubekommen, ohne ein Detail zu übersehen. Die Grenze zwischen einer bewirtschafteten Ranch und einem Ferienort war perfekt gezogen, und es fiel schwer, mir vorzustellen, dass irgendeiner der Männer, die ich bisher kennengelernt hatte, für diese Professionalität verantwortlich war. Es war etwas, wofür die CEOs, mit denen ich jeden Tag zusammenarbeitete, Millionen von Dollar ausgeben würden, um es zu kultivieren. Das Wissen, wie man einen Kunden ansprach und was ihn dazu bringen würde, sich von seinem hart verdienten Geld zu trennen, war das ultimative Werkzeug in der Trickkiste eines Profis. Es schien, dass irgendjemand hier mit geschickter Hand damit umzugehen wusste.

Ich strich über das glatt polierte Holz des Geländers an der Treppe, die zur Haustür aus Holz und Eisen führte. Es gefiel mir, wie das Holz sich anfühlte – so warm unter meiner Hand. Ich war an stählerne Geländer gewöhnt, die von Gott weiß was klebten. Es war, als hätte alles an diesem Ort Leben in sich, eine Seele, die den strengen Gebäuden der Skyline von San Francisco fehlte. Ich mochte die Stadt, die ich mein Zuhause nannte, mochte die schnörkelige Einzigartigkeit der Hügel und Täler, die mannigfaltige Geschichte eines Ortes, der von Goldgräbern und Träumern gegründet worden war, aber es ließ sich mit nichts vergleichen, was ich hier vorfand.

Ich holte gerade tief Luft und schickte mich an, die Vortreppe hinaufzugehen, als die Tür plötzlich aufgerissen wurde und ich mich von Angesicht zu Angesicht dem aufreizend attraktiven Mann gegenübersah, der nicht ganz Cowboy war. Ich erinnerte mich nicht daran, jemals in der Nähe eines größeren Mannes gewesen zu sein oder eines Mannes, der so mühelos Eindruck machte. Es war, als würden seine Präsenz und sein Charisma alles andere überlagern, das um mich herum geschah. Aus irgendeinem Grund schien sich alles zu verlangsamen und zu schärfen, wenn er zugegen war. Genau das war auch passiert, als ich mir sein Foto in dem Prospekt angesehen hatte. Es verursachte ein Gefühl des Unbehagens. Es gefiel mir nicht, dass er nichts zu tun brauchte und ich innerlich wie äußerlich so auf ihn reagierte, als sei er die dynamischste Kreatur im Universum. Es war verblüffend und ließ meine inneren Warnglocken schrillen, die alle blank poliert und bereit waren zu ertönen – nach der Katastrophe, die mit Chris über mich hereingebrochen war –, und sie erklangen laut und deutlich.

»Ich wollte gerade rüberkommen, um mich davon zu überzeugen, dass Sie und Ihre Freundin sich auf dem Weg hierher nicht verirren. Es warten eine Menge gefährlicher Wesen darauf, ihre Zähne in hübsche Frauen zu schlagen, wenn die Sonne untergeht.«

Mir gefiel der raue Klang seiner Stimme eine Spur zu gut, aber die verführerische Warnung in seinem Ton behagte mir ganz und gar nicht. Ich legte den Kopf in den Nacken, um zu ihm aufzuschauen, während er zu der obersten Treppenstufe hinüberging, damit er vor mir aufragen konnte.

»Es geht mir gut. Ich bin durchaus imstande, auf mich aufzupassen. Ich weiß, wann ich wegrennen muss.« Oder zumindest hatte ich es gewusst. Alles in mir schrie danach, die Flucht vor diesem Mann zu ergreifen, und zwar so schnell ich konnte. Bei der Erinnerung daran, dass ich das Kriegsbeil begraben sollte, zwang ich mich zu einem Lächeln und legte den Kopf schräg, eine Geste, von der ich hoffte, dass sie zugänglich und freundlich wirkte. »Vielen Dank, dass Sie an uns und unser Wohlergehen denken. Das ist sehr gastfreundlich von Ihnen.« Ich verkniff mir das scharfe »endlich«, das mir auf der Zunge lag.

Ein Grinsen, das einen seiner Mundwinkel in die Höhe zog, glitt über seine Züge. Es ließ mir den Atem stocken und meine Knie zittern. Es sollte dem Mann nicht gestattet sein, so gut auszusehen, bei einer derart unangenehmen Persönlichkeit. Es war nicht fair. Es ging mir gegen den Strich, aber ohne es zu wollen, genoss ich die Tatsache irgendwie, dass er den Fehdehandschuh aufgehoben hatte. Mir gefiel es, und es wärmte mir das Herz.

»Ich will nur sichergehen, dass den Hübschen aus der Stadt nichts zustößt. Das wäre schlecht fürs Geschäft.« Er sah mich an und zog eine Braue hoch, und das Grinsen verwandelte sich in ein ausgewachsenes Lächeln. »Es sind immer diejenigen, die denken, sie könnten auf sich selbst aufpassen, die am Ende die meiste Hilfe brauchen. Kommen Sie herein und machen Sie es sich gemütlich. Ich werde rübergehen und Ihre Freundin einsammeln, damit sie nicht allein in der Dunkelheit herkommen muss.«

Mir schwirrte der Kopf von der Tatsache, dass er mich mehr als einmal als hübsch bezeichnet hatte. Normalerweise hätte ich das als Unfug abgetan. Ich war seine Kundin, und unsere bisherigen steinigen Begegnungen machten ihn wahrscheinlich nervös und weckten in ihm die Befürchtung, ich könnte ihn und sein Geschäft auf TripAdvisor in Stücke reißen oder auf jeder anderen Reiseseite, die ihm Kundschaft eintrug. Doch er kam mir nicht wie der Typ vor, der Worte verschwendete. Lane hatte mir bereits erklärt, dass die Warner-Jungs nur Dinge sagten, die sie ernst meinten, denn Worte hätten ein Gewicht, wenn alle hören konnten, was man sagte. Das Kompliment machte etwas mit mir, das zu untersuchen ich zu nervös war. Ich hatte keinen Platz für Schmetterlinge. All dieser Raum sollte mit felsenfester Entschlossenheit erfüllt sein, damit ich nie wieder in eine Situation wie die mit Chris geriet. Doch wie dem auch sei, ich verspürte ein Flattern, und es machte mich panisch, daher tat ich, was ich immer tat, wenn ich mich herausgefordert fühlte … ich versuchte wegzurennen.

Ich machte einen weiteren Schritt nach oben auf die Veranda und öffnete den Mund, um ihm zu erklären, dass ich Hunger hatte, aber das Luftholen endete mit einem Keuchen, als ich fast umgeworfen wurde, als Sutton mit halsbrecherischer Geschwindigkeit an seinem Bruder vorbeihechtete. Er ächzte, als wir beide schwankten, und er legte seine harten Hände um meine Oberarme, um mich aufrecht zu halten. Als sei ich ein Möbelstück, über das er versehentlich gestolpert war, schob er mich energisch zur Seite und sah seinen älteren Bruder, der ihn jetzt mit einem offensichtlich warnenden Gesichtsausdruck anfunkelte, über seine Schulter hinweg an.

Sutton fluchte leise und wandte den Blick von seinem Bruder ab. »Daye hat mich gerade angerufen. Ich muss sie abholen.«

Meine Blicke flogen zwischen den beiden Brüdern hin und her, als Cy zornig bemerkte: »Du kannst nicht jedes Mal losrennen, wenn Alexa mal wieder versagt, Sutton. Du hast Verpflichtungen hier.«

Ich zuckte um Suttons willen zusammen – und stieß einen leisen Schrei aus, weil die Hände, die er immer noch um meine Arme gelegt hatte, mir wehtaten.

»Ich habe auch dort Verpflichtungen, Cy. Eine davon wird zumindest während der nächsten dreizehn Jahre vorhanden sein. Daye ist meine gottverdammte Tochter, und es ist nicht ihre Schuld, dass ihre Mutter eine beschissene Irre ist. Sie braucht mich, und ich gehe zu ihr. Es wird dich nicht umbringen, deinen Hintern hochzuschwingen und mal was anderes zu machen, als Papiere auf deinem Schreibtisch zu stapeln.« Die harten Hände ließen mich los, und plötzlich stand er hinter mir, sodass ich mich erneut von Angesicht zu Angesicht mit einem entschieden zornigen Cyrus Warner wiederfand. Er ließ den Blick über mich hinwegwandern, überzeugte sich davon, dass ich mich auf den Füßen halten konnte, und schaute dann über meinen Kopf hinweg, wo ich seinen Bruder hinter mir die Treppe hinunterstapfen hörte.

»Wie oft habe ich dir geraten, dich von keiner Frau zu schwanzgesteuerten Entscheidungen hinreißen zu lassen? Man sollte meinen, du und Lane, ihr hättet aus *meinen* Fehlern gelernt.«

Ich schluckte hörbar, denn obwohl er nicht mit mir sprach, fühlte es sich wie eine Warnung an. Eine, die direkt auf mich abzielte.

Sutton nahm seinen Hut ab und schlug sich damit auf ein Bein, während er sich mit der anderen Hand durchs Haar fuhr. Es hatte einen hübschen Bronzeton und war nicht so dunkel wie das Haar des Mannes, der vor mir aufragte. »Ich lebe nicht dein Leben, Cy, und ich lebe nicht das von Dad. Ich mache meine eigenen Fehler, genau wie Lane. Wir sind nicht alle aus demselben Holz geschnitzt, ganz gleich, wie sehr du dir das für uns wünschst. Jetzt fahre ich meine Tochter abholen. Sie hat Angst und weint, weil ihre Mom eine unverantwortliche Trinkerin ist, die zum zweiten Mal in dieser Woche vor ihren Augen ins Delirium gefallen ist. Sie hat Hunger und ist allein, und sie braucht ihren Dad. Du kannst morgen früh mit Lane losgehen. Wenn ich Daye hergeholt und bei Brynn untergebracht habe, komme ich und löse dich ab. Es sind nur ein paar Tage.«

Es folgte ein angespannter Blickwechsel über meinen Kopf hinweg. Bis ich sah, wie Cys breite Brust sich hob und er tief seufzte. Er klang nicht glücklich, aber er gab nach. »Na schön. Wenn du Hilfe brauchst, ruf mich an.«

Der jüngere Mann stieß ein Ächzen aus, dann war Sutton verschwunden und ließ mich mit diesem eindrucksvoll finster blickenden Mann allein.

»Entschuldigen Sie den Zwischenfall. Das war ein Gespräch, das wir uns für ein andermal hätten aufsparen sollen. Sutton kann ein Hitzkopf sein und vergisst manchmal, dass Familienangelegenheiten bei unserem geschäftlichen Auftreten nichts zu suchen haben. Ist mit Ihnen alles in Ordnung? Er ist ziemlich heftig mit Ihnen zusammengeprallt, als er durch die Tür gehechtet ist.«

Ich hatte keine Sorge von ihm erwartet, daher brachten seine Worte mich kurz aus dem Konzept, und ich hob geistesabwesend die Hand an einen meiner Oberarme, wo ich morgen früh zweifellos einen blauen Fleck haben würde. Ich hatte eine sehr helle Haut, daher gehörte nicht viel dazu, mir Prellungen zuzuziehen. »Ist schon gut. Er war offensichtlich außer sich.« Ich versuchte nett zu sein, genau wie ich es Em versprochen hatte, aber meine Reaktion schien den imposanten Mann vor mir noch wütender zu machen.

Er fluchte leise und trat einen Schritt auf mich zu, sodass er direkt vor mir stand. »Er blutet aus Wunden, die er sich selbst zugefügt hat. Er hat die falsche Frau geschwängert und zahlt seit fünf Jahren für diesen Fehler. Was ihm jedoch nicht das Recht gibt, unseren Gästen gegenüber achtlos zu sein. Sie hätten wirklich verletzt werden können, wenn seine guten Reflexe nicht verhindert hätten, dass Sie hingefallen wären.«

Ich zuckte zurück angesichts des völlig fehlenden Mitgefühls in seinem Ton und legte den Kopf schräg, während ich ihn musterte. »Ihre Nichte ist also erst fünf Jahre alt, und sie ist allein mit ihrer Mutter, die das Bewusstsein verloren hat, was bedeutet, dass sie wahrscheinlich schreckliche Angst hat und zweifellos aufgeregt ist.«

Er sah mich nur an, während ich die schrecklichen Tatsachen auflistete, in die ich hineingestolpert war.

»Und Sie sind wütend auf Ihren Bruder, dass er die Kleine da herausholen will? Was für ein kaltherziges Monster würde ein Kind in dieser Situation sich selbst überlassen?«

Seine erstaunlichen Augen brannten auf mich herab, und ein Muskel zuckte hart und schnell in seiner Wange, während er die Zähne zusammenbiss. Ich kannte zwar nur einen Bruchteil der Geschichte, die sich hier abspielte, aber dieser eine Moment, dieser Sekundenbruchteil zeigten den Mann, der mich faszinierte, in einem nicht sehr schmeichelhaften Licht. Er war kein Cowboy, und ich wusste nicht, was für ein Geschäftsmann er war, aber eines war überdeutlich … Er war ein Arschloch. Ein gefühlloses, kaltes, unbarmherziges und grausames Arschloch. Wie konnte irgendein Mensch eine Tat missbilligen, die im besten Interesse eines kleinen Kindes geschah … insbesondere seines eigenen?

Ich wollte weg von ihm und weg von dem seltsamen magnetischen Sog, der mich zu ihm hinzuziehen schien. Ich mochte ihn nicht, und erst recht gefiel es mir nicht, welche Gefühle er in mir weckte. Als würde alles in mir gleichzeitig kochend heiß und eiskalt sein. Meine Grundfesten waren bereits erschüttert und wackelig. Ich brauchte am Allerwenigsten, dass dieser kräftige, grüblerische Mann mit seiner undeutbaren Persönlichkeit ihnen noch mehr Schaden zufügte.

Ich wollte an ihm vorbei ins Haus gehen, als eine seiner Hände auf meinem Arm landete, viel leichter als die Berührung seines Bruders es gewesen war. Bei dem Kontakt hatte ich das Gefühl, einen Strom führenden Draht angefasst zu haben. Ein Kribbeln schoss meinen Arm hinauf, und ich riss den Kopf herum, um den Mann vor mir anzustarren. Er betrachtete meinen Arm, wo seine Hand lag, und ich betete, dass er nicht spürte, wie diese einfache Berührung mein Blut zum Sieden brachte, als strömte Lava durch jede einzelne Ader.

»Ich liebe meinen Bruder, und ich liebe meine Nichte. Wen ich nicht liebe, ist die manipulative Frau, die sie beide benutzt, um Spielchen zu spielen. Ich bin nicht wütend, weil Sutton sich um sein Kind kümmert, ich bin wütend, weil er es überhaupt nötig hat. Das Sorgerecht für Daye ist ein ständiges Thema, seit Suttons Ex schwanger geworden ist. Ich würde sagen, das wirklich kaltblütige Monster in dieser Situation ist die Frau, die freiwillig ein Kind auf die Welt gebracht hat, an dem sie von vornherein nicht das leiseste Interesse hatte. Daye ist für sie eine Schachfigur, nicht mehr und nicht weniger. Es macht mich sauer, dass Sutton keine andere Wahl hat, als die Spielchen mitzuspielen, weil er seine Tochter liebt und ein guter Dad ist. Ich will, dass meine Brüder bessere Entscheidungen treffen als die Männer in unserer Familie vor ihnen. Glück in der Liebe ist etwas, das die Warners nie gehabt haben.«

Ich blinzelte und blinzelte dann noch einmal, denn ich war nur allzu vertraut mit einem solchen Monster, das er gerade beschrieben hatte. Ich hatte mein eigenes Monster nicht allzu tief in meinem Kleiderschrank versteckt. Langsam stieß ich den Atem aus und setzte ein Lächeln auf, um all diese alten Gefühle der Unzulänglichkeit in die Dunkelheit zurückzuzwingen, wo sie hingehörten.

»Nun, das ist ganz und gar nicht das, was ich erwartet habe, aber ich muss zugeben, dass dieser Urlaub bisher alles andere als langweilig war. Ehrlich gesagt habe ich schrecklichen Hunger, wenn es also irgendetwas zu essen gibt, lassen Sie mich dort hingehen.« Es war ein unverhohlener Versuch, das Thema zu wechseln, und ich betete, dass er auf den sanften Schubser eingehen würde. Er kam mir nicht wie der Typ vor, der wollte, dass eine Fremde sich in seine Familienangelegenheiten einmischte. Sein jüngster Bruder hatte erwähnt, dass es Cy schwerfiel, sich auf Außenstehende einzulassen, die Land und Leute nicht kannten. Ich gehörte nicht in seine Welt hinein, und seine persönlichen Angelegenheiten gingen mich verdammt noch mal ebenso wenig etwas an, wie ihn meine etwas angingen.

Ich hatte das mit Chris nicht kommen sehen, als er in mein Leben eingedrungen war, aber wie Cyrus war, ließ sich nicht übersehen.

Plötzlich trat er einen Schritt zurück. Der Glanz in seinen silbergrauen Augen verblasste ein wenig, und er senkte den Kopf zum Zeichen, dass ich ihm einen Ausweg eröffnet hatte und er ihn annehmen würde. Das hier war ein Geschäft … nicht mehr. »Gehen Sie ruhig hinein. Ich werde Sie mit dem Rest Ihrer Gruppe und mit Brynn bekannt machen, wenn ich mit Ihrer Freundin wieder da bin. Sie gehören zu einer Gruppe von insgesamt acht Leuten, die morgen früh mit uns losreiten. In der folgenden Woche werden Sie also ziemlich auf Tuchfühlung mit allen anderen gehen, daher wäre es das Beste, wenn Sie versuchen würden, sich mit allen zu verstehen.«

Ich ärgerte mich ein wenig über seine Erinnerung an unsere erste Begegnung und wollte mir hochmütig das Haar über die Schulter werfen, erinnerte mich aber gerade noch rechtzeitig daran, dass es zu Zöpfen geflochten war und es unmöglich sein würde, hochmütig zu wirken, wenn man versuchte, wie ein richtiges Cowgirl auszusehen – oder wenn man Leo war, denn süß und hochmütig passten wirklich nicht zusammen.

Ich würde nie so weit gehen zu sagen, dass ich normalerweise großartig mit anderen Menschen klarkam, denn das wäre eine Lüge gewesen. Es fiel mir schwer, Menschen zu vertrauen, und noch schwerer, mich zu öffnen, daher war mein soziales Umfeld relativ klein. Es war kein Geheimnis, dass Fremde meine unverblümte Art und mein allgemeines Desinteresse an Nettigkeiten abstoßend fanden. Ich war keins der beliebten Kinder gewesen und hatte mich auch nie darum bemüht, eins zu sein. Doch wenn man seine Tage damit verbrachte, Menschen zu studieren, ihre Angewohnheiten, was das Geldausgeben betraf, ihre Vorlieben und die Auslöser ihres Tuns, war es unausweichlich, dass man herausfand, was die meisten Menschen antrieb. Also konnte ich eine Woche lang so tun, als sei ich freimütig und abenteuerlustig, und vielleicht, nur vielleicht, würde diese Vorspiegelung falscher Tatsachen am Ende der Wirklichkeit entsprechen.

Jetzt, da ich wusste, dass Cy mindestens einige Tage der Reise mit uns kommen würde, fand ich es plötzlich viel aufregender, eine Woche in einem Zelt in den Bergen von Wyoming zu verbringen. Er war ein Mann, auf den ich mir keinen Reim machen konnte, ein Rätsel, das ich, auf Teufel komm raus, lösen wollte. Ich wollte herausfinden, wie das komplette Bild von Cyrus Warner aussehen würde. Vielleicht brannte ich so sehr darauf, das ganze Bild zu sehen, weil beim letzten Rätsel, das ich zu lösen versucht hatte, eine Menge Teile gefehlt hatten. Es war Furcht einflößend, wenn man seinem eigenen Urteil nicht trauen konnte – was real war und was sich nur so anfühlen sollte, als sei es real.

Mein Ex hatte mein Vertrauen und mein Selbstbewusstsein zerstört. Und irgendwo tief in meinem Inneren hatte ich das Gefühl, dass Cyrus Warner, wenn ich ihn zu nah an mich heranließ, die Macht haben würde, all das auszulöschen, was von mir übrig war.

Ich konnte mir nur die Daumen drücken und hoffen, dass ich schnell genug war, um einer solchen Verwüstung davonzulaufen.

Kapitel 3

Nicht die üblichen Verdächtigen

Wenn ich hätte raten müssen, welche Menschen eine einwöchige Reise in die Wildnis von Wyoming buchten, hätte ich mich für Geschäftsmänner in ihren mittleren Jahren entschieden, die schon immer der Fantasie nachgehangen hatten, sie wären John Wayne oder Clint Eastwood. Ich hätte desillusionierte Hipster ausgewählt, die in den Metropolen alles langweilig fanden und beschlossen hatten, sich hinauszuwagen, um in Kontakt mit Mutter Natur zu treten. Ich hätte auf Frauen wie mich und Emrys getippt, die finanziell abgesichert und vielleicht ein wenig verloren und definitiv überarbeitet waren, Frauen, die nach etwas suchten, um den eigenen Status quo zu erschüttern. Ich hätte jedoch nicht auf die offensichtlich wohlhabende Familie getippt, die aus der Upper East Side stammte und mir gerade an dem langen hölzernen Esstisch gegenübersaß. Die Mutter befingerte das brillantbesetzte Tennisarmband an ihrem Handgelenk, während das Plastiklächeln auf ihrem Gesicht keine Sekunde lang verrutschte. Der Vater schaute immer wieder diskret auf sein Handy, während sein halbwüchsiger Sohn sich weigerte, den Blick von dem Videospiel abzuwenden, das in seinen Fingern unablässig piepte. Ich fragte mich widerstrebend, welchen Netzanbieter sie hatten, weil mein Telefon in dieser toten Zone ein Stein mit null Balken war. Sie dagegen schienen kein Problem zu haben, mit der Außenwelt zu interagieren. Es war, als würde das Schicksal mich dazu zwingen zu entschleunigen und aufzuhören, an jede Kleinigkeit zu denken, die ich falsch gemacht hatte. Die Tochter der Familie war einige Jahre älter als der Junge, und von dem Moment an, in dem Cy mit Em im Schlepptau hereingekommen war, hatte sie den Blick ihrer großen Augen keine Sekunde lang von ihm abgewendet. Ich machte ihr keinen Vorwurf; es war unmöglich, ihn zu ignorieren. Ich hätte ihrer Mutter am liebsten einen Stoß versetzt und räusperte mich wegen der Unangemessenheit einer solch unverhohlen sexuell motivierten Musterung, denn Cy war sehr viel älter als das Mädchen.

Ich hätte auch nie vermutet, dass die beiden anderen Männer, die zu unserer Karawane gehörten, diesen Ort als ihre erste Wahl für eine Flucht vor der Wirklichkeit ausgesucht hätten. Zwei Männer, die kaum miteinander redeten, die den Rest von uns am Tisch argwöhnisch beobachteten und nur wenige Informationen über sich selbst preisgaben, als sie uns vorgestellt wurden. Mein erster Gedanke war, dass es sich dabei um ein sehr unglückliches Paar handeln müsse, das diesen Trip und diese abgelegene Gegend als eine Möglichkeit ansah, ihre Romanze wieder aufflammen zu lassen. Aber ihre Körpersprache, die steife Art, wie sie miteinander und mit uns anderen umgingen, machten klar, dass sie es kaum ertragen konnten, sich im selben Raum aufzuhalten. Also war die Wahrscheinlichkeit gering, dass sie ein Liebespaar waren. Da sie auch keine Freunde zu sein schienen, konnte ich mir wirklich keinen Grund vorstellen, warum die beiden Männer zusammen in den Wald reisen wollten. Es war seltsam. Vermutlich merkten sie, dass ich es komisch fand, denn der jüngere der beiden Männer, der wahrscheinlich ungefähr in meinem Alter war, warf mir unter zusammengezogenen Brauen immer wieder böse Blicke zu. Ich starrte einfach zurück, bis Emrys sich mit einer schwungvollen Gebärde und einem Seufzen neben mich setzte.

Sobald sie am Tisch saß, richtete sich die gesamte Aufmerksamkeit auf sie. Selbst der junge Spieler verlor das Interesse an seinem Gerät und machte meiner besten Freundin, die hübscher war, als es ihr guttat, schöne Augen.

Die Schwingungen am Tisch waren angespannt und unklar. Ich vergaß völlig, mir einen Snack vor dem Abendessen zu schnappen, während ich abschätzend taxierte und meinerseits gescannt und beurteilt wurde. Es fühlte sich an, als befänden wir uns bei einer Art Vorsprechen, nicht so, als wären wir nur ein Haufen wildfremder Menschen, die sich für ein Lebensabenteuer getroffen hatten. Cy stellte uns einander kurz und sachlich vor. Er nannte den Namen jedes Einzelnen, und es stellte sich heraus, dass sich die beiden wortkargen Männer Grady und Webb nannten. Die vierköpfige Familie waren Marcus, der desinteressierte Vater, Meghan, die gestresste Mutter, und Evan und Ethan, die Kinder, die beide den Eindruck erweckten, als wären sie lieber sonst wo. Cyrus erwähnte auch, woher wir alle kamen, bevor er am Kopfende des Tisches Platz nahm und glücklich darüber zu sein schien, uns alle auszublenden, damit er mit seinen offensichtlich tiefschürfenden Gedanken allein sein konnte. Niemand erzählte mehr von sich, als wir eben erfahren hatten, daher waren die Momente, die verstrichen, unglaublich peinlich.

Ich warf Emrys einen Blick zu, den sie bewusst ignorierte. Lane war der Einzige am Tisch, der in der Lage zu sein schien, ein längeres Gespräch zu führen, aber das war viel verlangt von einer einzelnen Person, mit neun anderen um sich, die offensichtlich mit sich selbst beschäftigt waren. Schließlich stieß er einen tiefen Seufzer aus, sah seinen älteren Bruder an, verdrehte die Augen und entschuldigte sich, um der bis jetzt unsichtbar gebliebenen Brynn zu helfen, der Frau, die die Brüder immer wieder erwähnten und die sich offensichtlich in der Küche aufhielt. Ich hatte sie noch nicht kennengelernt, aber ich war bereit, sie stürmisch zu umarmen und mit Liebe zu überhäufen, wenn das Essen, das sie mir brachte, so gut schmeckte, wie es roch.

»Womit verdienen Sie eigentlich Ihren Lebensunterhalt, Ms Santos?« Das war von dem Vater aus Manhattan gekommen, der entweder ein Workaholic war oder definitiv eine Affäre nebenherlaufen hatte. Sein Handy plingte alle fünf Minuten, und er gab sich große Mühe, dafür zu sorgen, dass weder seine Frau noch seine Kinder den Bildschirm sehen konnten, wann immer er antwortete.

Die Vorstellung, dass er seine Familie hinterging, bescherte mir eine Gänsehaut. Als all die Lügen von Chris ans Licht gekommen waren, war mir klar geworden, dass ich während unserer ganzen Beziehung die ahnungslose *andere* Frau gewesen war. Niemand mochte einen Betrüger, aber wenn man so dumm gewesen war, sich das Herz von einem solchen brechen zu lassen, machte einen das noch voreingenommener und kritischer, wenn es darum ging, wie andere die Menschen behandelten, die sie eigentlich lieben sollten. Ich beschloss auf der Stelle, dass ich den

Vater nicht mochte, und ich würde ihm nie und nimmer jemals vertrauen.

Emrys lächelte auf ihre entwaffnende, unbekümmerte Art, und ich musste ein Kichern unterdrücken, als ihr Lächeln fast jeden Einzelnen der Männer bei Tisch spürbar unruhig machte. Die beiden großen Schweiger waren definitiv kein Paar, da Emrys eine Wirkung auf sie hatte. Sie war machtvoll, und am meisten liebte ich an ihr, dass sie sich ihrer Macht und der Wirkung, die sie auf andere hatte, vollauf bewusst war. Es war schön, dass sie früh entschieden hatte, ihren Einfluss zum Guten zu benutzen statt zum Bösen.

»Ich arbeite als Personalerin.« Sie wedelte mit der Hand vor ihrem Gesicht und lachte leise. »Ich schiebe so ziemlich den ganzen Tag Papiere hin und her. Ein Formular nach dem anderen. Es ist endlos.«

Sie tat erheblich mehr als das, aber sie würde niemals Vorträge über ihre eigenen Leistungen halten. Und als sie mich aus dem Augenwinkel ansah, wusste ich, dass sie kein Interesse an dem Versuch hatte, den übertrieben interessierten Vater der beiden Teenager-Kinder zu beeindrucken.

»Das klingt interessant. Ich arbeite in der Immobilienbranche. New York ist einer der konkurrenzstärksten Märkte auf der Welt. Ich muss den jeden Tag alles geben … jeden verdammten Tag.«

Ich kämpfte gegen den Drang an, die Augen zu verdrehen, als die Mutter sich nervös räusperte und ihre zappligen Finger von den Brillanten an ihrem Handgelenk zu dem einen an ihrem Ringfinger bewegte.

»Ja, Marcus arbeitet sehr hart, was der Grund ist, warum wir alle diesen Urlaub gebraucht haben. Es wird sehr schön sein, Zeit zusammen zu verbringen … als Familie.« Ihre letzten Worte waren eine Spur brüchig, und das Mädchen riss den Kopf herum und funkelte sie an, als hätte sie jemand an einer Stelle angestupst, wo niemand es sehen konnte. Ich beobachtete, wie sie ganz offensichtlich beschloss, sich eine freche Bemerkung ihrer Mutter gegenüber zu verkneifen, und stattdessen mit schmalen Augen ihren Vater ansah, der erneut auf seinem Handy herumtippte. Das Mädchen schüttelte den Kopf und richtete ihre Aufmerksamkeit mit einem sehnsüchtigen Seufzen wieder auf Cy.

Es erinnerte geradezu lächerlich an eine schlechte Sitcom, in der diese Familie die Hauptrolle spielte. Dieser Urlaub entpuppte sich als eine Aneinanderreihung von Überraschungen. Es interessierte mich zunehmend zu sehen, wohin das alles führte. Solch eine Story samt bevorstehender Tragödie war genau das, was ich brauchte, um mich von meinem eigenen Versagen in jüngster Zeit abzulenken.

Ich schluckte ein Lachen herunter und richtete den Blick auf Cy, als seine tiefe Stimme plötzlich die Anspannung am Tisch durchbrach. Er sah mich direkt an, und wenn ich mich nicht irrte, enthielt sein Blick eine Herausforderung. »Was ist mit Ihnen, Sonnenschein? Was machen Sie?« Es hätte eine durchaus unschuldige Frage sein können, aber wie jede andere Interaktion, die ich in so kurzer Zeit mit diesem Mann gehabt hatte, fühlte sie sich aufgeladen und voll von Widersprüchlichem an, sodass ich mir nicht sicher war, ob ich sie ganz verstand. Es schien, als fragte er nicht einfach nur, womit ich mir meinen Lebensunterhalt verdiente, sondern eher, was ich als menschliches Wesen tat. Als hinterfrage er meinen Wert als Frau. Der unerwartete Spitzname *Sonnenschein* brachte mich aus dem Konzept. Er implizierte die Art von Intimität und Vertrautheit, die ich nach Kräften vermied. Der Spitzname war außerdem lächerlich. Ich war die am wenigsten umgängliche und sorglose Person auf dem Planeten. Ich war eine Gewitterwolke, die Picknicks ruinierte, und keinesfalls etwas voller Wärme und Licht.

»Sie dürfen mich wie gesagt Leo nennen, und ich bin Marktanalytikerin.«

»Mir ist noch nie eine Frau namens Leo begegnet.«

Das war von dem Videospielknaben gekommen, und ich konnte mir angesichts seiner total verwirrten Miene ein Lächeln nicht verkneifen.

»Der Name ist auch nicht sehr weit verbreitet. Mein Großvater hat mich, als ich noch ein Kind war, seine kleine Löwin genannt. Irgendwie ist der Name hängen geblieben.«

Emrys zog die Brauen hoch, legte den Kopf schräg und sah mich an. »Sie ist außerdem die Königin des Beton-Dschungels und hat ein Brüllen, das man meilenweit hören kann.«

Ihre Erklärung entlockte fast allen im Raum ein Kichern, auch Lane, der sie gehört haben musste, als er aus der Küche zurückgekommen war. Sobald er genug gelacht hatte, erklärte er, dass das Essen in wenigen Minuten serviert werden würde. Anscheinend waren die Brötchen verbrannt, und wir warteten auf eine zweite Ladung. Er richtete seine Aufmerksamkeit wieder auf mich und beschloss, dass er mit dem Gespräch über meinen Namen noch nicht fertig war. »Es liegt an den Haaren. Sie haben die gleiche Farbe wie eine Löwenmähne. Ich kann total verstehen, warum er Sie so genannt hat.«

Ich stieß ein Schnauben aus und hob verlegen eine Hand an die in Zöpfe gesperrten Locken. Offensichtlich passte der Spitzname aus vielen Gründen, auch wenn mein Brüllen in letzter Zeit eher zu einem Wimmern verhallt war.

Ich stellte fest, dass Cy mich direkt ansah, den Kopf zur Seite neigte, und mich eine lange schweigende Minute betrachtete. »Also, Sie verbringen Ihre Tage damit herauszufinden, wie Sie Leute dazu verleiten können, sich von ihrem Geld zu trennen und es für Dinge auszugeben, die sie nicht wirklich brauchen?«

Ich spürte, wie mein Rückgrat sich versteifte, und meine Hände ballten sich auf meinem Oberschenkel unwillkürlich zu Fäusten, verborgen unter dem Tisch, wo es glücklicherweise niemand sehen konnte. Ich setzte eine gelassene Miene auf und nickte, wie ich hoffte, höflich und neutral. Ich hatte von einer breiten Vielzahl von Menschen gehört, mein Job sei manipulativ, aufdringlich und berechnend. Aus irgendeinem Grund wollte ich es von ihm wirklich nicht hören. Ich wollte erfolgreich wirken, sicher, selbstbewusst … selbst, wenn ich im Moment nichts davon empfand – erst recht nicht vor ihm und, was noch wichtiger war, wegen meines gegenwärtig unsicheren Jobs.

Meine Reaktion fiel kühl aus und so emotionslos, wie es mir nur möglich war. »Genau. Ich studiere Markttrends,

Gewohnheiten, Preise und Konsumverhalten. Wie Menschen einkaufen, warum sie ein Produkt einem anderen vorziehen … Das ist eine Wissenschaft.« Ich deutete auf das sorgfältig eingerichtete Esszimmer, in dem wir uns befanden, und zog die Nase kraus, als der Geruch von Brathähnchen stärker wurde. »Menschen sind darauf programmiert, auf ihre Sinne zu reagieren. Wenn eine Firma weiß, wie sie so viele dieser Sinne wie möglich ansprechen kann, lässt sie die Konkurrenz hinter sich. Wenn Sie zum Beispiel auf Ihrer Website erwähnen könnten, wie himmlisch dieses Brathuhn riecht, würden Sie überhaupt keine Konkurrenz haben, was zahlende Gäste betrifft. Ihre Mägen würden die Reise für sie buchen.«

»Nun, ist sie nicht einfach süß? Ich liebe es, Komplimente über mein Essen zu hören.« Eine sanfte Stimme, voller Humor und Wärme, veranlasste mich, den Kopf zu drehen. Mein Mund öffnete sich ein klein wenig vor Überraschung, als eine Frau, die den gleichen Liebreiz und die gleiche exotische Schönheit besaß wie Emrys, mit einem großen Tablett in den Händen um den Tisch herumging. Sie sah nicht aus wie eine Frau namens Brynn. Der Name hätte lyrisch und exotisch sein sollen, unmöglich auszusprechen und zu buchstabieren. Sie sah nicht aus wie eine Frau, die sich in einer Küche auf einer abgelegenen Ranch mitten im Nirgendwo abrackern sollte.

Nein … sie sah aus wie eine Frau, die auf dem Cover eines Katalogs von Victoria's Secret prangen sollte oder am Arm eines NFL-Spielers, während sie ihre Runden durch die Klatschpresse drehte.

»Es riecht unglaublich gut und authentisch. Für authentische Dinge sind Menschen bereit, eine Menge Geld auszugeben.« Die Worte klangen steif, während ich mich noch von meinem Schock darüber erholte, wie hübsch und herzlich sie war.

Sie lachte, und der Laut war hell und klar. Sie wirkte so glücklich und umgänglich, als sie Tablett um Tablett auf den langen Tisch stellte. Ihr Lächeln war mühelos, und sie plauderte mit all den Gästen, die steinernes Stillschweigen bewahrten, als sei das nichts weiter. Ihr Wesen war überschäumend und ansteckend, selbst wenn sie zur Antwort Verlegenheit und Schweigen bekam. Ich ertappte mich bei dem Wunsch zu lächeln, nur damit sie lächelte, und ich hätte sie nach dem ersten Bissen von dem buttrigen, knusprigen Brötchen und dem heißen Brathuhn am liebsten stürmisch umarmt. Ich wusste einfach, dass ich nie wieder im Leben etwas Leckereres zu essen bekommen würde.

Emrys unterhielt sich mit Lane über Gitarren, da er in dem Prospekt mit einer Gitarre abgebildet war. Er stürzte sich in eine Geschichte darüber, wie er Gitarre spielen gelernt hatte, damit er Mädchen aufreißen konnte, und sie lachte und warf den Kopf in den Nacken. Die beiden schweigenden Männer stocherten in ihrem Essen, als begriffen sie nicht, dass sie gerade eine Mahlzeit von den Göttern vorgesetzt bekommen hatten, während sie alle am Tisch auf eine beunruhigend intensive Weise musterten. Die vierköpfige Familie machte unbeholfen Small Talk, während die Tochter fortfuhr, liebevoll zur Stirnseite des Tischs zu schauen. Niemand schien mir oder Brynn auch nur die geringste Aufmerksamkeit zu schenken, als sie mir leise sagte: »Nun, ich fühle mich immer verpflichtet, dafür zu sorgen, dass unsere Gäste am ersten Abend wirklich gut essen. Denn nachdem sie aufgesattelt haben, gibt es eine Woche lang nur rationierte Portionen und was immer sie unterwegs einfangen. Ich betrachte das hier als Ihr Abschiedsfestmahl oder Ihre letzte Mahlzeit, je nachdem, wie gut es Ihnen in der Wildnis ergeht.«

Ich war mir nicht sicher, ob sie scherzte, was das Essen für den Rest der Reise betraf, denn in ihren dunklen Augen tanzte Heiterkeit. Ich ertappte mich dabei, dass ich sie mit unverhohlener Neugier musterte. Ihr langes rotes Haar hatte die Farbe von Kupfer und Feuer, es war viel kräftiger und dunkler als meine eigenen rotblonden Locken. Ihre Augen waren dunkel und mysteriös. Sie fühlte sich offensichtlich heimisch an dem großen Tisch, und als sie neben Cy am Kopfende Platz nahm, verschluckte ich mich beinahe an meinem Hühnerschenkel, denn sie legte ihm eine Hand auf seinen kräftigen Unterarm. So leise, dass nur er es hören konnte, murmelte sie ihm etwas zu. Er beugte sich ein wenig zu der atemberaubenden Frau hinüber und gab Antwort auf das, was immer sie ihn gefragt hatte. Mir entfuhr ein Atemzug, der so laut war, dass Em mich fragend ansah.

Ihr gegenüber war er irgendwie anders. Da war kein Hauch dieser Einschüchterung, die er so meisterlich an den Tag legte, wenn er es mit mir zu tun hatte. Da war kein Funkeln und Knurren, kein Stolzieren und Stirnrunzeln. Für sie hatte er nur ein schwaches Grinsen und sanft gebrummte Worte, die wie Donner klangen, der über die Hügel grollte. Das Zucken seiner Lippen machte sein hartes Gesicht unglaublich attraktiv, und das vernarrte junge Mädchen am Tisch seufzte hörbar, während ich meine eigene Reaktion im Zaum hielt.

Natürlich würde ein Mann wie er nicht hier draußen sein, meilenweit entfernt von allem, ohne eine Frau, die aussah wie die an seiner Seite. Bei diesem Gedanken durchzuckte mich ein scharfer Stich, obwohl es absolut blödsinnig war. Die beiden passten so gut zusammen, und es ärgerte mich, dass ihre geeinte Vollkommenheit mir zu schaffen machte.

Wir warteten alle glücklich auf das versprochene Dessert nach dem Abendessen, als der übertrieben amouröse Vater seine Aufmerksamkeit von Textnachrichten an seine »Kunden« abwandte und auch davon abließ, Emrys unverhohlen zu beeindrucken. Stattdessen konzentrierte er sich auf die beiden anderen Männer, die sich bisher noch auf keinerlei Weise am Gespräch beteiligt hatten. Wie sie uns alle beobachteten, ohne etwas zur Unterhaltung beizusteuern, war unangenehm, aber da ich normalerweise nichts für Small Talk und belanglose Konversation übrighatte, beschloss ich, dass ich kein Recht hatte, ihr seltsames Benehmen zu hinterfragen.

»Haben Sie Ihre Ehefrauen zu Hause gelassen?« Wenn die beiden ein Paar gewesen wären, wäre seine Frage herausfordernd und beleidigend gewesen. Der ältere der beiden Männer kniff die Augen zusammen und schloss die Hand um das Wasserglas vor sich.

»Wir sind nicht verheiratet.« Sein Ton war scharf und offensichtlich verärgert. Er wollte kein Gespräch über sich selbst führen, und das war offensichtlich, selbst wenn der ahnungslose Vater den Wink mit dem Zaunpfahl nicht begriff.

»Wirklich? Also haben Sie beide sich einfach eine Woche von der Arbeit freigenommen, um zusammen durch die Wälder zu tappen und Cowboy zu spielen?« Die Andeutung, dass er das beunruhigend und unbehaglich fand, war klar. Als hätte der Mann, von dem ich mir sicher war, dass er eine Geliebte hatte, irgendeinen Spielraum, ein Urteil über jemanden zu fällen, während seine Frau vermutlich völlig genervt wegen seiner Unhöflichkeit und wegen der himmelschreienden Disharmonie in ihrer Familie war.

Der jüngere der beiden Männer setzte eine ungerührte Miene auf, aber in seinen Augen war ein hartes Glitzern, als er antwortete: »Unser Aufenthalt hier ist eine Trainingsübung für die Arbeit. Grady hat lange Zeit mit einem anderen Partner zusammengearbeitet, und es war hart für ihn, sich nach der Umstrukturierung neu zu orientieren. Unser Boss dachte, das wäre eine gute Möglichkeit für uns, auf die gleiche Wellenlänge zu kommen. Ich würde niemals Nein zu einer Woche sagen, in der ich auf Kosten unseres Chefs angeln gehe, aber mein Partner steht nicht so auf Natur.« Der ältere Mann grunzte, was offensichtlich seine Zustimmung bedeutete.

»In welcher Branche sind die Herren denn tätig?« Es sollte eine durchaus freundliche Frage sein, aber vermutlich überhörte niemand an diesem Tisch, dass der Vater offensichtlich nach einem Opfer – oder einem neuen Kunden – Ausschau hielt, aber keiner der Männer hörte sich so an, als käme er von der Ostküste oder würde nach einem Besitz im Big Apple suchen.

»Wir arbeiten im Verkauf.« Der ältere Herr murmelte genau zur selben Zeit etwas, als der jüngere erklärte: »Finanzen. Wir sind in der Finanzbranche tätig.«

Sie tauschten einen hitzigen Blick, und der ältere Mann räusperte sich. »Wir arbeiten im Verkauf und im Finanzmanagement, was bedeutet, eine Menge Papiere hin- und herzuschieben, so wie Ms Santos es vorhin genannt hat. Nichts allzu Aufregendes, aber es macht das Leben leichter, wenn man mit jemandem zusammenarbeitet, dem man vertrauen und auf den man sich verlassen kann.« Er warf dem jüngeren Mann einen harten Seitenblick zu und legte sich dann mächtig ins Zeug, um das Thema zu wechseln. »Worauf müssen wir eigentlich achten, wenn wir während der nächsten Tage unterwegs sind? Wie Webb gesagt hat, ich bin nicht gerade ein großer Freiluftfan, und ich habe eine breite Palette von Viechern gegoogelt, die uns während der Exkursion fressen oder verstümmeln könnten, daher habe ich so meine Vorbehalte.«

Lane kicherte, und Cy zog fragend eine Braue hoch und erwiderte: »Es ist die Wildnis, daher werden wir zweifellos einheimischen wilden Tieren begegnen. Wir werden Elche sehen und viel Rotwild, aber sie riechen und hören normalerweise die Pferde, daher halten sie sich von uns fern. Da draußen gibt es Bären und gelegentlich Großkatzen, aber wir reiten bewaffnet und sorgen dafür, dass alle Lagerplätze, die wir errichten, für Sie und unsere Tiere so sicher wie möglich sind. Ferner gibt es da draußen Vögel, Fische und anderes Wild in rauen Mengen, aber das ist ja der Grund, warum Sie hier sind. Um alldem näherzukommen, um Teil der Wildnis zu sein, auf eine Weise, wie Sie das zu

Hause nicht könnten. Menschen leben in dieser Gegend mit der Natur, seit Wyoming besiedelt wurde. Es gehört zu dem, was dieses Land zu etwas so Besonderem macht.«

»Was ist mit anderen Menschen?« Diese Frage kam von dem jüngeren der beiden Männer und schien ihm wichtiger zu sein, als sie es sein sollte. Es gab nichts und niemanden hier draußen, obwohl die Stadt Sheridan ein entzückender Touristenort war. Wenn man in die »Zivilisation« zurückkehren wollte, brauchte man eine ganze Stunde von der Ranch aus, und die Wahrscheinlichkeit, aus heiterem Himmel jemand anderem über den Weg zu laufen, tendierte vermutlich gegen null. Was dazu führte, dass die Teenager am Tisch finster die Stirn runzelten, als ihnen klar wurde, wie isoliert sie während der nächsten Tage sein würden. Wenn ich ihre Eltern am Hals gehabt hätte, würde ich mich ebenfalls nach Jugendlichen in meinem eigenen Alter und dem Internet als Ablenkung sehnen.

Lane war derjenige, der diese spezielle Frage beantwortete. Er tat es mit einem Grinsen und einem kläglichen Kopfschütteln. »Es ist niemand da, meilenweit. Der größte Teil des Wanderpfades, dem wir folgen, befindet sich auf unserem Land, einige Streckenabschnitte im staatlichen Wald. Wir werden gelegentlich einer Gruppe begegnen, die mit einem Floß auf dem Fluss unterwegs ist, oder einer anderen geführten Tour von einem der beiden angelegten Lagerplätzen, die wir benutzen, damit Sie duschen können, aber das kommt nur selten vor. Gelegentlich stolpern Jäger, die sich verirrt haben, über unseren Weg. Sie eilen für gewöhnlich sofort weiter, weil wir zu viel Lärm machen, als dass sie auf irgendetwas schießen könnten. Wir haben immer ein Satellitentelefon dabei, sollte es zu einem Notfall kommen, sodass wir uns mit Brynn hier auf der Ranch in Verbindung setzen können, aber sobald wir morgen losreiten, gibt es nur uns und die Pferde.«

»Wenn also etwas schiefgeht, wenn jemand verletzt wird, was ist dann Ihr Standardverfahren?« Diese Frage kam von dem jüngeren Mann, und wenn ich es nicht besser gewusst hätte, hätte ich schwören können, dass in seinem Ton eine gewisse Herausforderung lag.

Cy musste es ebenfalls gehört haben, denn er versteifte sich und richtete sich auf seinem Stuhl noch höher auf, als er antwortete: »Wir hatten einige geringfügige Verletzungen, seit wir mit den geführten Reisen angefangen haben. Wir haben es mit Pferden zu tun, mit unberechenbarem Wetter und Leuten aus der Stadt, die nicht immer ehrlich sind, was das Ausmaß ihrer tatsächlichen Fähigkeiten betrifft. Wir haben erlebt, dass einige Leute dem Lagerfeuer zu nah gekommen sind, und einer unserer Gäste hat sich mit einem Angelhaken eine ziemlich üble Schnittwunde eingehandelt, aber bisher war die größte Verletzung, mit der wir es zu tun gehabt hatten, ein gebrochenes Bein, als eins der Pferde sich erschreckt und einen Reiter abgeworfen hat.«

Cys Kiefer verhärtete sich, und seine grauen Augen wurden steinern in dem ihm eigenen anklagenden Ausdruck. »Es war der Fehler des Reiters und hätte verhindert werden können, wenn er von Anfang an ehrlich gesagt hätte, wie unerfahren er war. Er hatte kein sanftes Pferd, und für seine Überheblichkeit hat er dann den Preis gezahlt … Das ist der Grund, warum wir jeden eine Haftungsverzichtserklärung unterzeichnen lassen.«

Die beiden anderen Männer tauschten einen Blick, und der jüngere sackte auf seinem Stuhl in sich zusammen. Angesichts von Cys unerschütterlichem Selbstbewusstsein war etwas von seiner Großtuerei verblasst. »Ich habe Geschichten über Leute gehört, die sich hier draußen tagelang verirrt haben und einfach verschwunden sind.«

Lane schüttelte den Kopf, und dieses Grinsen, das nie ins Wanken zu geraten schien, blieb unverrückbar auf seinem attraktiven Gesicht hängen. »Nicht unter unserer Aufsicht.«

Es folgte ein Blickwechsel, als glaubte keiner der Männer wirklich an diese Berichte. Doch die vernarrte Jugendliche nutzte diese Gesprächspause, um das Thema zu wechseln, und als sie das tat, setzte sie Em und mich ins Rampenlicht, sodass ich nicht mehr darüber nachgrübeln konnte, was mit diesen beiden Männern auf der anderen Seite des Tisches wirklich los war.

»Und was ist mit Ihnen beiden? Sind Sie auch hier, weil Sie gern angeln?« In ihrem Ton lag Sarkasmus und in ihren Augen eine Herausforderung, die davon herrühren musste, dass ich nicht aufhören konnte, ihren Schwarm zu beobachten und wie er sich der schönen Rothaarigen an seiner Seite gegenüber benahm. Sie war ein scharfsichtiges kleines Ding, was bedeutete, dass ihr auf keinen Fall die Nervosität oder das zwielichtige Benehmen ihres Vaters entgingen.

Emrys klopfte mit den Fingern an ihr Glas und schenkte der jungen Frau ein freundliches Lächeln. »Ich angle tatsächlich gern, und ich war sogar dafür bekannt, dass ich hier oder da mal einen Vogel gejagt habe. Mein Dad wollte immer Jungen, hatte dann aber drei Mädchen am Hals. Er ist mit uns losgezogen und hat all die Dinge mit uns getan, die er getan hätte, wenn wir Söhne gewesen wären und nicht Töchter. Ich habe Leo angefleht, mich zu begleiten, weil ich dachte, es würde Spaß machen festzustellen, ob ich immer noch eine Chance gegen die Kerle habe. Wir haben in der Stadt beide ziemlich anstrengende Jobs, daher schien mir das hier der perfekte Mädelsausflug zu sein, selbst wenn es so wenig ladylike ist, wie man es sich nur vorstellen kann.«

Evan zog die Brauen hoch und legte den Kopf schräg. »Sie sehen wirklich nicht so aus, als könnten Sie angeln und jagen.«

Emrys wackelte mit ihren eigenen Augenbrauen. »Der äußere Schein kann trügen.«

»Ich finde es toll«, meldete ihr Bruder sich mit einer Stimme voller Bewunderung und präpubertierender Anerkennung zu Wort. Ihr Vater war nicht der Einzige, der dem Charme meiner Freundin erlegen war.

»Was ist mit Ihnen? Angeln und jagen Sie?« Die Frage war mit mehr als freundlicher Neugier an mich gerichtet, und obwohl ich es nicht wollte, stellte ich fest, dass mir der Mut des Mädchens gefiel. Mir war nicht klar, warum sie mich und nicht die andere Rothaarige am Tisch als Gefahr für ihre aufkeimende Verliebtheit in Cy ansah, der davon nichts mitzubekommen schien, aber ich bewunderte ihren Kampfgeist. Es erinnerte mich daran, dass ich herausfinden musste, wo mein eigener unter meinen Zweifeln und meiner Unsicherheit begraben lag.

»Nein. Ich bin als Kind leidenschaftlich gern geritten, aber ich habe keine Camping- und Angelausflüge mehr gemacht, seit ich ein kleines Mädchen war. Ich mag meine körperangepasste Schaumstoffmatratze und lebe in einer glücklichen, festen Beziehung mit dem chinesischen Restaurant, das von meiner Wohnung aus an der nächsten Straßenecke liegt. Ich werde die ganze Woche lang ahnungslos und hilflos sein, aber ich kann es nicht erwarten, die Berge zu sehen und ein wenig Zeit mit meiner besten Freundin zu verbringen.« Ich schenkte dem Mädchen ein schiefes Grinsen, das sie nicht erwiderte, aber meine Beteuerung, ich sei keine Pionierin, die darauf aus war, mit meinen Fähigkeiten die Männer zu umgarnen, die für unser Wohlergehen zuständig waren, schien sie zu beruhigen. Etwas von der Anspannung um ihren Mund herum lockerte sich.

»Sind Sie sicher, dass Sie nicht vor irgendetwas in der Stadt davonlaufen und in all der frischen Luft und der Natur etwas entfliehen, das Ihnen sauer aufstößt?« Diese gebrummte Frage kam von Cy und war so unerwartet, dass ich ein wenig auf meinem Stuhl zusammenzuckte. Er schien so konzentriert auf die Frau an seiner Seite gewesen zu sein, dass ich irgendwie gedacht hatte, er hätte vergessen, dass wir Übrigen noch am Tisch saßen.

Ich reckte das Kinn trotzig vor. »Wovor sollte ich davonlaufen?« Er konnte nichts von den Lügen und den Selbstzweifeln wissen oder davon, dass mein Job am seidenen Faden hing. Auf keinen Fall konnte er mich nach so kurzer Zeit so gut durchschauen. Zumindest hoffte ich das. Mir gefiel die Vorstellung nicht, für irgendjemanden so durchschaubar zu sein. Wenn er in der Lage war, mich zu durchschauen, konnte ich mich nirgendwo verstecken.

»Ich weiß nicht, was Sie zurückgelassen haben, aber ich weiß, dass Sie einen weiten Weg zurückgelegt haben dafür, dass Sie nicht wirklich hier sein wollen.«

Womit er nicht ganz unrecht hatte.

Aber als ich den Mund öffnete, um festzustellen, dass er mich nicht gut genug kannte, um zu wissen, ob ich hier sein wollte oder nicht, wurde mir plötzlich bewusst, dass ich wirklich hier sein *wollte.* Je mehr Zeit verstrich, umso mehr wollte ich feststellen, wie sich dieser seltsame Urlaub, der noch nicht einmal richtig angefangen hatte, entwickeln würde. Nichts hatte meine Aufmerksamkeit so gefesselt oder meine Neugier derart angestachelt wie dieser Mann. Die Ablenkung von allem, das mich in letzter Zeit runtergezogen hatte, war eine schöne Abwechslung. Der verbale Schlagabtausch mit ihm gab mir mein altes Ich zurück, und ich hatte es vermisst.

Ich sah zu Emrys hinüber und dann wieder zu ihm. Die Rothaarige an seiner Seite schaute zwischen uns beiden hin und her, als seien wir Kontrahenten bei einem Tennisspiel. Sie schien fasziniert zu sein von unserem Geplänkel, und ich wand mich innerlich, denn ich wollte das kribbelnde Gefühl der Lebendigkeit des Disputs mit dem finsteren, komplizierten Mann nicht missen. Ich sollte klug genug sein, um vor diesem Kribbeln davonzulaufen.

»Der Gedanke, eine Woche hier zu verbringen, gefällt mir immer besser. Ich bin kein großer Fan von Veränderungen, daher brauche ich ein Weilchen, um mich einzugewöhnen, vor allem bei etwas, das ich nicht erwartet habe.« Ich sah ihn mit einer hochgezogenen Augenbraue an und schenkte ihm ein Lächeln, bei dem eine Menge Zähne sichtbar wurden.

Es war Brynn, die mit großen Augen und gedämpfter Stimme fragte: »Was haben Sie denn erwartet?« Beinahe so, als hätte sie Angst vor der Antwort, die ich gleich geben würde.

Glücklicherweise war Lane derjenige, der gutmütig erwiderte: »Sie wollte echte Cowboys kennenlernen und war enttäuscht, als sie stattdessen Cy gesehen hat. Er wollte niemals ein Cowboy sein, aber er hatte in dieser Angelegenheit keine große Wahl.«

Ich war nicht enttäuscht … ich war überrumpelt und neben der Spur, weil ich nicht glauben konnte, wie tief und wie heftig ich auf den Mann reagiert hatte, der nicht ganz der Cowboy war, mit dem ich gerechnet hatte. Ich war in letzter Zeit so oft ahnungslos gewesen, dass es ein Schock war, so vollkommen von einem anderen menschlichen Wesen in Bann gezogen zu werden. Ich war nicht vorbereitet auf jemanden, der so unverblümt und ehrlich mit seinen Gefühlen war wie er. Ich war zu sehr an Menschen gewöhnt, die darauf aus waren, zu beschwichtigen und gönnerhaft rüberzukommen. Obwohl er unhöflich und beleidigend war, war Cys ungekünstelte Art seltsam erfrischend und befriedigend.

Er sagte, was er meinte. Es gab keine Lügen oder Betrügereien, denn sie würden bemerkt werden.

Die atemberaubende Rothaarige gab einen bekümmerten Laut von sich und erhob sich von ihrem Platz neben dem fraglichen Mann. Sie schaute auf ihn hinab und dann wieder zu mir, und ihre Lippen zuckten, als hätte sie plötzlich ein Geheimnis und brannte darauf, es irgendjemandem zu erzählen.

»Oje … nun, wenn Sie morgen losreiten, werden Sie vermutlich selbst sehen, dass ein Cowboyhut und eine große Gürtelschnalle nicht das sind, was einen echten Cowboy ausmacht.« Sie wackelte mit den Augenbrauen, sah mich an und machte sich dann daran, die Teller abzuräumen. »Obwohl Sie ihn in einem Stetson sehen sollten. Ich habe ihm gesagt, er müsse so ein Foto auf die Vorderseite des Prospekts setzen. Wir wären das ganze Jahr über ausgebucht von ledigen Frauen, die versuchen, sich ihren Rancher mit dem Lasso einzufangen.«

Ich blinzelte sie verwirrt an. Sie klang nicht eifersüchtig, und die Tatsache schien sie nicht zu stören, dass andere Frauen auftauchen würden, um den attraktiven, grüblerischen Mann zu umgarnen, sobald sie wussten, dass einer wie er sich hier oben im Niemandsland versteckte. Ich konnte mir keinen Reim darauf machen. Ich konnte mir keinen Reim auf die beiden machen.

Ich hielt seinem forschenden Blick stand. »Es wird, gelinde gesagt, eine interessante Woche werden.« Ich schenkte ihm ein zuckersüßes Lächeln und wandte mich ab, um Brynn anzusehen, die uns immer noch mit Adleraugen beobachtete. »Und wer weiß, vielleicht wird er uns, wenn wir Glück haben, einen Gefallen tun und den Cowboyhut herausholen.«

Cy schnaubte, Lane lachte, Emrys seufzte, und die beiden Männer brummten leise vor sich hin. Die Familie von der Küste bombardierte Cy und Lane mit Fragen, wie es für die Kinder in den nächsten Tagen weitergehen würde. Ich wurde nicht mehr weiter beachtet, und der Vater machte weiterhin nicht besonders subtil Em an.

Ich hatte das deutliche Gefühl, dass »interessant« nicht annähernd abdeckte, wie die Woche verlaufen würde, aber ich musste zugeben, dass ich es nicht erwarten konnte, das alles zu erleben. Tja, ich musste mich bei Emrys entschuldigen. Ich war glücklich, dass sie mich zu dieser Reise gedrängt hatte. Ich konnte nicht mit Bestimmtheit sagen, dass ein Zusammensein mit Cy den ganzen Tag Spaß machen würde, aber ich wusste, dass all die Stellen in mir, die sich verwüstet und zerrissen angefühlt hatten, nicht mehr so wund waren wie zuvor. Sie schmerzten immer noch, aber alles in allem war dieser Schmerz nun eine heiße, flackernde Flamme der Erwartung, die diese Wunden auszubrennen schien.

Ich wusste, dass ich dieser Woche mit unversehrtem Verstand und Herzen entkam, wenn ich mich einem Mann wie Cyrus Warner gegenüber beherrschte. Es würde meinem zerschundenen Selbstwertgefühl beweisen, dass die Geschichte mit Chris nur ein Ausreißer gewesen war. Es würde zeigen, dass mich ein professioneller Betrüger aufs Kreuz gelegt hatte, ein Mann, der genau gewusst hatte, was er tat. Es würde bestätigen, dass meine Mauern immer noch stark waren und meine Festung immer noch uneinnehmbar, und dass ich, was immer Cy auch dachte, durchaus imstande war, auf mich selbst aufzupassen.

Ich brauchte weder seine Hilfe noch seine Anerkennung.

Kapitel 4

Nur fast im ersten Morgengrauen

Emrys versuchte, mich zu wecken, bevor die Sonne aufgegangen war, um auf der winzigen Veranda Yogaübungen zu machen. Ich stand nicht einmal zu Hause mit ihr auf, um Yoga zu machen, daher hatte ich keine Ahnung, was sie sich dabei dachte. Ich warf ein Kissen nach ihr und knurrte eine Menge hässlicher Worte, bevor ich mir die Decke wieder über den Kopf zog. Sie lachte mich aus und sagte mir, ich würde es nach den ersten Stunden im Sattel bereuen, keine Dehnübungen gemacht zu haben.

Ich hatte den größten Teil der Nacht damit verbracht, mich hin und her zu wälzen – mein rastloser Geist ein Gewirr von Gedanken, die mich schlaflos machten –, daher würde ein wunder Hintern bestens zu meiner mürrischen Laune passen.

Während ich wach gelegen hatte, hatte ich mir wegen der bevorstehenden Woche Sorgen gemacht. Darüber, wie ich all die Abgeschiedenheit durchstehen würde, ohne das gewohnte hektische Treiben, das meine Tage sonst ausfüllte. Es war leicht, meine miese Einstellung und mein verletztes Ego zu verbergen, wenn ich mit Arbeit beschäftigt war und plausible Ausreden finden konnte, um meinem Alltag auszuweichen, aber hier hatte ich nichts von alldem. Das bedeutete, dass die Reise, die mich wie geplant zu meinem alten Ich zurückführen sollte, begann –

und zwar auf dem Präsentierteller. Der Gedanke, dass Cy mit ansah, wie ich mich bemühte, mein zerschmettertes Ich zusammenzusetzen und wieder zu mir selbst zu finden, weckte in mir den Wunsch, mich zu einem Ball zusammenzurollen und zu sterben. Die Tatsache, dass ich mich verirrt hatte, dass ich irgendwo entlang des Weges vom Kurs abgekommen und gescheitert war, wollte ich mit niemandem teilen.

Das alles war wie geschaffen gewesen für eine lange Nacht. Ich hätte schwören können, dass ich erst eingenickt war, als Emrys mich wachgerüttelt und versucht hatte, mich dazu zu bewegen, den Tag mit ihr zusammen zu begrüßen. Sobald sie den Raum verlassen und dafür gesorgt hatte, auf dem Weg hinaus so viel Lärm wie möglich zu machen, war es mir erneut unmöglich gewesen, Schlaf zu finden.

Ich warf die Steppdecke mit einer Litanei von Kraftausdrücken von mir und stolperte in die Dusche. Ich stellte sie so heiß wie möglich ein und ließ mir Zeit, jede dampfende Sekunde davon zu genießen, denn Lane hatte uns am vergangenen Abend eröffnet, dass wir, sobald wir unsere Reise antraten, nur zweimal in den nächsten sieben Tagen auf irgendwelchen Campingplätzen haltmachen würden, um zu duschen. Er hatte auch darauf hingewiesen, dass das Wasser oft eiskalt war und manchmal überhaupt keins da war. Wir sollten uns alle mit Cowboyduschen anfreunden, die daraus bestanden, sich mit Deo einzureiben und Feuchttücher zu benutzen, um gegen den Körpergeruch anzukämpfen. Das klang grässlich, aber mir kam auch der Gedanke, dass es viel leichter sein würde, mich von Cy und seiner grüblerischen Präsenz fernzuhalten, wenn er die ganze Woche roch wie das Hinterteil eines Pferdes. Der Nachteil war, dass ich auch so riechen würde.

Nachdem jeder Zentimeter von mir geschrubbt war und rosig glänzte, kroch ich träge in meine neue Westernmontur und rang mit meinem ungebärdigen Haar, um es zu dem Zopf zu flechten, in dem es für den Rest der Woche bleiben würde. Als ich fertig war, war Emrys wieder zurück in der winzigen Hütte und sah total energiegeladen aus und bereit, es mit dem Tag aufzunehmen. Sie hatte einige frische Früchte und einen Stapel großer, fluffiger Pfannkuchen auf den Tisch gestellt. Ich ging zu dem Teller hinüber und nahm einen Bissen von einem der Pfannkuchen, ohne ein Wort zu sagen. Sie waren so gut, dass ich laut stöhnte und einen von ihnen beinahe mit den Händen gepackt hätte, um mir die süße Leckerei in den Mund zu stopfen.

Sie lachte mich aus, während sie in ihrer Tasche stöberte, um ihre Ausrüstung für den Tag hervorzuholen. »Die hat Lane zum Frühstück aus dem Haus hergebracht. Er hat gesagt, alle anderen seien bereits dort oben und hätten schon gegessen. Wir hätten eine Stunde Zeit, bevor wir uns bei den Ställen treffen. Wir müssen unsere Sachen dorthin schaffen, damit sie die Maultiere beladen können und wir unsere Pferde für die Woche kennenlernen können.«

Ich rümpfte die Nase und machte mich daran, einen weiteren Pfannkuchen zu verschlingen. »Die Sonne ist noch nicht einmal aufgegangen. Es ist nicht so, als hätte ich furchtbar lange geschlafen.«

Em streifte ihre Yogahose ab und schlüpfte in eine dunkle, eng anliegende Jeans, die ihre langen Beine noch länger machte. »Hier geht das Leben ziemlich früh los. Lane hat erwähnt, dass er schon seit einigen Stunden auf den Beinen sei, um die Dinge zu erledigen, die vor unserem Aufbruch getan werden müssten. Offensichtlich war Brynn noch früher auf, wenn sie für alle das Frühstück zubereiten musste. Ich habe den Boss noch nicht gesehen, aber er kommt mir nicht wie der Typ vor, der es ruhig angehen lässt, während alle anderen arbeiten.«

»Es ist unmenschlich aufzustehen, bevor die Sonne richtig am Himmel steht.« Ich knurrte sie praktisch an, als sie zum Tisch kam, um sich eine Banane zu schnappen.

»Es ist etwas ganz Besonderes zu beobachten, wie ein neuer Tag anfängt. Zu Hause komme ich nie dazu. Ich bin immer abgelenkt von den Dingen, die am Tag zuvor geschehen sind, und denke daran, was mich erwartet. Der Himmel scheint hier draußen, wo ihn nichts versperrt, so weit zu sein, dass es so ist, als würde man beobachten, wie die Welt auf Neustart klickt und von vorn anfängt.« Ein sanftes Lächeln umspielte ihre Lippen, als sie mich mit hochgezogenen Brauen ansah. »Alles, was vorher passiert ist, spielt keine Rolle.«

Ihre Botschaft war klar. Ich konnte selbst einen Neustart gebrauchen, und jetzt war der perfekte Zeitpunkt, um alles neu zu ordnen, das so aus dem Gleichgewicht geraten war, weil ich blind auf einen charmanten Trickbetrüger hereingefallen war.

Ich verputzte den Rest der Pfannkuchen mit einem zufriedenen Seufzen und klopfte mit den Fingern auf den Tisch, während Em ihr langes Haar zu einem kompliziert aussehenden Zopf an ihrem Hinterkopf flocht. Mit ihren hohen Lederstiefeln und ihrem perfekten, glanzvollen Aussehen hatte es nach meinem Empfinden eher den Anschein, als würde sie sich darauf vorbereiten, bei einem olympischen Springwettbewerb ein Vollblut zu reiten, statt mitten im Nirgendwo auf einen Ausritt zu gehen. Sie sah definitiv nicht aus wie irgendein Cowgirl, nicht einmal wie eine jener auf Hochglanz polierten künstlich ausstaffierten Frauen, die Countrysongs sangen und im Fernsehen Make-up verkauften. Emrys würde immer ihr eigenes perfektes Markenzeichen sein. Ich fühlte mich vermutlich zu ihr hingezogen, weil ich immer versuchte, die richtigen Entscheidungen zu treffen, die richtigen Dinge zu tun, um es nicht zu vermasseln, um nicht verletzt zu werden. Ich war mit allem, was ich tat, vorsichtig, und es schien eine leichte Entscheidung zu sein, jemanden mit so wenigen Fehlern an mich heranzulassen. Ich konnte mich glücklich schätzen, dass sie eine so herzensgute Person war.

Als sie abmarschbereit war, hievten wir unsere Reisetaschen hoch, in die wir nur die unerlässlichen Dinge gepackt hatten, die man uns genannt hatte. Dann gingen wir über das Grundstück zu den lang gestreckten Ställen. Es war ein Fußweg von gut zehn Minuten, und als wir ankamen, standen die anderen aus der Gruppe bereits in einem riesigen Round-Pen, streichelten eine Vielzahl verschiedener Pferde und redeten mit ihnen. Lane und Cy schlenderten zwischen den Gästen und den bereits fertig hergerichteten Tieren umher und unterhielten sich leise mit beiden. Die scheinbar fügsamen Tiere duldeten es, dass ein Haufen Leute, die pflichtschuldigst beeindruckt waren von ihrer Größe und Statur, ihnen etwas zuflüsterten und sie lobten.

Alle Pferde waren wunderschön und offensichtlich gut versorgt. Die Gerüche und Geräusche führten mich sofort in eine Zeit zurück, als ich ein wenig bereitwilliger gewesen war, mutig und abenteuerlustig zu sein.

Lane kam auf uns zu und nahm uns unsere Taschen ab. Meine Lippen zuckten, denn heute trug er einen Cowboyhut, und seine Stiefel sahen aus, als hätten sie jahrelang in Steigbügeln gesteckt. Da war sie – die Verkörperung des Cowboys, die ich die ganze Zeit über erwartet hatte. Und so oberflächlich es gewesen sein mochte, die Tatsache, dass er seiner Rolle so gründlich entsprach, nahm mir etwas von meiner Nervosität, wieder auf ein Pferd zu steigen und ins Unbekannte zu reiten.

Cy war ziemlich genauso gekleidet wie am vergangenen Tag. Er trug verwaschene Jeans und Stiefel, die aussahen, als gehörten sie auf ein Motorrad, nicht auf ein Pferd. Er hatte ein anderes schwarzes T-Shirt an, aber heute versteckte es sich unter einem schweren Flanellhemd, das bis zur Hälfte seiner Brust zugeknöpft war. Sein Gesicht zierten grau melierte Bartstoppeln, die in mir die Frage weckten, ob ich total danebenlag, wenn ich dachte, er sei erst Anfang dreißig. Er sah nicht so aus, als sei er alt genug, um so viel Silber in seinem Gesicht zu haben – nicht, dass es seinem Sex-Appeal Abbruch tat oder seiner unverhohlenen Männlichkeit. Tatsächlich ließen ihn die Bartstoppeln, falls das überhaupt möglich war, noch rauer und attraktiver aussehen. Ich musste mir das Lachen verkneifen, als ich bemerkte, dass er sich das Haar gegelt hatte, obwohl der Morgen noch kaum angebrochen war. Ich fand nicht, dass auch nur eine einzige Kleinigkeit an ihm cowboymäßig wirkte. Er sah gut aus, daran bestand kein Zweifel, aber er sah nicht aus wie ein Mann, der sich mit einem Pferd oder einem trügerischen Wanderweg im Nirgendwo auskannte. Er hatte einfach etwas zu Weltmännisches an sich, um glaubhaft zu machen, dass Cyrus Warner ein gebürtiger Landjunge war.

»Ich werde diese Sachen für Sie aufladen. Em, wir haben für Sie den Falben dort ausgesucht.« Seine Lippen zuckten, und seine Brauen tanzten unter dem Hut nach oben, als er mich ansah und auf das einzige andere Pferd zeigte, um das nicht irgendein Mensch ein großes Gewese veranstaltete. »Für Sie, Leo, hat Cy den gefleckten Appaloosa ausgesucht.«

Das Pferd war umwerfend, ganz schwarz und mit weißen und silbergrauen Flecken auf dem Gesicht und den Hinterbeinen. Seine Mähne war von einem glänzenden Tiefschwarz, bis auf seine Ohren, die einen Ton hatten wie Sterlingsilber. Es war unübersehbar, dass das schöne Tier seltsam an den Mann erinnerte, der beschlossen hatte, dass wir beide ein perfektes Paar für diese Woche abgeben würden. Ich ging zu dem Pferd hinüber und streckte die Finger aus, damit es mit seinen weichen Nüstern darüberstreichen konnte. Dann warf ich Lane einen fragenden Blick zu und legte den Kopf schräg, als das große Tier sich an mich schmiegte.

»Will ich wissen, warum Ihr Bruder dieses Pferd für mich ausgesucht hat? Ich meine, er kommt bei diesen Reisen normalerweise nicht einmal selbst mit, woher will er also wissen, welches Pferd für einen bestimmten Reiter das richtige ist?« Ich war gänzlich grundlos streitlustig, und ich wusste es. Es war nicht so, als hätte ich in der Angelegenheit eine Wahl.

Lane drückte die Krempe seines Hutes mit den Fingerspitzen nach oben und warf mir einen vielsagenden Blick zu. »Sie denken, Sie wissen es, aber das ist nicht so. Cy weiß mehr über die Pferde und das Vieh auf dieser Ranch, als Sutton und ich es uns je erträumen könnten.« Er deutete mit dem Kopf auf das Pferd, das ungeduldig mit der Nase meine Hand anstupste – in der Hoffnung auf ein Leckerchen, das ich nicht hatte. »Tatsächlich war Boss hier eins der ersten Pferde, das Cy gekauft und eigens für die Ausritte ausgebildet hat. Die beiden kennen sich schon sehr lange. Als wir aufgewachsen sind, hat mein Dad Cy tagein, tagaus umherstreifen lassen, um die Ranch zu versorgen. Mein Bruder sitzt jetzt in einem Büro, aber das liegt daran, dass irgendjemand es tun muss und dass weder Sutton noch ich die Geduld dafür haben. Ich hasse Papierkram, und Sutton muss sich um andere Dinge kümmern. Niemand von uns wollte das Kommando übernehmen, als Dad krank wurde, aber Cy ist eingesprungen … wie immer. Wenn er denkt, dass Sie und Boss für die Reise gut zusammenpassen, dann ist es so, als hätten Sie und das Pferd eine im Himmel geschlossene Verbindung. Vertrauen Sie jemals irgendjemandem oder nehmen etwas für bare Münze, Leo?«

Seine Frage traf mich, und mir wurde klar, dass Cy nicht der einzige Warner war, der erschreckend scharfsichtig war. Ich zuckte die Achseln und lächelte, als das Pferd auf meine Hand schnaubte. »Ich habe einmal etwas für bare Münze genommen. Das ist für mich nicht besonders gut ausgegangen.« Ich würde nie wieder jemanden so einfach so nah an mich ranlassen.

Lane gab einen leisen, kehligen Laut von sich und trat einen Schritt von mir zurück, während ich mich wortlos dafür beschimpfte, so ein Feigling gewesen zu sein, als ich jünger gewesen war. Manchmal war es wirklich ätzend, vor den Dingen davonzulaufen, die einem Angst machten und einen verletzen konnten. Ich wollte viel lieber eine Frau sein, die nicht klein beigab und sich dieser Angst stellte. Aber bisher hatte die Geschichte gezeigt, dass es bei mir viel wahrscheinlicher war, dass ich mich im Falle einer Bedrohung hastig zurückzog.

»Ich möchte Sie alle bitten, jetzt aufzusitzen. Wir werden einige Minuten lang im Round-Pen im Kreis reiten, um uns davon zu überzeugen, dass alle in einer Gruppe reiten können und dass jeder von Ihnen die Grundlagen des Reitens beherrscht.« Cys Stimme wirkte noch rauer so früh am Morgen, und die verliebte Jugendliche, die jammerte und brummte, ihre Steigbügel hätten nicht die richtige Länge, schien ihn nicht zu erheitern. Widerstrebend friemelte er an den Schnallen und dem Leder herum, bis sie erklärte, alles passe jetzt perfekt.

Irgendjemand musste ihr sagen, dass die Kunst des Flirtens eine subtile war, dass man, wenn man den Gegenstand seiner Zuneigung mit der Hitze seiner Gefühle erschlug, die Sache verfehlte und die Person lediglich mit Kopfschmerzen zurückließ. Wieder ärgerte ich mich darüber, dass die Mutter des Mädchens überhaupt nichts von den unpassenden Avancen mitbekam, die ihr Kind einem viel älteren Mann machte. Ich wusste, dass ich, wenn das so weiterging, mein Versprechen brechen musste, nett zu den anderen zu sein, und dem Mädchen einige harte Wahrheiten vor seine teuer bestiefelten Füße werfen würde. Ehrlich, ich würde nicht an mich halten können. Jemand musste das arme Kind vor sich selbst retten, und vielleicht wollte ich es auch Cy ersparen, der Böse im Spiel sein zu müssen. Irgendetwas sagte mir, dass er sich in dieser Rolle wohlfühlte. Selbst wenn es keine Rolle war, die er notwendigerweise spielen wollte.

Mit Boss allein gelassen murmelte ich ihm unsinnige Worte ins Ohr und überprüfte den Sitz des Sattels und des Zaumzeugs. Es waren lange ungenutzte Griffe, aber meine Hände glitten über seinen weichen schwarz-silbernen Körper, als sei das große Tier ein alter Freund. Die Gesten und Erinnerungen, die aus der Zeit zurückkehrten, bevor ich es mit der Angst bekommen hatte, und eher bereit gewesen war, Risiken einzugehen, entlockten mir ein Lächeln. Es war schön, an eine Zeit zurückzudenken, als ich mich nicht zerbrochen und verraten gefühlt hatte. Ich seufzte und versteifte mich unwillkürlich, als ein Paar schwarzer Stiefel – die definitiv keine Cowboystiefel waren – auf der anderen Seite des Pferdes stehen blieb. Cys große Hand landete auf dem Kopf des Pferdes, zwischen seinen zuckenden Ohren, und das Tier wieherte zur Begrüßung. Es erkannte den Mann, genau wie meine dumme, außer Kontrolle geratene Libido.

Mir stockte leicht der Atem.

Meine Haut fühlte sich an, als würde sie sich zu straff über meinen Körper spannen.

Seine raue Handfläche streifte meinen Handrücken,

und ich bekam eine Gänsehaut, während ich gleichzeitig die Wirbelsäule durchdrückte. Es war, als machte sich mein Unterbewusstsein bereit für einen Kampf – oder das Bett.

Meine Brustwarzen wurden hart unter den Schichten von Kleidern, die ich trug, und Stellen, von denen ich nie gedacht hatte, dass sie je wieder kribbeln würden, kribbelten ganz heftig, als mein Blick über dem polierten Leder des Sattels seinen kreuzte. Diese Stellen pulsierten tief und hart in mir. Sie flatterten auch auf eine Weise, wie kein Mann sie je zuvor zum Flattern gebracht hatte, und das trieb mir die Röte ins Gesicht. Ich spürte, wie Hitze meinen Hals hinauf in meine Wangen kroch. Schließlich riss ich den Blick von seinen ruhigen und viel zu durchdringenden Augen los.

»Das ist ein wunderschönes Pferd.« Meine Stimme klang, wie wenn ich am Morgen neben jemandem aufwachte, mit dem ich die Nacht nackt verbracht hatte. Cy hatte die gleiche Wirkung auf mich, ohne irgendeine der einstudierten Bewegungen oder unverfänglichen Worte, die andere Männer benutzten, um zu reden und zu verführen. Wenn allein seine tiefe Stimme und der stählerne Blick aus seinen Augen meinen Körper dazu bringen konnten, so absolut und so mühelos zu reagieren, wollte ich mir gar nicht vorstellen, was der Mann tun konnte, wenn er es sich tatsächlich in den Kopf setzte, charmant zu sein, und eine heiße Erwiderung in Betracht zog.

»Boss ist ein gutes Pferd. Er ist ruhig wie ein Fels in der Brandung, geht nicht durch und sollte Ihnen einen leichten Ritt verschaffen. Aber er ist halsstarrig, Sie müssen also

Ihren Willen bei ihm durchsetzen. Er will tun, was ihm gefällt, und es gefällt ihm nicht, in einer Reihe mit den anderen Pferden zu bleiben.« Er klang, als sei er stolz auf diese Tatsache.

Ich konnte mir ein kleines Schnauben der Erheiterung nicht verkneifen, bei dem er seine dunklen Brauen hochzog. Es hörte sich an, als hätte der große Appaloosa nicht nur die gleichen Farben wie der Mann vor mir. Es klang eher so, als hätten sie auch beide ein ähnliches Temperament. »Das werde ich mir merken. Ich bin gut darin, meinen Kopf bei Dingen durchzusetzen, die nicht leicht zu handhaben sind.«

Ich machte klar, dass ich ebenfalls nicht nur das Pferd meinte. Denn ich sagte es laut genug, dass alle es hörten, und ich hoffte, dass er wusste, dass ich es ernst meinte.

Cy musterte mich mit schmalen Augen und tätschelte den Hals des Pferdes. »Steigen Sie auf, dann werde ich auch Ihre Steigbügel einstellen. Sie müssen wahrscheinlich angepasst werden.«

Jetzt war es an mir, die Brauen hochzuziehen. »Das kann ich selbst erledigen. Wie ich gestern Abend bereits erwähnt habe, ich bin früher geritten. Ich kenne mich mit Pferden und Zaumzeug ziemlich gut aus.«

Seine Augen wurden noch schmaler, und er trat zurück, damit er die Arme vor seiner mit Flanell bedeckten Brust überkreuzen konnte. Ich versuchte, ihn nicht anzustarren, weil die Bewegung den karierten Stoff noch strammer über seinen dicken Bizeps und seine breite Brust zog. Cy war definitiv ein Augenschmaus, aber der Ausdruck auf seinem Gesicht, als wir einander über den Rücken des Pferdes hinweg ansahen, war alles andere als süß und freundlich.

»Sie mögen sich mit Pferden auskennen, aber Sie und Ihre Freundin waren auch die Letzten, die aufgetaucht sind. Sie halten die ganze Gruppe auf, indem Sie mit mir streiten, was bedeutet, dass alle auf Sie warten müssen, Sonnenschein. Schwingen Sie Ihren süßen Hintern in den Sattel und lassen Sie mich Ihnen bei Ihren verdammten Steigbügeln helfen.«

Statt darüber nachzudenken, wie sehr es mir gefiel, dass er meinen Hintern süß fand, legte ich eine Hand auf den Sattelknauf und eine in die Mitte des Sattels und schob einen Fuß in den Steigbügel, der vor mir herabhing. Ich holte tief Luft, sagte mir, dass ich buchstäblich wieder aufs Pferd steigen konnte, und zog mich in die Wölbung des Sattels hinein. Boss wieherte und machte einen Schritt zur Seite auf Cy zu, was meinen Herzschlag beschleunigte und mir einen Flashback von Panik bescherte. Ich griff nach den Zügeln und legte eine zitternde Hand auf die glänzende Mähne des Pferdes, während ich »Ganz ruhig, Junge« flüsterte, so leise und so gelassen ich konnte.

An die Stelle meiner Nervosität trat schnell eine andere Art von Kribbeligkeit, eine atemberaubende Wahrnehmung von Cys Hand, die meine Wade umfasst hielt. Er senkte den Kopf und machte sich an den Riemen und Schnallen zu schaffen, die die Länge des Steigbügels regulierten. Ich trug Stiefel und Jeans, aber ich spürte den Abdruck jedes einzelnen seiner Finger, wo sie sich in mein Bein drückten. Sobald alles richtig passte, leitete er meinen Fuß dorthin, wo er hingehörte, aber nicht ohne die Finger auszustrecken und über die Wölbung meines Beines bis hin zu meiner Kniekehle zu streichen. Ich keuchte und riss die Augen auf, was ein wissendes Lächeln seinerseits zur Folge hatte. Das Pferd schnaufte und bewegte seinen massigen Körper unter mir. Ich war mir sicher, dass es die Hitze und die Anspannung spüren konnte, die zwischen seiner Reiterin und dem Mann waberten, der es ausgebildet hatte.

Ich beobachtete, wie Cyrus bedächtig auf die andere Seite ging, um die Prozedur zu wiederholen, und als er diesmal die Finger um mein Bein legte, fragte ich: »Haben Sie nicht bereits alle Hände voll mit einer anderen Rothaarigen zu tun? Sammeln Sie uns und spielen mit derjenigen, die Sie im Moment gerade nicht langweilt?« Wenn ich Angst hatte und unsicher war, konnte ich bösartig werden. Ich hatte eine Menge Waffen zu meiner Verfügung, aber meine rasierklingenscharfe Zunge war oft die, auf die ich mich am meisten verließ. Ich schlug um mich, weil ich wollte, dass er die gleiche Verunsicherung spürte wie ich. Ich dachte, dass es eine gute Ablenkung wäre, ihm die Frau entgegenzuschleudern, der gegenüber er sich so sanft benahm und der er am vergangenen Abend solch mühelose Zuneigung geschenkt hatte. Aber das war ein Irrtum. Der Mann durchschaute mich, als wäre ich aus Glas.

Mein Fuß wurde in den Steigbügel gestoßen, und Cy trat mit einem finsteren Stirnrunzeln zurück. »Was faseln Sie jetzt schon wieder für einen Unsinn?«

Ich reagierte auf seinen finsteren Blick mit einem eigenen noch finstereren und deutete mit dem Kopf auf das schöne Blockhaus, das die noch schönere Frau vom vergangenen Abend beherbergte. »Brynn. Sie ist zauberhaft, und sie backt tolle Pfannkuchen. Denken Sie, sie würde es gutheißen, dass Sie mir sagen, ich hätte einen süßen Hintern … und dass Sie mich befummeln, wie Sie es heute Morgen anscheinend so gern tun?« Ich spürte, wie meine Lippen zitterten, und ich reckte trotzig das Kinn vor. »Ich habe kein Interesse daran, eine bequeme Ablenkung zu sein, während Sie mit uns festsitzen, bis Ihr Bruder auftaucht. Was immer Sie für Spielchen spielen, um sich zu amüsieren, hören Sie einfach auf damit.«

Seine Lippen zuckten, und als er den Mund öffnete, war ich davon überzeugt, dass er mir sagen würde, ich hätte alles falsch verstanden, Brynn sei seine Cousine oder Halbschwester oder etwas ganz anderes, das die unbeschwerte und sanfte Art und Weise erklärte, wie er mit ihr umging. Was ich bekam, war ein schwaches sexy Grinsen, das diese flatternden Stellen in mir pulsieren ließ.

Seine Stimme war so leise, dass nur ich sein raues Knurren hören konnte. »Oh, Sie sind eine höllische Ablenkung, Leo. Und da ist keine einzige gottverdammte Sache daran, die das auch nur annähernd bequem machen würde. Ich spiele nicht … weder Spielchen noch sonst irgendetwas. Mir geht es immer nur ums Geschäft, fragen Sie einfach meine Brüder.« Er klopfte mit der Hand an die Flanke des Tieres.

Boss setzte sich in Bewegung, genau wie die anderen Pferde, auf denen meine Reisegefährten saßen. »Denken Sie daran, ihn fest zu führen. Er wird gut zu Ihnen sein, aber Sie müssen ihm zeigen, wer der Chef im Ring ist.«

Ich warf ihm über meine Schulter hinweg einen Blick zu, und das Pferd begann einen langsamen Trab durch den Round-Pen. Er grinste mich an. Das Aufblitzen seiner Zähne vor dem Hintergrund der dunklen Bartstoppeln auf seinem Kinn ließ ihn aussehen wie den bösen Buben, der den Helden ausgeschaltet hatte und der wusste, dass er mit jeder Gemeinheit, die ihm einfiel, durchkommen würde. Da war etwas Wissendes in diesem Lächeln. Spott und Provokation. In diesem Lächeln lagen Befriedigung und klare Absichten, und es bescherte mir eine Gänsehaut und ließ Verlangen durch meine Adern strömen.

Er hatte recht. An dieser Sache war absolut nichts Bequemes, aber das hinderte mich nicht daran, ihn zu beobachten, als er zu einem sehr hübschen grauweißen Pferd ging. Er schwang sich in den Sattel, als hätte er das seit dem Tag seiner Geburt getan. Selbst auf dem Pferd, das er handhabte, als sei das seine zweite Natur, sah er nicht aus wie irgendein Cowboy, den ich mir je vorgestellt hätte … Er sah so viel besser aus.

Kapitel 5

Easy Rider – Schön wär's

Wieder aufs Pferd zu steigen war härter für mich, als ich erwartet hatte.

Selbst damals, als ich nach der Schule so ziemlich an jedem Tag geritten war, hatte ich nie mehr als ein paar Stunden im Sattel verbracht, und das auf einem perfekt gepflegten Reitplatz, der dafür gemacht gewesen war, dass die Tiere sich im Springen üben konnten. Ich war nie auf einem unbefestigten Weg geritten oder hatte auf einem der großen Tiere gesessen, während sie durch unebenes Terrain gelaufen waren und darum hatten ringen müssen, Tritt zu fassen, während sich der Boden von offenem Weideland hin zu hügeligem Hinterland verwandelt hatte.

Der gewaltige Grundbesitz der Brüder war beeindruckend und schien endlos. Wir begannen unseren Ritt, gerade als die Sonne endgültig ihren Platz über den Bergen in der Ferne einnahm. Eingezäunte grüne Weiden, auf denen gelangweilt aussehende Rinder standen, und entzückende kleine Bäche und Teiche kennzeichneten die erste Etappe unseres morgendlichen Ritts, von dem ich schnell begriff, dass es der leichte Teil der Reise sein würde.

Am frühen Nachmittag gelangten wir auf einen schmalen Pfad, der durch einen Wald mit dichtem Unterholz einen steilen Hügel hinaufführte. Boss war trittsicher, und es widerstrebte ihm, in der Reihe zu bleiben, wo wir zwischen Emrys und der Mutter aus der Upper East Side unseren Weg suchten. Er wehrte sich gegen den Griff, mit dem ich die Zügel festhielt, wann immer er über irgendetwas auf dem Weg hinwegsteigen musste oder wann immer das Pferd vor uns das Tempo beschleunigte. Er folgte nicht gern irgendjemandem, und ich konnte nicht behaupten, dass ich ihm einen Vorwurf daraus machte. Ich hatte es satt, auf die unerschütterliche Frau vor mir zu starren, mit ihrer perfekten Haltung und ohne jedwedes erkennbare Unbehagen. Sie sollte sich bemühen, über ihre Ehe und ihren Mann genauso viel Kontrolle zu bekommen wie über ihr Pferd.

Ich schwitzte von der Mittagssonne und wusste schon jetzt, dass mir alles wehtun würde, sobald ich von Boss' Rücken stieg. Es ärgerte mich auch, dass Meghan ihrer viel zu jungen Tochter erlaubte, sich an die Spitze der Reihe zu manövrieren, sodass sie direkt hinter Cy und den Packtieren ritt, die er mit sicherer Hand führte. Das Mädchen hatte, seit wir aufgebrochen waren, nicht aufgehört, ihn mit Fragen zu bombardieren.

Evans Stimme war hoch und klar, daher hatte ich keine Probleme damit, sie trotz des Stampfens der Pferdehufe und des gelegentlichen Schnaubens und Wieherns, das sie ausstießen, zu hören. Cys schroffe Stimme war zu leise und zu tief für mich, um seine Antworten mitzubekommen, was mich ganz verrückt machte, denn der entschlossene Teenager hatte keine Skrupel, ihn zu fragen, ob er eine feste Freundin hatte. Ich wollte die Antwort auf diese spezielle Frage ebenfalls wissen. Der Mann trug keinen Ehering und teilte sein Haus mit einer umwerfenden Frau, die sehr nett wirkte und die wirklich hervorragend kochen konnte. Wenn er mit einer Frau wie der schönen Brynn Vater-Mutter-Kind spielte, war es absolut unmöglich, dass er sich auch nur geringfügig zu jemandem wie mir hingezogen fühlte. Ganz gleich, wie süß mein Hintern war.

Um mich von dem Gespräch vor mir abzulenken, richtete ich meine Aufmerksamkeit wieder auf die Mutter des Mädchens und beschloss, dass es nicht schaden konnte, ihr einen kleinen Stoß zu geben, damit sie sich dafür interessierte, dass ihre Tochter hinter einem Mann her war, der alt genug war, um ihr Vater zu sein.

»Sie scheinen sich auf diesem Pferd ziemlich wohlzufühlen. Offensichtlich reiten Sie viel.« Die Frau drehte sich um und sah mich über ihre Schulter hinweg an, und sofort zogen sich ihre Mundwinkel herunter, als sie an mir vorbeischaute. Ich wandte mich um und verdrehte die Augen, als ich bemerkte, dass der Ehemann der Frau sich weiter vorgearbeitet hatte. Er war jetzt direkt neben Em, obwohl der Pfad viel zu schmal wirkte, um nebeneinander herzureiten. Emrys trug eine dunkle Sonnenbrille, daher sah ich ihre Augen nicht, aber ihre Lippen waren zu einer schmalen Linie zusammengepresst und ihre Schultern steif. Ich konnte erkennen, dass sie die Aufmerksamkeit des Mannes und seine fehlende Sorge um seine oder ihre Sicherheit ärgerte, da er nicht die beste Kontrolle über das Pferd zu haben schien, das er ritt.

Meghan konzentrierte sich jäh wieder auf mich, und ich beobachtete, wie ihr jedwede Hoffnung, die sie gehegt hatte, dass diese Reise ihre Familie näher zusammenbringen würde, aus den Zügen wich. Genauso sah eine Niederlage aus, und mir tat das Herz weh – um ihretwillen.

»Ich bin an einem Ort aufgewachsen, der der Ranch der Brüder hier sehr ähnlich war. Mein Dad war Rinderzüchter, und meine Mutter hatte einen kleinen Laden in der Stadt in Montana, in deren Nähe wir gelebt haben.« Ein schiefes Grinsen umspielte ihren Mund, und sie schaute von mir wieder zu ihrem Ehemann. »Ich habe das alles gehasst. Ich habe die Pferde und die Kühe gehasst. Ich habe es gehasst, dass in meiner Highschool nur hundert Kinder waren … höchstens. Ich konnte es gar nicht erwarten wegzukommen. Nach meinem Abschluss bin ich nach New York gegangen und habe nie zurückgeschaut. Ich wollte ein besseres, glamouröseres Leben, als ich es daheim haben konnte. Auf dem College habe ich Marcus kennengelernt, und er hat meinen Traum für mich wahr gemacht.«

Boss gab unter mir einen leisen Laut von sich, und ich beugte mich vor, um seinen Hals zu tätscheln. Ich hätte schwören können, dass er sich meiner Hand entgegenneigte, und das entlockte mir ein schwaches Lächeln, obwohl das Tier mich nicht sehen konnte.

»Ihre Kinder scheinen sich auf den Pferden ebenfalls ziemlich wohlzufühlen. Sie müssen dafür gesorgt haben, dass sie etwas von dem mitbekommen haben, woher Sie stammen.« Sie war leicht zu durchschauen. Sie hatte mehr haben wollen, aber als sie es bekommen hatte, hatte sie begriffen, dass es niemals genügen würde, um diese Leere in ihrem Inneren zu füllen. Sie war eine Konsumentin, für die meine Klienten töten würden. Leicht zu bezirzen mit Millionen entbehrlichen Einkommens, die nur herumlagen.

Sie kaufte um des kleinen Rausches willen, denn nichts anderes in ihrem Leben befriedigte sie.

Sie schüttelte ihren perfekt frisierten Kopf und stieß einen Seufzer aus. »Nein. Marcus hat darauf bestanden, dass die Kinder ein exklusives Internat in Massachusetts besuchen. Dort haben sie das Reiten gelernt. Er war nicht besonders erfreut, als ich ihn dazu gezwungen habe, sich im Sommer Zeit für diese Reise zu nehmen.« Wieder wanderte ihr Blick zu ihrem Ehemann, der eher erfolglos versuchte, meine beste Freundin zu beeindrucken.

»Wenn Sie Ihre Kinder nicht oft sehen, überrascht es mich, dass Sie sie nicht näher bei sich behalten. Wollen Sie nicht so viel Zeit wie möglich mit ihnen verbringen, bevor sie in die Schule zurückkehren?« Meine Mutter hätte das nicht gewollt, aber ich nahm an, dass die meisten normalen Mütter es so sahen. Ich schätzte die Menschen, die mich immer geliebt hatten und die für mich da gewesen waren, selbst wenn der Umgang mit mir nicht der einfachste gewesen war. Ich wollte all die Zeit zurückholen, die ich damit verschwendet hatte, vergeblich einer einzigen Liebe nachzujagen. Ich wollte mehr in die Beziehungen investieren, die wirklich zählten. Ich würde eine Menge Zeit damit verbringen, darauf zu achten, wo ich hintrat, und ich konnte inzwischen sehen, wie dieser Tanz ums Feuer mich außerhalb der Reichweite der Menschen gehalten hatte, die mich gern um sich gehabt hätten.

Die Frau warf mir einen erschrockenen Blick über ihre Schulter zu und richtete ihre Aufmerksamkeit auf die Spitze der Reisegruppe. Ihre Tochter quasselte immer noch mit Cy, und ihr Sohn saß mürrisch und wenig begeistert vor Lane auf einem hübschen braunen Tennessee Walker.

Ich räusperte mich leise und deutete mit dem Kinn auf die entflammte Jugendliche. »Sie sollte sich mit Ihnen und mit Ihrem Bruder verbünden, statt ihm nachzujagen. Er ist zu alt für sie, und ehrlich, er scheint nicht der Typ zu sein, der mit solch zarten Gefühlen behutsam umgeht. Er wird sie verletzen, und es wird ihr peinlich sein. Wenn das passiert, wird diese Reise für sie nicht mehr sein als eine böse Erinnerung.«

Die Frau kniff die Augen zusammen und schaute wieder zu ihrem Mann hinüber. Ihre Mundwinkel fielen erneut nach unten, und ihre ohnehin schon steifen Schultern wurden noch starrer. »Evan wollte den Sommer mit einigen Freundinnen in Saint Thomas verbringen, und Ethan wollte in ein Baseballlager in den Pocono Mountains. Keiner von ihnen ist begeistert davon, hier zu sein. Evan hat sich in letzter Zeit immer unmöglicher benommen. Sie werden beide so schnell erwachsen, und ich habe das Gefühl, dass ich ihr ganzes Leben verpasse.«

Ich rutschte im Sattel nach vorn und unterdrückte ein Stöhnen, weil die Rückseiten meiner Schenkel schrecklich brannten. Mein Hintern würde tausend Violett- und Blauschattierungen haben, wenn ich von diesem Pferd stieg, und es gab in einem Tausend-Meilen-Radius keine einzige Massagepraxis.

»Sie wissen, dass Sie sich auf einen Mann konzentriert, der alt genug ist, um ihr Dad zu sein, weil sie kein richtiges Verhältnis zu ihrem eigenen Vater hat, stimmt's? Sie denken vielleicht, dass die Spannungen zwischen Ihnen beiden und die Art, wie die Blicke Ihres Mannes umherschweifen, harmlos seien, aber das ist nicht so. Kinder wissen es, wenn ein Elternteil oder beide nicht glücklich sind, und wenn Sie Ihre Kinder nur gelegentlich sehen, dann sind diese Spannungen alles, was sie sehen, wenn sie ihre Familie betrachten. Es trifft sie in Mark und Bein. Kinder sind viel scharfsichtiger, als die Leute ihnen zutrauen.«

Ich hatte immer gewusst, dass meine Mutter mich nicht wollte, ganz gleich, wie oft meine Großeltern versuchten, mir einzureden, sie sei einfach noch nicht bereit für mich. Ich hätte ihnen den Schwachsinn vielleicht abgekauft, wenn die Frau sich bemüht hätte, so zu tun, als wäre ich ihr wichtig – jedenfalls bis ich alt genug war, sie nicht mehr zu brauchen. Aber sie hatte sich nicht für mich interessiert. Meghan war interessiert, aber an der falschen Person. Sie musste aufhören zu versuchen, eine Ehe zu retten, die ihr offensichtlich mehr bedeutete als ihrem Mann. Sie hatte immer noch Zeit, ihren Fokus auf ihre Kinder zu legen, bevor sie alt genug waren, um ohne sie ihren Weg in die Welt zu finden.

Sie gab einen Laut tief aus ihrer Kehle von sich und drehte sich wieder auf ihrem Sattel um. Dann schnalzte sie mit der Zunge und manövrierte ihr Pferd neben Lane, der vor ihr ritt. Nach einigen Worten ließ Lane sich zurückfallen, und die Frau ritt weiter, bis sie zwischen ihren Kindern war. Ich hörte die Tochter etwas fauchen, aber das Sperrfeuer der Fragen, die auf Cys Rücken zielten, hörte auf. Er drehte den Kopf und durchbohrte mich mit einem Blick, der meinen Bauch wärmte und mein Herz hämmern ließ.

Ich wandte mich Lane zu, der das Tempo gedrosselt hatte, bis wir auf dem schmalen Pfad nebeneinanderritten. Boss gab einen Laut von sich und tänzelte ein wenig zur Seite, als Lanes Pferd ihm zu nah kam. Alte Furcht ließ meine Haut kribbeln, während ich die Zügel fester umfasste und die Knie in die muskulösen Seiten des Tieres drückte.

»Wenn dieses Pferd mich abwirft und ich mir das Genick breche, weil Sie mir zu nah gekommen sind, werde ich Sie verklagen, dass Ihnen Hören und Sehen vergeht, Warner.« Meine Stimme war ein wenig zittrig.

»Boss wird Sie nicht abwerfen. Er mag den Berg hinunterrennen wie eine Fledermaus aus der Hölle, aber er wird Sie nicht abwerfen. Sie müssen sich nur gut festhalten, dann haben Sie kein Problem.« Dieses Lächeln, das niemals zu verblassen schien, blitzte auf seinem gut aussehenden Gesicht auf. »Und Sie können mich nicht verklagen. Sie haben die Haftungsverzichtserklärung unterschrieben.«

Ich beschimpfte ihn leise und zeigte hinter mich. Dann sorgte ich dafür, dass meine Stimme ganz leise wurde, damit sie nicht in der Stille um uns herum zu hören war, und sagte ihm: »Hören Sie auf, mich zu nerven, und retten Sie Emrys vor dem Widerling. Sie könnte eine Rettung gebrauchen.«

Lane warf einen Blick in die Richtung, in die ich deutete, und stieß einen Seufzer aus, bei dem seine breite Brust sich hob und senkte. »Das wird ein Problem werden.«

»Vielleicht wird die Ehefrau es im Keim ersticken.« Ich nahm nicht an, dass sie so viel Mumm hatte, aber es ließ sich nicht vorhersagen, was all diese frische Luft und Abgeschiedenheit mit einem Menschen machte. Es war schwer, irgendetwas anderes zu sehen als das Unheil, das der Mann über seine Familie und ihren gemeinsamen Urlaub brachte, wenn wir nur zu acht waren, mitten im Wald. Es gab keine vollen Terminkalender, keine hastig angesetzten Meetings, Immobilienbesichtigungen, persönliche Assistenten und Abende im Fitnessstudio, hinter denen er sich verstecken konnte. Sein ungehöriges Benehmen kam unter dem grellen Sonnenschein und dem Zwitschern der Vögel voll zur Geltung.

»Vielleicht. Sie scheint nicht übertrieben besorgt zu sein, dass ihre Tochter meinen Bruder praktisch anbettelt, sie zu schwängern. Cy ist kein sehr geduldiger Mensch, und das ist genau der Grund, warum er nie zu diesen Reisen mitkommt. Er kann nicht gut mit Menschen.« Lanes Stimme war nicht so leise wie meine, daher war ich mir sicher, dass alle vor uns und hinter uns seine scharf formulierten Worte gehört hatten.

Ich lachte nervös, verlegen um Evans willen, aber zugegebenermaßen erheitert über die scharfsichtigen Beobachtungen des jungen Warner. Cy riss erneut den Kopf herum. Diesmal wurden diese schieferfarbenen Augen schmal, als er bemerkte, wie nah sein kleiner Bruder mir war. Ich lächelte ihn an und versuchte, meinen Gesichtsausdruck so unschuldig wie möglich wirken zu lassen. Die großen Augen und das Grinsen vergingen mir schnell, als der Pfad eine scharfe Biegung machte, die uns hügelabwärts führte. Boss beschleunigte das Tempo, sodass mein Hintern noch heftiger auf das Leder unter ihm klatschte.

Lane lachte, als ich stöhnte. »Sie müssen sich mit dem Pferd bewegen. Stehen Sie in den Steigbügeln auf und umklammern Sie das Tier mit den Knien. Das wird die Hose schonen – nicht, dass sie noch an diesem süßen Hintern reißt.«

Ich funkelte ihn an, beherzigte seinen Rat jedoch und bewegte mich im Sattel, bis meine Haltung seine eigene widerspiegelte. »Haben Sie gehört, dass Cy diese Worte heute Morgen benutzt hat?«

»Nein. Aber es überrascht mich nicht, dass er es erwähnt hat. Sie haben wirklich einen hübschen Hintern, und er hatte schon immer eine Schwäche für rothaarige Frauen.« Eine Falte trat zwischen seine Brauen, als erinnerte er sich an eine bestimmte Rothaarige aus der Vergangenheit, die er nicht besonders gemocht hatte. »Er neigt dazu auszusprechen, was er denkt, selbst wenn es besser wäre, er täte es nicht.«

»Er mag Rothaarige wie Brynn?« Ich stellte die Frage, weil ich es wissen wollte und weil ich zu große Angst hatte, den großen Bruder zu fragen, der die Frage eigentlich beantworten sollte. Nicht dass ich dachte, Cy würde mir eine klare Antwort geben. Er schien es zu genießen, mich hängen zu lassen, um mich zu reizen. Er wäre außerdem nicht begeistert von der Tatsache gewesen, dass sein jüngerer Bruder dazu neigte, mir hemmungslos persönliche Details mitzuteilen. Und dass er das bereits seit dem ersten Treffen tat, als er mir gesagt hatte, hinter seinem älteren Bruder und seiner Unfreundlichkeit stecke mehr, als auf den ersten Blick sichtbar sei.

Lane fuhr sich mit der Hand übers Kinn und zog eine

Schulter noch. Als er sprach, hatte seine Stimme nichts von dem unbekümmerten Charme und der offenen Art, die ich während unserer kurzen Bekanntschaft von ihm zu erwarten gelernt hatte. Tatsächlich war da ein scharfer Unterton. Er erinnerte mich stark daran, wie ich mich angehört hatte, als mir bewusst geworden war, dass Chris mich die ganze Zeit verarscht hatte. Diese heiklen Dinge waren schmerzhaft und rührten an empfindlichen Schwachstellen.

»Brynn gehört zur Familie. Wir lieben sie, und sie liebt uns. Sie ist schön und rein zufällig rothaarig, aber sie gehört nicht zu Cy. Sie gehört zu keinem von uns.« Da war etwas, das mich auf den Gedanken brachte, dass der jüngere Warner-Bruder das gern geändert hätte, wenn es möglich gewesen wäre. Er sah mich mit seiner Scharfsichtigkeit und seinem männlichen Instinkt an, der aus seinen dunkelgrauen Augen leuchtete. »Ich rede nicht über das Privatleben meiner Brüder, aber Cy ist starrsinnig, und er ist schon immer selbst sein schlimmster Feind gewesen. Er würde nichts über Brynn sagen, selbst wenn er Sie ansieht, als seien Sie der erste Regentropfen, der seit Jahren der Dürre fällt.«

Ich runzelte die Stirn über diese schlau formulierte Enthüllung und riss den Blick von ihm los. »Ich bin nicht daran interessiert zu erfahren, was immer Ihr Bruder vielleicht von mir will.« Obwohl ich egoistischerweise alles wissen wollte, was es über den rätselhaften Mann, der mich faszinierte, zu wissen gab.

Lane lachte leise und hob die Hand, um sich seinen Hut auf dem Kopf zurechtzurücken. Diesmal sorgte er dafür, dass seine Stimme leise war, und flüsterte praktisch: »Sie sind eine kluge Frau, Leo. Sie wissen, was er will, und Sie wissen, dass er keine Ruhe geben wird, bis er es bekommt. Ich muss zugeben, es wird mich ausgesprochen reizen zuzusehen, wie Sie versuchen, ihn während der nächsten Tage auszumanövrieren. Cy versteht es wirklich ausgezeichnet, seinen Willen zu kriegen.«

Ich zog die Brauen zusammen. Es war schwer, die Wahrheit laut zuzugeben, die einer der Gründe war, warum ich in letzter Zeit so mürrisch und verdrossen gewesen war, aber ich mochte Lane, und ich mochte die offene, entspannte Art, die er an sich hatte. Bevor ich es verhindern konnte, rutschte mir heraus, was mich während der letzten paar Monate verfolgt hatte. Meine Worte klangen genauso scharf wie seine kurz zuvor. »Ich habe mich unlängst von einem Mann getrennt, der ebenfalls wirklich gut darin war, seinen Willen durchzusetzen.« Ich schluckte und kämpfte das Aufwallen übel schmeckender Reue und erdrückender Schuldzuweisungen zurück, die sich in meiner Kehle emporarbeiteten. »Seinen Willen durchzusetzen hat bedeutet, dass er mich gevögelt hat und dann zu seiner Frau und seinen Kindern in einem Vorort zurückgekehrt ist, von denen ich nichts wusste. Die Sache ging über sechs Monate. Ich bin nicht auf ihn eingegangen, als er das erste Mal Interesse an mir zeigte. Ich wollte nicht, dass er mir etwas bedeutete, aber er hat mich verführt, und als ich endlich dahinterkam, dass er nur mit mir gespielt hat, war mir das so peinlich, dass ich schier darin untergegangen bin. Und ich hatte so viele Schuldgefühle, dass ich fast daran erstickt bin.«

»Autsch.« Lanes leise gemurmeltes Wort und das Mitgefühl in seinen Zügen drückten mein Herz fest gegen den Stacheldraht, mit dem ich es umgeben hatte. »Das ist schlimm, aber manchmal geht das Herz einfach in die Irre. Sie können nur darauf warten, das zu verstehen, und hoffen, dass es beim nächsten Mal eine bessere Wahl trifft.«

Ich warf ihm einen Blick zu, der Bände sprach, was ich davon hielt. »Sie können absolut selbst bestimmen, für wen Sie sich interessieren. Wenn Sie schlau sind.« Was ich von jetzt an zu sein beabsichtigte. Ich würde meinem Gehirn das Steuer überlassen, und mein verantwortungsloses, verwegenes Herz konnte sich auf die Rückbank setzen. Das arme Ding war so viel herumgeschubst worden, dass es kein Wunder war, dass es nicht so funktionierte, wie es sollte.

Er sah mich kopfschüttelnd an und ließ sein Pferd zurückfallen, sodass er nicht mehr neben mir her ritt. »Sie irren sich, Leo. Liebe ist nicht logisch oder rational. Unsere Herzen sprechen nicht die Sprache der Vernunft.«

Ich beobachtete ihn mit schmalen Augen, als er sich zurückfallen ließ und den herablassenden Vater dazu zwang, das Gleiche zu tun und Emrys allein weiterreiten zu lassen. Sie schenkte dem jüngsten Warner ein erleichtertes Lächeln und trieb ihr Pferd an, sodass sie näher an mich herankam, während Lane den Ehebrecher zurück in die Reihe zwang, sodass er vor den beiden anderen Männern her ritt, die den ganzen Morgen lang kein Wort gesprochen hatten.

»Vielen Dank, Leutnant Schwanzblocker. Während der letzten halben Stunde habe ich mir ausgemalt, wie ich ihn von seinem Pferd stoßen kann. Wenn ich mir die Auflistung seiner Investitionen noch länger hätte anhören müssen, hätte ich mich vom Berg gestürzt.« Em klang verstimmt und durch und durch angewidert. »Ich kann nicht glauben, dass er mich direkt vor seiner Frau und seinen Kindern angebaggert hat. Der Mann kennt keine Scham.«

Ich nickte zustimmend. »Und er hat keinen Stil.«

Sie murmelte leise ein schmutziges Wort, während ich nach einer Mücke schlug, die auf meinem Hals gelandet war. Je heißer es wurde, desto mehr Ungeziefer beschloss, ich sei ein Festmahl, und ich hatte heute Morgen nicht genug Zeit gehabt, um mich mit Insektenspray einzusprühen. Wenn wir am Mittag zum Essen endlich eine Pause machten, würde ich eine Schicht auf meine gesamte sichtbare Haut auftragen. In dem Prospekt stand, dass wir in einem malerischen Tal picknicken würden, durch das der Weg verlief, umgeben von Wildblumen. Die wilden Tiere der Region benutzten die Stelle oft als Ruheort. Ich hatte kein Interesse an wilden Blumen oder wilden Tieren, aber ich wollte eine Chance, meine brennenden Muskeln auszustrecken und etwas mehr von Brynns tollem Essen zu mir zu nehmen.

Das Mittagessen heute war die letzte Mahlzeit, die wir bekommen würden, ohne dafür zu arbeiten. Abgesehen von Müsli zum Frühstück und Beef Jerky für den Notfall sollten wir während der Dauer unserer Reise für uns selbst sorgen. Ich hätte wohl besser aufpassen sollen, als ich zugestimmt hatte, nach Wyoming zu fliegen. Ich hatte nur ein Glas Erdnussbutter in meine Tasche geschmuggelt, für den Notfall. Ich hatte in meinem ganzen Leben noch keinen Fisch gefangen, wurde schnippisch und übellaunig –

nun, noch schnippischer, als ich es ohnehin schon war – und schlug noch schneller um mich als normalerweise, wenn ich Hunger hatte.

»Der Möchtegern Donald Trump ist nicht der Einzige, der gern mal hinlangt. Ich habe gesehen, wie Cy heute Morgen dein Bein begrapscht hat. Ihr zwei habt so viele Funken versprüht, dass ich leise Sorge habe, ihr könntet einen Waldbrand um uns herum entfachen.«

Ich brachte sie zum Schweigen und sah mich mit großen Augen um, in der Hoffnung, dass niemand sonst uns Aufmerksamkeit schenkte. Glücklicherweise unterhielt Cy sich mit Meghan und den Kindern, und Lane hatte den Vater in ein leises Gespräch verwickelt. Die beiden seltsam wortkargen Männer hatten sich weit zurückfallen lassen, und wann immer ich an diesem Vormittag einen Blick auf sie erhascht hatte, hatten sie gewirkt, als führten sie ein ernstes Gespräch.

Seufzend stieß ich mit demselben Atemzug meine Worte aus und sprach so leise ich konnte: »Man braucht Brennholz, um ein Feuer zu entzünden, und noch mehr, damit es weiterbrennt. Ich bin total ausgebrannt, Em. Ich habe nichts mehr übrig, was in Flammen aufgehen könnte, nicht einmal ein winziges bisschen Feuerholz ist in mir übrig geblieben. Ich habe einmal gebrannt, und es wird nicht wieder vorkommen.«

Sie seufzte tief, wobei ihr Pferd ein wenig näher an den Rand des Weges tänzelte, als mir lieb war. Mit angehaltenem Atem schaute ich zu, bis sie das Tier zurück in die Reihe gebracht hatte, und ich stieß den Atem erst aus, als sie es wieder vollkommen unter Kontrolle zu haben schien.

»Deine Worte sind nicht nur lächerlich, sondern auch total durchschaubar. Bei Chris gab es keine Funken. Es gab kein Feuer und definitiv keine Hitze. Er hat dich mit seiner perfekt erfundenen Identität gefüttert und gewusst, dass du nicht auf jemanden hereinfallen würdest, der dich entflammt und auf alle deine wunden Punkte drückt. Er hat gewusst, dass du nicht mit jemandem ins Bett springen und ihn in dein Leben lassen würdest, nach dem du dich verzehrst und der dich herausfordert. Du bist voller Zunder, seit du alt genug warst, um herauszufinden, dass deine Mom dich nicht wollte. Der richtige Mann wird dich nicht nur brennen lassen, er wird all diese nutzlose Scheiße in dir versengen, bis nicht mehr als Asche übrig ist … ein für alle Mal.«

Meine Schultern versteiften sich, und ich riss den Blick von ihr los. »Du denkst, eine unüberlegte Urlaubsaffäre mit einem Mann, von dem ich nichts weiß und der definitiv kein echter Cowboy ist, wird alles, was mit mir nicht stimmt, in Ordnung bringen – alles, was von Anfang an mit mir nicht gestimmt hat?« Ich konnte nicht verbergen, wie absurd ich diese Idee fand.

»Mit dir ist nichts falsch, Leo. Mit dir war niemals etwas falsch, aber ich kenne dich schon sehr lange, und ich weiß, wie sehr es dir widerstrebt, irgendein Risiko einzugehen. Du hältst die Dinge berechenbar und klar. Das ist keine Art zu leben, denn ganz gleich, wie sehr du dich bemühst, du kannst nicht alles kontrollieren. Sieh dir die Situation mit Chris an. Du hast ihn an dich herangelassen, weil er all die unaufdringlichen, einfachen Dinge verkörpert hat, von denen du dir eingeredet hast, du würdest sie wollen. Vielleicht ist der sexy Möchtegern-Cowboy genau die ungeheuerliche und überraschende Erfahrung, die du brauchst, damit du erkennst, dass nicht alle Risiken dazu führen, dass du verletzt wirst. Dann wirst du vielleicht begreifen, dass es manchmal die Erfahrung eines schmerzlichen Weges wert war zu leiden. Ich sehe dich auf diesem Pferd, Leo; wir wissen beide, dass du das Reiten nicht hättest aufgeben sollen, nur weil du einmal abgeworfen worden bist. Du bist ein Naturtalent.«

Das Unbehagen, das daher rührte, dass ich zu lange im Sattel gesessen hatte, lenkte definitiv nicht von der Tatsache ab, dass ich es wirklich genoss, wieder zu reiten. Ich wusste, dass mein Großvater sehr stolz auf mich gewesen wäre, dass ich meine Angst endlich bezwungen hatte. Ein Stich des Bedauerns durchzuckte mich, dass es zu spät war, um ihm zu zeigen, dass ich die Angst überwunden hatte, die mich immer zurückgehalten hatte. Er war vor einigen Jahren gestorben, nach einem tapferen Kampf mit einem Herzen, das einfach nicht mehr richtig schlagen wollte. Er war friedlich im Schlaf hinübergegangen.

Nachdem meine Großmutter ihre Angelegenheiten geordnet hatte, hatte sie sowohl mich als auch meine Mutter überrascht, indem sie ihren ganzen Hausstand in Nordkalifornien zusammengepackt und das Ganze in eine protzige Rentnerwohnanlage nach Florida verfrachtet hatte. Ich hatte meine Großeltern nie als alt empfunden, aber nach Großvaters Tod hatte sie darauf bestanden, dass das Haus und sein Unterhalt zu viel für sie seien. Sie hatte mir ins Gesicht gelacht, als ich angeboten hatte zurückzukommen, um ihr zu helfen, damit sie nicht in eine Gegend ziehen musste, die ein halber Kontinent von mir trennte. Sie sagte mir, es sei ihr Job gewesen, mich so gut zu erziehen, dass ich allein in der Welt zurechtkommen würde, und sie hätte kein Interesse daran, sich rückwärts zu bewegen oder Rollen zu verkehren, in denen es an mir gewesen wäre, mich um sie zu kümmern. Sie erklärte mir, sie hätte die volle Absicht, ein Leben zu ihren eigenen Bedingungen zu führen, und das bedeutete, mit Menschen ihres eigenen Alters zusammen zu sein und nicht mehr Teil des ständigen Tauziehens zwischen mir und meiner Mutter sein zu müssen. Sie sagte, sie liebe uns beide – ich bildete mir ein, dass sie mich ein wenig mehr liebte – und dass es viel einfacher für sie sei, das mit ein wenig Raum zwischen uns allen zu genießen.

Ich hatte versprochen, sie so oft zu besuchen, wie ich konnte. Bisher hatte ich das zweimal getan. Das letzte Mal, nachdem ich mit Chris Schluss gemacht und gewusst hatte, dass ich aus der Stadt rausmusste, damit ich nicht etwas tat, das ich bereuen würde. Zum Beispiel in seinem Haus aufzukreuzen, den Vorhang seines Doppellebens aufzuziehen und seine Familie dabei zu zerbrechen. Ich hätte mich dann vielleicht besser gefühlt, aber ich wusste, wie es war, ein Kind mit nur einem Elternteil zu sein, das nicht mehr war als ein Fremder. Ich wollte nicht verantwortlich dafür sein, Chris' Kinder in diese Situation zu bringen. Bisher hatte meine Mutter sich noch nicht in ein Flugzeug gesetzt, und ich glaube nicht, dass meine Großmutter allzu überrascht darüber war. Ich war es jedenfalls nicht.

Verloren in meinen Gedanken war ich froh, dass Boss auf das Pferd vor mir achtete, als er den Kopf zurückzog und stehen blieb. Ich hatte nicht einmal bemerkt, dass der Weg uns in eine Postkartenidylle geführt hatte. Im Hintergrund erhoben sich die Berge, hoch und majestätisch, während eine Überfülle bunter Blumen den Boden bedeckte – unter einem Himmel, der blauer schien als jedes Blau, das ich je zuvor in meinem Leben gesehen hatte. Da war ein Bach, der tatsächlich plätscherte, und als hätten die Brüder die Szene bewusst herbeigeführt, damit ihre Gäste nicht enttäuscht waren, hob ein Reh den Kopf vom Wasser, wo es getrunken hatte, als wir alle anhielten. Ich hätte schwören können, dass es mich direkt ansah, bevor es erschrak, über das Wasser sprang und zwischen den Bäumen verschwand. Ich hätte nie gedacht, dass Orte wie dieser außerhalb von Landschaftskalendern und Bildschirmschonern tatsächlich existierten.

Lane löste sich von seinem Platz in der Reihe und ritt neben Cy. Die Brüder stiegen ab und wechselten einige Worte, und Lane übernahm die Stricke der Maultiere, ergriff die Zügel von Cys Pferd und ging aufs Wasser zu.

Cy stemmte die Hände in die Hüften und eröffnete uns: »Sie können alle absteigen. Bringen Sie die Pferde zu Lane hinüber. Er wird sich um sie kümmern, während Sie alle zu Mittag essen. Denken Sie daran, es ist die letzte zubereitete Mahlzeit, also wird es zum Abendessen das geben, was Sie hier im Bach oder später heute Abend im Fluss fangen.«

»Können Sie mir beim Absteigen helfen?« In Evans Stimme lag ein einstudierter Jammerton, und ich konnte es mir nicht verkneifen, die Augen zu verdrehen, während ich mich aus dem Sattel hievte.

Ich hörte Cys Antwort nicht. Mein überraschtes Aufjaulen, als Blut in die verkrampften Muskeln schoss und wunde Stellen traf, von denen ich gar nicht wusste, dass sie so schlimm wehtun konnten, übertönte alles. Meine Knie gaben fast unter mir nach, und ich wäre beinahe hingefallen, aber harte Hände fingen mich um die Taille auf und zogen mich an eine noch härtere Brust. Cyrus roch nach Sonnenschein und Mann, ohne auch nur einen Anflug von Pferd oder klebrigem Insektenspray. Er fühlte sich solide und vertrauenswürdig hinter mir an, wie jemand, der dazu gebaut war, eine ordentliche Last zu tragen, ohne jemals unter dem Gewicht der Verantwortung zusammenzubrechen.

»Ich habe Tigerbalsam in einem der Bündel. Ich werde ihn für Sie herauskramen, aber er stinkt höllisch und ist grauenhaft fettig. Sie werden den Balsam nicht abwaschen können, bis wir übermorgen das Lager erreichen, aber er wird an den durch den Sattel wundgescheuerten Stellen und gegen die verkrampften Muskeln helfen.«

Ich legte eine Hand auf seine, wo sie die weiche Wölbung meines Bauchs umfasste, und ich konnte nicht ignorieren, dass die Stelle, an der er mich berührte, zuerst warm und dann heiß wurde … dann heißer als heiß. Durch meine Kleider hindurch brannte seine Berührung und versengte meine Haut. Er war aus Feuer gemacht, und Emrys hatte recht, ich war voller Zunder, der in Flammen aufgehen wollte, wann immer er in meine Nähe kam.

Ich schnappte nach Luft und versuchte, mich aufzurichten. Das ging zwar nicht ohne eine Menge Gebrumme und Flüche ab, aber schließlich hörten meine Knie auf zu zittern, und meine Pobacken schrien mich nicht länger an. Cy hielt mich während des Martyriums aufrecht, und Emrys verfolgte das Geschehen mit einem Feixen, während der verliebte Teenager mich mordlustig anstarrte. Ich wartete auf eine spöttische Bemerkung oder etwas Gemeines, das aus Cys Mund kam. Schließlich hatte ich anfangs seine Echtheit hinterfragt. Es war klar, dass er den ganzen Tag ohne das kleinste bisschen Unbehagen auf seinem großen Ross hatte sitzen können, während ich einem erhitzten Wrack glich. Er sagte kein Wort, sondern wartete nur, bis ich meine puddingweichen Gliedmaßen wieder unter Kontrolle hatte.

Ich drehte mich in seinen Armen um, sodass wir einander von Angesicht zu Angesicht gegenüberstanden, und befahl mir, mich nicht an ihn zu lehnen. Er mochte ganz Feuer und Flamme sein, aber ich würde mir nicht gestatten zu schmelzen. Ich legte eine Hand mitten auf seine steinharte Brust und stieß mich ein wenig ab, und er verstand den Fingerzeig, trat einen Schritt zurück und ließ mich los.

»Ich komme klar.«

Er senkte das Kinn, dann beugte er sich dichter zu mir, sodass seine Lippen beinahe mein Ohr berührten. Sein Atem war warm, aber ich zitterte trotzdem, als er flüsterte: »Wenn Sie Hilfe brauchen, um die Salbe auf die schwer erreichbaren Stellen zu massieren, lassen Sie es mich wissen.«

Ich erbebte bei dem Vorschlag und bei dem Bild, das seine Worte heraufbeschworen. Dann räusperte ich mich, damit ich eine Antwort herausbringen konnte. »Ich denke, das schaffe ich allein.«

»Gut, machen Sie es selbst oder bitten Sie mich darum, aber fragen Sie nicht meinen kleinen Bruder. Er lässt sein Lächeln aufblitzen, und die Frauen fallen ihm zu Füßen, aber er ist nicht der Richtige für Sie, und Sie sind nicht die Richtige für ihn.«

Ich versteifte und stemmte die Hände in die Hüften, drauf und dran, ihm zu sagen, er könne seinen Schwanz darauf verwetten, dass es nicht seine Entscheidung war, wer der Richtige für mich oder für wen ich die Richtige sei, weil er verdammt noch mal nicht das Geringste über mich wusste. Meine ganze gerechte feministische Entrüstung kribbelte und bäumte sich auf, bereit, ihn mit scharfen Worten fertigzumachen. Doch was aus meinem Mund kam, war: »Zumindest weiß Lane, wie man lächelt, selbst wenn er sein Lächeln dazu benutzt, dass Frauen vor ihm zu Boden fallen.«

Cys rabenschwarze Brauen schossen in die Höhe, und seine sehr ernsten Mundwinkel zuckten. »Ich kann lächeln.«

Ich schnaubte. »Wann?«

Er beugte sich abermals dicht zu mir vor, und ich hätte mich am liebsten an ihn gedrückt. »Ich lächle, wenn mich etwas glücklich macht.«

»Und was macht Sie glücklich?« Ich konnte ihn mir nicht als den freundlichen, wohlgelaunten Typ vorstellen, der mir das Leben rettete. Aber ich war wirklich neugierig, was dazu führen könnte, dass diese steinerne Miene, die er immer zeigte, sich in etwas Zugänglicheres verwandelte. Ein Lächeln von ihm würde ein gebrochenes Herz und Vernichtung bedeuten. Ich würde nicht einfach nur schmelzen, sondern mich schlicht in Partikel auflösen, die aus Verlangen nach diesem Mann bestanden, und nur nach diesem Mann.

»Benehmen Sie sich, und Sie werden es bald herausfinden. Und kümmern Sie sich um Boss, damit er sich weiter um Sie kümmern kann.«

Er ging zu Em hinüber, und ich konnte nur daran denken, dass, was immer einem Mann wie ihm ein Lächeln entlockte, für die Frau, die er anlächelte, nichts als Ärger bedeuten konnte.

Kapitel 6

Weniger einsam als gedacht

Emrys hatte nicht gelogen, als sie gesagt hatte, sie könne angeln. Und das war gut so, denn mir fehlte die notwendige Geduld, um den Haken mit einem Köder zu versehen, die Angelschnur auszuwerfen und Stunden um Stunden dazusitzen, um sich ein Abendessen zu sichern. Ich langweilte mich bereits nach den ersten fünfzehn Minuten zu Tode. Aber sie erklärte, dass es, wenn sie uns beide ernährte, meine Aufgabe sein würde, den Fang zu säubern. Ich übergab mich beinahe, als ich zusah, wie sie den ersten Fisch ausnahm. Doch als meine Reaktion nicht nur die beiden Teenager, sondern auch die Warner-Brüder und die beiden wortkargen Männer dazu brachte, mich auszulachen, riss ich mich zusammen und schaffte es, mich durch die nächsten schleimigen, fischigen Exekutionen zu kämpfen, ohne es zu vermasseln. Em sagte mir, sie sei stolz auf mich, und seltsamerweise war ich es ebenfalls, denn das war genau so eine Sache, vor der ich mich normalerweise gedrückt hätte. Ich hasste es, nicht zu wissen, was ich tat, und ich war paranoid, wenn es darum ging, etwas falsch zu machen.

Ethan, der sich die ganze Zeit darüber beklagte, dass er lieber mit seiner Xbox spielen würde, schaffte es ebenfalls, beachtlich viele Fische an Land zu ziehen. Keinem der Erwachsenen in unserer Gruppe entging, dass es Lane war, der ihm gratulierte und ihn lobte und nicht sein Vater.

Mit genug Vorräten fürs Abendessen, erklärte Cy, es sei an der Zeit, wieder auf die Pferde zu steigen und zu der Lichtung am Fluss zu reiten, wo wir unser Nachtlager aufschlagen würden. Bei den Pferden nahm ich widerstrebend das kleine Glas Salbe entgegen, das Cy mir hinhielt, und suchte mir ein abgelegenes Plätzchen, wo ich meine Jeans herunterziehen konnte, um meine Haut mit der kräftigen Salbe einzureiben. Er hatte nicht gelogen. Die Salbe stank zum Himmel und machte meine Haut glitschig unter dem Jeansstoff. Emrys rümpfte die Nase, als ich zu den Pferden zurückkehrte. Boss gab einen Laut von sich, von dem ich hätte schwören können, dass es Abscheu war, als ich wieder auf seinen Rücken steigen wollte. Man konnte mich eine Meile weit riechen. Die Situation würde sich nicht im Geringsten verbessern, wenn sich der Rauch des Lagerfeuers und das Insektenspray, mit dem ich mich von Kopf bis Fuß einzureiben gedachte, zu der Mischung hinzugesellten.

Nachdem wir uns um die Tiere gekümmert und das Abendessen zubereitet hatten, dem ein Überraschungsdessert gefolgt war, das Lane aus dem Nichts herbeigezaubert hatte, war ich so müde, dass ich kaum noch geradeaus sehen konnte. Em und ich krochen in das winzige Wurfzelt, das wir uns für die Woche teilen sollten, obwohl alle anderen noch auf waren und sich ums Lagerfeuer scharten, um zu plaudern – alle bis auf Cy. Der große Mann war ungefähr zu der Zeit davongegangen, als Lane die Überraschungssüßigkeiten hervorgeholt hatte, und als ich mich für die Nacht zurückgezogen hatte, war er noch nicht wieder im Lager aufgetaucht. Ich war mir ziemlich sicher, dass sein Verschwinden durch die Tatsache ausgelöst worden war, dass Evan wie eine blutsaugende Zecke an ihm klebte. Es war seine Art, ihre Avancen zurückzuweisen, ohne sie zu blamieren. Lane hatte recht, sein Bruder konnte wirklich nicht gut mit Menschen.

»Du stinkst.«

Emrys' schläfrige Stimme glitt über mich hinweg. Ich stöhnte und versuchte, mich auf der kaum vorhandenen Matte umzudrehen, die meinen Rücken vor dem unversöhnlichen Boden schützen sollte, auf dem ich mich ausgestreckt hatte.

Ich stank wirklich. Aber der Balsam hatte geholfen, die brennenden Muskeln in meinen Beinen zu entspannen, und die einzige Möglichkeit, am folgenden Tag zu reiten, war dieses Teufelszeug.

»Ich weiß, aber du warst diejenige, die ein Abenteuer in Gottes weiter Natur wollte. So rieche ich nun mal, wenn ich nicht jeden Tag duschen kann.«

Sie lachte unbeschwert und bewegte sich neben mir. »Ich habe auch nicht geduscht und rieche trotzdem nicht so übel wie du.«

Ich lachte, bis ich keine Luft mehr bekam, und drehte den Kopf in ihre Richtung. Sie hatte die Augen geschlossen und schaffte es irgendwie trotzdem, so frisch und perfekt auszusehen wie am Morgen, als wir losgeritten waren. »Das liegt daran, dass du nicht menschlich bist. Du bist eine Art makellose Außerirdische, die den Rest von uns Sterblichen aussehen lässt wie Hundefutter.«

Sie lachte abermals und drehte den Kopf zu mir, sodass wir einander ansahen. Ihre dunklen Augen wurden ein wenig sanfter, und sie grinste mich an. »Ich bin wirklich froh, dass du mitgekommen bist, Leo.«

Ich erwiderte ihr Grinsen und streckte mich seufzend aus, dann ließ ich meine Gelenke knacken, und meine Muskeln schrien ihren Protest heraus. »Obwohl du mich die ganze Nacht riechen musst?«

»Jawohl. Du bist meine Freundin, und ich habe dich vermisst.« Ihre Stimme wurde leise, und die Zuneigung darin schob einige der Ziegelsteine in meiner frisch befestigten Mauer von ihrer Stelle. Sie schaffte es immer, einen Weg hindurch zu finden. Sie stieß einen gehauchten Seufzer aus, dann schloss sich ihre Hand in der Dunkelheit um meine. »Erinnerst du dich an den Kerl mit der Harley aus dem ersten Collegejahr, der mit meiner Mitbewohnerin geschlafen hat? Ich bin einmal bei den beiden hereingeplatzt, als sie in *meinem* Bett Sex hatten, weil es näher gewesen war als ihres.«

Und ob ich mich daran erinnerte. Sie war am Boden zerstört gewesen und hätte fast ihr erstes Collegejahr geschmissen, weil sie ein gebrochenes Herz gehabt hatte und nie wieder in ihr Wohnheimzimmer hatte zurückkehren wollen, was dazu geführt hatte, dass sie in den meisten Nächten bei mir gepennt hatte. Unsere Freundschaft hatte sich dadurch in den folgenden Jahren nur noch verfestigt.

»Oder weißt du noch … der Maler aus Australien, als ich einundzwanzig war? Erinnerst du dich an ihn, mit seinem Manbun und den ständig nackten Füßen? Er wollte heiraten, damit er im Land bleiben konnte, und als ich ihn zurückgewiesen habe, hat er die Daten meiner Kreditkarte gestohlen und ist verschwunden. Es hat zwei Jahre gedauert, meine Schulden abzuzahlen, und fast genauso lange, um die ganze Farbe, die er auf meine Dielen gegossen hatte, abzukratzen, damit ich sie neu lasieren konnte.«

Ich drückte ihre Hand und nickte in der Dunkelheit. »Ich erinnere mich. Die meiste Zeit hat er noch schlechter gerochen als ich jetzt.«

Das brachte uns beide zum Lachen, und ich spürte, dass sie mich von ihrer Seite des Zeltes aus ansah. »Du hast mir in beiden Fällen geraten, mich von diesen Männern fernzuhalten, Leo, und noch von einigen anderen längs des Weges. Du hast nie so getan, als würdest du sie mögen, und du hast mir immer gesagt, dass ich etwas Besseres verdiente. Ich habe nicht auf dich gehört. Nicht, weil ich dir nicht vertraut habe, sondern weil es einige Dinge gibt, die wir durchmachen müssen, um zu wissen, wie das Bessere tatsächlich aussieht. Chris hat dir eine harte Lektion erteilt, und denen bist du immer ausgewichen, daher hat es dich noch heftiger getroffen, als es die meisten Menschen getroffen hätte. Jetzt weißt du, dass du mehr verdienst als einen Mann, der dir erlaubt, um ihn herum dein Ding zu machen. Du brauchst einen Mann, den zu bewegen unmöglich ist und der in deinem Leben so viel Raum wie nur möglich einnimmt.«

Sofort musste ich an Cy denken. Er war nicht der Typ Mann, den man ignorieren oder übersehen konnte. Er war keiner, um den herum man sein Ding machen konnte, in der Hoffnung, er sei biegsam genug, um einen machen zu lassen. Bei ihm musste man sich gegen seine Solidität und Strenge und ungebundene Kraft stemmen und hoffen, man wurde dadurch nicht zerschmettert, wenn man ihm zu nahe kam.

»Vielleicht sollten wir in Zukunft ein wenig besser aufeinander hören, Em. Wir könnten einander eine Menge Kummer und verschwendete Zeit ersparen.« Ich ließ ihre Hand los, drehte mich auf die Seite, schob beide Hände unter meine Wange und schloss die Augen. Ich hatte es nicht sehr bequem, aber ich wusste, dass ich schlafen würde wie ein Stein, sobald sie aufhörte zu reden.

Sie bewegte sich, und ihre Stimme war voller suggestivem Humor, als sie murmelte: »Nun, wenn du jetzt anfängst, auf mich zu hören, dann bedeutet das, dass du Mr Charakterkopf einreitest, solange du die Gelegenheit dazu hast.«

Ich antwortete mit einem Stöhnen und versuchte, das Bild aus dem Kopf zu bekommen, wie es sein würde, Sex mit Cyrus Warner zu haben. Es war eine sinnloses Bemühen. Als der Schlaf sich meiner bemächtigte, schlich sich in meine Träume ein nackter Cyrus, unter mir ausgestreckt, während ich mich mit lüsterner Hemmungslosigkeit, die ich in meinem realen Sexleben niemals gehabt hatte, an seinem steinharten Körper rieb.

Es waren seine grafitfarbenen Augen voll von Leidenschaft, von denen ich träumte, als mich einige Stunden später ein lauter Knall und der Lärm meiner Mitstreiter weckten, die aus ihren Zelten krochen und das Lager zum Leben erweckten.

Ich schüttelte Em und beugte mich über die schlafende junge Frau, um zu der Öffnung des Zelts zu gelangen und festzustellen, was los war.

Die Pferde wieherten und stampften verärgert mit den Hufen, als ein weiterer lauter Knall durch das Tal hallte, in dem wir campierten. Ich schob mir mein störrisches Haar, das schon lange aus dem Zopf entkommen war, aus dem Gesicht und sah mich mit großen Augen um. Sowohl Lane als auch Cy stolzierten mit Taschenlampen durch das Lager, ihre Gesichter angespannt. Die Brüder waren offensichtlich verärgert und versuchten, die Quelle des Lärms in der Dunkelheit auszumachen. Die beiden Männer, die nicht viel sprachen, hatten ebenfalls ihre Zelte verlassen und schauten in den dichten Wald um uns herum. Sie waren beide voll bekleidet und sahen nicht so aus, als hätten sie sich die Mühe gemacht, sich überhaupt für die Nacht hinzulegen. Der Jüngere der beiden hatte sogar eine Taschenlampe ähnlich der von Cy in der Hand. Als er die Bäume mit dem Lichtstrahl absuchte, murmelte er: »Das war ein Schuss.«

»Vielleicht.« Cy runzelte die Stirn und blieb nicht stehen, um noch etwas hinzuzufügen, sondern ging zu den Pferden, die von dem lauten Geräusch sichtlich beunruhigt waren.

Der ältere Mann, Grady, schüttelte den Kopf und verschränkte die Arme vor der Brust, während er Lane einen harten Blick zuwarf. »Da gibt es kein Vielleicht. Das war ein Schuss. Ich habe diesem Land acht Jahre lang in Übersee gedient und war in den schlimmsten Höllenlöchern, die Sie sich nur vorstellen können. Ich weiß, wie ein Schuss klingt, und ich weiß, dass dieser Schuss erheblich näher war, als Sie uns wahrscheinlich glauben machen wollen. Diese Berge und diese hinterwäldlerische Gegend sind nicht ganz so einsam, wie Sie es dargestellt haben.«

Lane richtete sich entrüstet auf, und es missfiel ihm sichtlich, dass die Integrität und Aufrichtigkeit seines Bruders angezweifelt wurden. Es war das erste Mal, dass ich ein klein wenig von seinem älteren Bruder in ihm sah, als er jäh das Rückgrat straffte und sein für gewöhnlich lächelnder Mund sich anspannte. Er war nicht ganz so einschüchternd wie Cy, aber er war groß und kantig genug, dass die Drohung sowohl in seinem Gesicht als auch in seiner Körpersprache schwer zu übersehen war.

»Einsam bedeutet nicht verlassen. Wie ich bereits erwähnte, ein Teil dieses Gebietes ist staatlicher Wald, daher haben wir keine Kontrolle darüber, wer sich dort aufhält. Das schließt Menschen ein, die vielleicht im Dunkeln außerhalb der Saison illegal wildern. Es könnten auch andere Urlauber sein, die in der Nähe campieren und Dampf ablassen, indem sie in den Himmel ballern. Waffen sind in Wyoming alltäglich. Nur weil Sie einen Schuss gehört haben, bedeutet das nicht zwangsläufig, dass ein Grund zur Sorge besteht. Es gibt jede Menge Möglichkeiten, und was immer das für eine Situation sein mag, die Sicherheit der Gäste in unserer Obhut hat für uns immer Priorität.«

Lane hielt seine kleine Rede entschlossen und selbstbewusst. Sein Verhalten ließ mich glauben, dass er wirklich alles aufgeben würde, um uns zu beschützen. Lane sah mehr als seine Brüder wie ein Cowboy aus, aber es waren seine Hingabe und seine Unerschütterlichkeit, die ihn wirklich mehr zu einem Kerl machten, als ich es erwartet hätte. Er war der Typ Mann, über den Frauen Liebesromane schrieben und um den herum sie Fantasien aufbauten.

Cy kehrte dorthin zurück, wo wir uns alle zusammengerottet hatten, und warf einen schnellen Blick auf meine nackten Beine, da ich mir nicht die Mühe gemacht hatte, meine Jeans anzuziehen, bevor ich aus dem Zelt gekrochen war. Er blieb neben seinem Bruder stehen und ließ den Blick über den angespannten Kreis wandern, in dem wir uns alle versammelt hatten. »Es sind wahrscheinlich nur Jugendliche, die Unsinn machen. Dies ist der erste Tag auf Reisen, und wir befinden uns immer noch in der Nähe des Flusses. Viele Einheimische nutzen ihn in der Hochsaison für Wochenendausflüge. Gehen Sie alle wieder schlafen, ich werde eine Meile den Fluss hinunter- und eine Meile hinaufwandern und sehen, was ich herausfinden kann.«

Ich stieß einen erstickten kleinen Laut der Bestürzung aus, und ohne darüber nachzudenken, was ich tat, legte ich ihm eine Hand auf den Arm. Der Muskel fühlte sich unter meinen Fingerspitzen wie ein erhitzter Stein an, und ich stöhnte beinahe, als seine Haut sich verlockend unter meinen Fingerspitzen dehnte. Seine pure Stärke hatte etwas an sich, auch die überwältigende Beherrschtheit, die er verströmte und die auf berauschende Weise attraktiv war. Es war weder schlau noch war es gut für meine Entschlossenheit, ihn zu berühren. Bedauerlicherweise wollte ich meine Hände überall auf ihm haben, und zwar am liebsten, wenn der Mann viel nackter war als in diesem Moment. Ich wollte mit allen Sinnen, die ich besaß, seinen kräftigen Körper kennenlernen und ihn mir genau einprägen, damit ich diese rebellischen Gefühle, die nur er entfachen konnte, für immer behielt.

»Sie können nicht in pechschwarzer Dunkelheit durch den Wald und am Fluss entlangspazieren. Was ist, wenn ein Bär auftaucht oder wenn Sie über einige Jugendliche stolpern und sie erschrecken? Wenn sie schießwütig sind, könnten sie nervös genug sein, auf sie zu feuern. Und was ist, wenn es tatsächlich Wilderer sind? Sie werden auf keinen Fall wollen, dass irgendjemand die Nase in ihre Angelegenheiten steckt. Es klingt gefährlich. Ich bin ganz und gar kein Fan von diesem Plan.«

Sein Blick landete auf der Stelle, an der ich ihn festhielt. Statt meine Finger von dort wegzunehmen, krallte ich sie fester um seinen Arm, sodass ich ihn umklammert hielt, als würde mir sonst der Boden unter den Füßen entgleiten. Als würde ich ohne ihn, der mich erdete, ins Nichts davonfliegen.

»Sie stinken höllisch, Honey.« Ich bekam eine Gänsehaut wegen der unpassenden Bemerkung und der unverblümten Ehrlichkeit im Angesicht meiner Sorge um sein Wohlergehen. Ich ließ ihn los, als wären der Haut, die ich festhielt, plötzlich Dornen und Widerhaken gewachsen. Ich trat einen Schritt zurück und verschränkte die Arme vor der Brust.

»Na schön. Lassen Sie sich von einem Berglöwen fressen oder von einem Wochenendkrieger anschießen. Finden Sie heraus, ob es mich schert. Ich gehe wieder schlafen.« Am liebsten hätte ich geschnaubt und gegrummelt, damit offensichtlich war, dass ich mich über ihn ärgerte, aber keiner der Männer beachtete mich.

Grady, der sich just als ehemaliger Soldat geoutet hatte, versuchte Cy dazu zu überreden, ihn mitzunehmen, wenn er die Gegend rund um den Fluss herum erkundete. Cy schien nicht besonders begeistert von der Idee zu sein, stimmte aber zu guter Letzt zu.

Lane war damit beschäftigt, Webb darüber auszufragen, warum keiner von ihnen in ihrem Zelt gewesen sei, als der erste Schuss abgefeuert worden war. Er habe beobachtet, wie sie aus dem Wald hinter unserem Lager gekommen wären.

Je länger ich die beiden wortkargen verdächtigen Männer beobachtete, desto mehr kam ich zu dem Schluss, dass Webb ein besserer Lügner war als Grady. Ohne zu stutzen oder einen Anflug von Verlegenheit sagte er Lane, dass er nach einer Stelle gesucht habe, wo er seine Notdurft verrichten konnte, und er habe Grady gebeten, ihn als Späher zu begleiten. Lane erklärte gelassen, dass er und Cy bereits sichere und zu bevorzugende Stellen für diese Angelegenheit während unserer Reise abgegangen seien, und dass es keine Option sei, in den Wald zu wandern.

Webb zuckte nur die Achseln und sagte entschieden: »Wir sollten an unseren Teamwork-Fähigkeiten arbeiten. Es scheint mir eine verdammt gute Übung für den Aufbau eines Teams zu sein, einem anderen Mann zu helfen, im Wald zu scheißen, wenn Sie mich fragen.«

Er ging ohne eine weitere Erklärung davon, und Lane drehte sich mit einem fragenden Gesichtsausdruck zu mir um.

Ich zuckte die Achseln. »Ich war in letzter Zeit nicht die Beste darin, Wahrheit von Lüge zu unterscheiden, aber ich würde meinen jährlichen Bonus darauf verwetten, dass keiner dieser Männer der ist, für den er sich ausgibt.«

»Irgendetwas stimmt da nicht.« Lanes Stimme war hart und scharf.

»Da ist etwas im Gange, was nichts mit uns zu tun hat, so viel steht fest.« Ich war mir vollauf im Klaren darüber, dass einige Puzzleteile dieses großen Bildes immer noch in der Schachtel lagen und nicht auf den Tisch gekippt worden waren, um sortiert zu werden.

»Hier draußen ist es heikel, etwas zu verbergen und sich zu verstellen. Lügen und ein falsches Spiel können einen in der Wildnis ziemlich schnell umbringen.« Lane klang müde, und in seinem Ton schwang ein Hauch von Sorge mit. Ich nickte und ging zum Eingang des Zeltes, wo Emrys den Kopf herausstreckte und mich mit schläfrigen Augen beobachtete.

Ich hielt inne, als er meinen Namen sagte. »Und, Leo ...«

Ich drehte mich um, um ihn über meine Schulter hinweg anzusehen, und bemerkte, dass sein typisches Grinsen zurück war. »Sie stinken wirklich. Sagen Sie Em, dass ich Platz habe, falls sie lieber in meinem Zelt pennen will.«

Wenn man bedachte, dass er es so wichtig fand zu sagen, was er meinte, und zu seinen Worten zu stehen, hatte ich keinen Zweifel, dass er meine beste Freundin mit offenen Armen willkommen heißen würde. Doch das würde bedeuten, dass er seinen mürrischen, säuerlichen älteren Bruder verärgerte, und ich hatte nicht vor, ihm den begrenzten Platz in meinem Zelt anzubieten, falls Em das Angebot annahm, schon gar nicht, wenn ich mich selbst riechen konnte und die Ausdünstungen meine Nase zucken ließen.

Anfänglich hatte ich gedacht, der abstoßende Gestank würde eine gute Methode sein, um Cy und meine rebellische Faszination von ihm in Schach zu halten. Die Wahrheit war, ich war erheblich weniger scharf auf die Idee, den Mann in Schach zu halten, als ich es sein sollte. Ich wollte ihn in meiner Nähe haben, und ich wollte, dass nichts an mir ihn daran hinderte, mir näher als nah zu kommen. Emrys würde einfach durchhalten müssen, bis wir zu den Campingduschen kamen, die uns versprochen worden waren.

Ich schob mich an Em vorbei und warf mich auf den Schlafsack, während sie mich fragte: »Was hatte das alles zu bedeuten? War das ein Feuerwerk?«

»Kein Feuerwerk. Es war ein Schuss. Cy ist losgegangen, um herauszufinden, woher er gekommen ist.«

Ich hörte ein Rascheln, als sie wieder in ihren Schlafsack kroch. Es folgte eine lange Pause, bevor sie murmelte: »Wir sind hier draußen nicht ganz so allein, wie ich erwartet habe.«

»Nein, wir sind definitiv nicht allein.« Und zum ersten Mal in meinem Leben war das okay für mich. Die Wahrheit war, es erforderte eine Menge Energie und Anstrengung, niemanden an sich heranzulassen. Umgeben von Fremden – während wir alle uns abmühten, Tritt an einem unvertrauten Ort zu fassen – stellte ich fest, dass es mir gefiel, die richtigen Menschen an mich heranzulassen.

Kapitel 7

Eine heißkalte Dusche

Am nächsten Tag war die Anspannung der Brüder unübersehbar, genau wie der kaum verhohlene Argwohn, den sie gegen die beiden anderen Männer hegten. Genau wie am Tag zuvor bewahrten der ältere Mann und der jüngere größtenteils Stillschweigen, es sei denn, sie sprachen miteinander. Selbst die normalerweise ahnungslosen Eltern schienen die starken Unterströmungen aufzufangen, die der Rest der Gruppe verspürte. Meghan brachte ihre nörgelnden Sprösslinge auf Spur und zwang sie, zwischen ihr und ihrem Ehemann zu reiten, von dem ich bemerkte, dass er fast genauso schrecklich roch wie ich. Er war es offensichtlich ebenfalls nicht gewohnt, den ganzen Tag im Sattel zu sitzen, aber er hatte gewartet, bis Em und ich uns für die Nacht zurückgezogen hatten, bevor er etwas deswegen unternommen hatte. Der Mann war lächerlich, und ich sorgte dafür, dass ich immer zwischen ihm und meiner Freundin ritt, damit sie nicht noch einen Tag verschwenden musste, um seine schmierigen Avancen abzuwehren.

Cy sagte kein Wort über seinen Marsch in die Dunkelheit, daher nahm ich an, dass seine Suche nichts ergeben hatte, weder etwas Harmloses noch etwas Gefährliches. Es beunruhigte mich, wie lächerlich glücklich ich darüber war, dass er unverletzt ins Lager zurückgekehrt war. Trotz meiner Erschöpfung hatte ich nicht schlafen können, bis ich schwere Schritte und seine tiefe Stimme gehört hatte, als er Lane nach seiner Rückkehr angeknurrt hatte. Ich wollte nicht so viel Zeit damit verbringen, über meine Reaktion nachzudenken oder was sie bedeuten könnte, also verbrachte ich den Tag stattdessen damit, mit Em in Erinnerungen zu schwelgen und es zu genießen, jetzt, da mein Hintern sich etwas besser an das Gerüttel auf dem Sattel gewöhnt hatte.

Der Plan für den zweiten Tag schloss eine Wanderung durch die Natur ein und eine Kletterpartie, auf die sich die beiden Jugendlichen geradezu ekstatisch zu freuen schienen. Es machte mir nichts aus zu wandern, aber große Höhen waren nicht gerade mein Ding. Es machte mich nervös, etwas tun zu müssen, das ich noch nie zuvor getan hatte, etwas, wovon ich nie gedacht hätte, dass ich es einmal tun würde. Ich hatte Em versprochen, dem Erlebnis gegenüber offen zu sein, also murrte ich nicht darüber, dass ich an einem Seil hängen sollte, wie ich das normalerweise getan hätte, war aber krank vor Sorge, etwas Neues zu unternehmen. Ich katalogisierte alles, was schiefgehen konnte, und plante im Geiste meine Beerdigung. Ich zwang mich zu einem Lächeln, von dem ich wusste, dass Em es mir keine Sekunde lang abkaufte, aber auf ihrem Gesicht war Erleichterung darüber zu sehen, dass ich nicht versuchte, sie in meinen Ozean von Furcht und Zögern herabzuziehen.

Als es Zeit wurde, in das Geschirr zu schlüpfen, sträubte ich mich, als Cy mit dem Ding auf mich zukam. Ich sagte ihm, dass es mir lieber wäre, wenn Lane derjenige war, der es mir umschnallte. Ich konnte keine Erklärung formulieren, ohne zuzugeben, dass ich Cyrus nicht in Berührungsweite haben wollte oder vielmehr in Riechweite, solange ich eklig war und stank.

Er warf mir einen düsteren Blick zu. »Was denken Sie, wer Lane und Sutton all diesen Scheiß beigebracht hat?«

Ich öffnete den Mund, um zu versuchen, Frieden zu schließen. Aber er war noch nicht fertig damit zu beweisen, dass er wirklich Mr Charakterkopf war und ein Mann, der sich nicht davor scheute, seine Meinung zu sagen. »Sie sind nervig und haben eine große Klappe, aber ich werde nicht zulassen, dass Ihnen etwas zustößt, Sonnenschein.«

Ich öffnete und schloss den Mund wie ein gestrandeter Fisch, während ich versuchte herauszufinden, wie ich auf seine unhöfliche Einschätzung meines Charakters reagieren sollte. Ich verschränkte die Arme über meinen wogenden Brüsten und stampfte mit einem Fuß auf, dann zählte ich rückwärts von zehn herunter, während ich mein Temperament und meine scharfe Zunge zügelte. Dieser Mann erzürnte mich – schneller, als irgendjemand anderer das je getan hatte. »Ich bin nicht nervig. Sie sind einfach ungeduldig und viel zu sehr daran gewöhnt, dass die Leute tun, was immer Sie sagen.«

Er beugte sich ein klein wenig näher zu mir, und ich wich automatisch zurück, damit er keinen Hauch von dem stechenden Kampfergeruch mitbekam, der mein gegenwärtiger Duft war.

»Menschen tun, was ich sage, weil ich weiß, was ich tue, was bedeutet, dass ich in den meisten Fällen das Kommando habe. Jetzt schwingen Sie Ihren süßen Hintern in das Geschirr und dann den Felsen hinauf, Leo.«

Da ich zu dem Schluss kam, dass ein Streit mit ihm vor den Augen aller nur Zeitverschwendung war und mit Peinlichkeiten für mich enden würde, näherte ich mich ihm widerstrebend und legte ihm eine Hand auf die Schulter, als er sich vor mich hinhockte und mir half, in die Gurte zu steigen. Seine Schultern fühlten sich genauso hart und fest an wie die Felswand, die ich gleich zu überwinden versuchte. Alles an ihm erweckte den Eindruck, als sei es dazu geschaffen, unzerstörbar und unnachgiebig zu sein. Ich keuchte auf, als er die Gurte zwischen meinen Beinen befestigte, damit sie sicher zwischen ihnen und um meine Hüften herumlagen. Da war keine neckende Berührung wie an dem Tag, an dem er mir aufs Pferd geholfen hatte, aber seine Nähe zu mir, zu dem Teil von mir, der mehr wollte als schweißtreibende Sexträume, war entnervend. Es war nicht mehr nötig, als ein Schwall Luft aus seinen geschürzten Lippen, um meinen ganzen Körper zu entflammen. Ich wollte das raue Kratzen seiner dunklen Bartstoppeln auf meinen Beinen und zwischen ihnen spüren. Ich wollte herausfinden, ob irgendein Teil von ihm weich sein konnte oder ob er durch und durch hart war. Ich wollte, dass er den Mund auf die Stelle drückte, an der mein Körper lautlos um ihn bettelte. Meine Finger krallten sich in die starken, sehnigen Schultern, die mich praktisch aufrecht hielten, während ich mich an ihn lehnte. Seine grauen Augen schossen zu meinen hoch, als wüsste er genau, was mir durch den Kopf ging.

Er richtete sich auf und zog ein letztes Mal an dem Gurt, was mich gegen die unverrückbare Mauer seiner Brust krachen ließ. Meine Hände lagen flach auf den harten

Muskeln, und meine Finger krümmten sich zu Fäusten, als ich spürte, wie sein Herz raste. »Falls Sie sich das fragen: Zufällig mag ich nervige Leute mit großer Klappe. Wenn eine Frau nichts zu sagen hat, bedeutet das, dass sich Ärger zusammenbraut, und man ist wie vor den Kopf gestoßen, wenn sie einem dann endlich doch erzählt, was ihr zu schaffen macht. Aber dann ist es zu spät, um es in Ordnung zu bringen. Jetzt amüsieren Sie sich, denn Sie bezahlen ein Vermögen dafür, und wenn Sie nicht mehr wie das Innere eines Medizinschranks riechen, werde ich wider besserem Wissen dafür sorgen, dass Sie sich bis in alle Ewigkeiten an diesen Urlaub erinnern.« Er stülpte mir einen Helm auf den Kopf, zog den Riemen unter meiner heruntergeklappten Kinnlade stramm und wandte sich dem Felsen zu.

Ich stieß einen spitzen Laut aus, nicht nur wegen des Schrecks über seine Worte, sondern wegen des sanften Ziehens, das ihnen folgte, als er an den Enden eines meiner Zöpfe zupfte. Ich blinzelte ihn fragend an, dann griff ich nach dem Sicherheitsseil, drehte mich um und schaute an der vertikalen Felswand vor mir nach oben. Es war eine sanfte Geste gewesen, etwas Weiches, als wüsste er, dass ich ein Nervenbündel war und eine Beruhigung gebrauchen konnte. Ich wollte dort nicht hoch. Aber die Tatsache, dass ich es nicht wollte, weil ich Angst hatte, war genau der Grund, warum ich einen Fuß in den ersten Tritt stellte, auf den Cy mich aufmerksam machte. Er hievte mich hoch. Ich konnte buchstäblich nirgendwohin rennen. Ich konnte mich nur meiner Angst stellen. Dieser ganze Trip hatte mich dazu gezwungen, genau das zu tun.

Ich brauchte lange, bis ich oben war. Viel länger als die Jugendlichen und Em. Es dauerte vermutlich länger als geplant, denn Lane erbot sich, als ich erst auf halben Weg nach oben war, den Rest der Truppe mit zum Fluss hinunterzunehmen, um zu angeln. Alle gingen mit ihm, bis auf Em, die blieb, um mich aufzumuntern. Ich rutschte einige Male ab, während ich mich nach oben vorkämpfte, und jedes Mal hätte ich beinahe nach Cy gerufen und ihn gebeten, mich hochzuziehen oder mich abzuseilen, aber das tat ich nicht. Ich kämpfte das Entsetzen nieder und fand langsam, aber sicher die nächste Stelle für meine Hände und Füße. Stück für Stück zog ich mich weiter hoch und setzte meinen Fuß immer wieder auf den nächsten Platz.

Es fühlte sich an, als seien Stunden vergangen, als ich oben ankam, und ich hätte fast geweint. Nach der Art zu urteilen, wie Em unter mir kreischte und tanzte, hatte sie mit ziemlicher Sicherheit eine Träne vergossen. Und selbst so hoch oben konnte ich das Grinsen auf Cys Gesicht sehen. Es war nicht ganz ein Lächeln, aber es war nah dran, und es machte etwas Süßes und Heißes mit meinem Herzen zu wissen, dass mein Bezwingen dieser Hürde, wie klein sie auch gewesen sein mochte, ihn zwar nicht ganz glücklich machte, aber doch ein Gefühl in ihm weckte, das Glück nahekam.

Oben stieß ich einen siegreichen Freudenschrei aus und breitete die Arme aus. Ich hieß diese neue Seite an mir selbst willkommen, und ich schuldete Emrys mehr, als ich je zurückgeben konnte, dass sie mir diese ganz andere Seite der Frau gezeigt hatte, die ich war. Dies war die Frau, die ich sein musste, um meine eigenen Unsicherheiten zu überwinden. Es hatte einer Bergbesteigung und des Hinauswagens ins Unbekannte bedurft, damit ich das begriff. Lane hatte recht, die Stadt machte es einem viel zu leicht, einige der stilleren Dinge im Leben zu ignorieren, auf die ich mich wirklich konzentrieren sollte. Das Leben in der Wildnis und all seine Klarheit erlaubten mir, eine Menge ungesagter Dinge zu hören, die in meinem Kopf umherschwirrten, Dinge, die danach riefen, gehört zu werden, die ich aber lange Zeit ignoriert hatte. Ich begriff langsam, dass ich diesen Aufruhr in meinem Leben überstehen konnte, und ich schritt den Weg entlang, von einer Herausforderung zur nächsten.

»Hey, Leo, kommen Sie wieder runter. Wir müssen aufsatteln und zu dem Lagerplatz für heute Nacht reiten.« Ich schaute auf Cy hinab und antwortete ihm mit einem Nicken, bevor er mich den leichtesten Weg zurück nach unten lotste, bei dem ich mir weder Knie noch Handflächen schrecklich aufschürfen würde. Bevor ich den Abstieg begann, betrachtete ich mit einem letzten langen Blick die ehrfurchtgebietende Landschaft. Meilenweit nur Bäume und Flüsse, die die Berge grün und blau zeichneten. Sie war unverdorben und rein, so weit das Auge reichte. Zumindest war es so, bis mein Blick auf eine leere Stelle in der Baumlinie flussaufwärts fiel. Es sah aus, als sei ein Meteor vom Himmel gestürzt und hätte eine riesige leere Fläche inmitten des dichten, üppigen Blätterwerks hinterlassen. Ich fand es seltsam und wollte Cy dazu eine Frage stellen, aber sobald meine Stiefel den Boden berührten, erwartete mich eine Umarmung, die mich das vergessen ließ. Es war eine Umarmung, die mich beinahe für all die Umarmungen entschädigte, die ich in meiner Kindheit von meiner Mom vermisst hatte, für all die Umarmungen, die von Chris gekommen und nicht mehr als Lügen gewesen waren. Und die Umarmung kam von einer Person, von der ich nicht erwartet hätte, dass sie jemals jemanden umarmte.

Cyrus Warner drückte mich fest an sich. Seine Arme umschlangen mich kräftig. Sein Körper war massiv und warm an meinem. Wie er sich an mich presste, war alles andere als sanft. Seine Stimme war leise und rau in meinem Ohr, als er mir sagte: »Sie hatten Angst und haben es trotzdem getan. Ich bin stolz auf Sie.« Seine Arme umfingen mich ein wenig fester, dann ließ er mich los, sodass Ems Arme seine ersetzen konnten, als sie mich in eine viel weichere Umarmung zog.

Ich hatte recht, dass Em um meinetwillen geweint hatte. Sie hatte glänzende Augen, aber ihr Lächeln war strahlend, und ich konnte sowohl Stolz als auch Erleichterung in ihren dunklen Augen sehen. »Ich bin so verdammt stolz auf dich, Leo.«

Ich trat zurück, damit ich den Helm absetzen und mein Haar ausschütteln konnte. »Ich bin auch ziemlich stolz auf mich.« Aber es ließ sich nicht leugnen, dass Cys Anerkennung und jetzt auch die Ems mir das Gefühl gaben, als hätte ich es mit etwas Größerem als einem Kletterfelsen aufgenommen.

Sie lachte und erlaubte mir, sie als Stütze zu benutzen, während ich meine Beine aus dem Geschirr zog. »Stell dir nur vor, wie viele weitere umwerfende Erlebnisse wir bis zum Ende der Woche haben werden. Es wird nichts mehr geben, womit wir nicht fertig werden, wenn wir wieder zu Hause sind.«

Wie wenig wir in diesem Moment doch ahnen konnten, dass diese Erfahrungen den Rest unseres Lebens bestimmen würden. Diese Erfahrungen würden die Frauen, die wir waren, und die Art, wie wir liebten, verändern. Und vor nichts davon konnten wir weglaufen.

Die verbleibenden Stunden vergingen mit weniger Aufregung, und es gab auch keine plötzlichen Weckrufe mitten in der Nacht.

Tag drei bescherte uns einen weiteren langen Ritt, aber auch eine kleine Pause vom Sattel, als wir auf einem wunderschönen Bergsee Kanu fahren durften. Er war so kristallklar und so endlos blau, dass ich bis zum Grund sehen und beobachten konnte, wie gelegentlich Fische vorbeischwammen. Das Wasser war so kalt wie die Schneeschmelze, die es speiste, und ich fühlte mich versucht hineinzuspringen und den Geruch von drei Tagen Sattel, Schweiß, Sonnencreme und Insektenspray wegzuwaschen, obwohl am Abend eine Dusche auf uns wartete. Ich ließ es jedoch bleiben, weil Em auch nicht mehr ganz taufrisch aussah. Sie war nicht mehr so blütenrein wie ein Gänseblümchen, daher war mir meine Verwandlung in die Pionierfrau weniger peinlich.

Dem faulen Tag auf dem See folgte ein Ritt zu einem voll ausgestatteten Campingplatz, den die Verwaltung der Parks in Wyoming unterhielt, was bedeutete, dass es einen richtigen Grill geben würde, ordentliche Lagerplätze und minimale Sanitäreinrichtungen, die wir abends benutzen konnten. Es war kein Fünfsternequartier, gewiss nicht, aber für mich sah das Lager wie das *Ritz-Carlton* aus, und ich hätte um ein Haar Lane geküsst, als er mir sagte, dass wir Chili zum Abendessen bekommen würden statt Fische. Ich mochte frischen Fisch, und es hatte etwas sehr Urtümliches und Cooles, sein eigenes Abendessen zu fangen und zu verzehren, aber nach zwei Tagen mit nichts als Forellen, Erdnussbutter- und Geleesandwiches sowie Müsli war ich bereit für etwas anderes. Ich hätte Brynns Pfannkuchen bevorzugt, aber da die nicht zur Verfügung standen, würden Chili aus der Dose und am Lagerfeuer geröstetes Maisbrot genügen.

Am liebsten hätte ich alle anderen aus dem Weg gedrängt und wäre unter eine der verrosteten und eine Spur Furcht einflößend aussehenden Duschen gesprungen. Aber vermutlich würde ich am längsten brauchen, da ich diejenige war, die am schlimmsten roch, und weil mein Haar sich wirklich in die wilde und ungezähmte Löwenmähne verwandelt hatte, als die Lane sie bezeichnet hatte. Ich bot an, dem jüngeren Warner-Bruder mit dem Abendessen zu helfen, während alle anderen umherschlurften, sich niederließen und sich wuschen. Cy verschwand wieder einmal, und als ich Lane danach fragte, lachte er und sagte mir, es sei besser, wenn Cy sich um die Pferde kümmerte, statt mit Menschen zu interagieren. Beide Brüder waren immer noch nervös wegen der mitternächtlichen Schüsse, aber Lane schlüpfte mühelos zurück in seine fröhliche Rolle. Cy hingegen wirkte über die Maßen wachsam, um jedes Geräusch und jeden Laut, den wir nicht verursachten, genau wahrzunehmen. Bisher waren wir niemand anderem begegnet oder von etwas Unerwartetem überrascht worden.

Wir machten uns für den Abend fertig, und während ich in der Stille leichter atmen konnte, schien die Abwesenheit von allem und jedem die beiden Männer, die sich nicht die Mühe machten, sich auf uns andere einzulassen, ärgerlich zu machen. Ihre Mienen waren hart. Ihre Gespräche miteinander abgehackt und spröde. Oft entfernte sich einer von beiden vom Rest der Gruppe, und wenn er zurückkehrte, dann mit schweren Schritten und Unmengen gemurmelter schmutziger Worte. Sie missachteten ständig Cys und Lanes Warnungen zusammenzubleiben, und schienen sich nicht im Geringsten für irgendwelche der erforderlichen Aktivitäten des Campens zu interessieren. Es war, als hätten sich ihre Erwartungen nicht erfüllt und sie suchten nach etwas, das sie nicht finden konnten. Obwohl ich keine Ahnung hatte, wonach um alles in der Welt sie hier draußen mitten im Nirgendwo suchen konnten.

Nachdem sich alle zum Essen niedergelassen hatten, erfrischt aussahen und ihrer Normalerscheinung wieder etwas nähergekommen waren, bat ich Em, mir etwas vom Abendessen aufzuheben, und begab mich mit meinem kleinen Kulturbeutel und Kleidern zum Wechseln in die Dusche. Die ganze Zeit, während ich zu dem Gebäude aus Blech und Holz ging, sagte ich mir, dass dies nicht das Ferienlager Camp Crystal war und dass auf keinen Fall ein Kettensägen schwingender Jason hinter einem Baum hervorspringen und mich abschlachten würde. Es war unheimlich – vielleicht interpretierte aber mein Geist auch mehr in dieses Szenario hinein, als er sollte. Als ich die Tür öffnete, bemerkte ich schnell, dass es keine nach Männern und Frauen getrennte Einrichtung war. Meine Augen brauchten einen Moment, um sich an das schwache Licht zu gewöhnen, aber als sie es taten, landete mein Blick auf der seltsamsten Sache, die ich je im Leben gesehen hatte: einem sehr nackten und sehr feuchten Cyrus Warner. Dieser kräftige, muskulöse Körper war unverkennbar, ebenso wie das tiefschwarze Haar, das mit glänzenden Silberfäden durchzogen war. Wasser strömte über unendliche Flächen von Muskeln und gebräunter Haut, ließ ihn aussehen wie einen altertümlichen Meeresgott … oder wie eine Fantasie aus dem realen Leben. Er war dafür gebaut, dass Frauen ihn anbeteten und dass andere Männer von ihm beeindruckt waren. Ich hätte geschworen, dass es keinen prächtigeren Hintern auf dem Planeten gab als den, von dem ich den Blick anscheinend nicht lösen konnte, selbst als die Muskeln sich verspannten, als er sich halb umdrehte, um mich über seine Schulter hinweg anzusehen.

Er stützte sich mit einer Hand an der Wand vor ihm ab und zog seine rabenschwarzen Brauen hoch, als dieses halbe Lächeln erneut seine Lippen umspielte. Seine Bartstoppeln gingen inzwischen in einen richtigen Bart über, und irgendwie mochte ich, wie übertrieben maskulin alles an ihm war. Seine männliche Kraft war genauso unübersehbar wie sein männlicher Gesichtsausdruck. Ich hätte nie gedacht, dass ich eine Frau wäre, die schwache Knie beim Anblick starker Muskeln bekäme. Wie sich herausstellte, hatte meine Libido ganz andere Vorstellungen. Ich trat einen weiteren zittrigen Schritt vor, als er das Wort an mich richtete: »Ich tue, worauf ich mich vorbereitet hatte, bevor Sie hereingekommen sind, aber jetzt brauche ich meine Fantasie nicht mehr anzustrengen, da Sie vor mir stehen.«

Bei seinen Worten erstarrte ich und leckte mir die Lippen, als seine Hand gemächlich über seine Erektion glitt. Ich hatte noch nie gesehen, wie ein Mann sich auf solche intime Weise selbst berührte, und mir hatte definitiv noch nie ein Mann gesagt, ich sei seine Inspiration zum Masturbieren. Es fühlte sich auf eine gute Weise intim und verwegen an. Es fühlte sich an wie ein Moment, der mir und ihm gehörte. Ich hatte mich nie wirklich für ein Masturbationsvorbild gehalten, aber Cy bewies, dass ich damit falschgelegen hatte, und er bewies es, während er mich in eine brennende Säule von Erregung und Begehren verwandelte.

»Denken Sie dabei an mich, weil Sie Rothaarige mögen und ich zufällig rotblonde Haare habe?« Ich atmete flach, und Verlangen und Begehren durchzogen meine Stimmlage, als ich ihm noch näher kam. Ich war jetzt nah genug, dass ich sehen konnte, wie seine Bauchmuskeln sich anspannten, wie der Schlitz an der Spitze seines steifen Schwanzes von Feuchtigkeit der Erregung schimmerte. Ich stöhnte laut, als er mit dem Daumen diesen neckischen Tropfen antippte und ihn um die Spitze rieb. Er stieß ein Ächzen aus, und unsere Blicke trafen sich, während seine breiten Schultern sich hoben und senkten und sein Atem sich beschleunigte.

»Ich mag nicht alle Rothaarigen, Leo. Erlauben Sie nicht, dass mein Bruder ihren Kopf mit Unsinn füllt, wenn er meine Geheimnisse preisgibt. Die Rothaarigen, die ich mag, mag ich zu sehr.« Seine Hand bewegte sich immer schneller, während er den Kopf mit einem Stöhnen in den Nacken fallen ließ. Seine Lider schlossen sich flatternd, und seine andere Hand ballte sich an seiner Seite zur Faust, die andere bewegte sich vor seinem Unterleib langsam auf und ab. Mein Verstand näherte sich sofort all den schmutzigen und sexy Dingen, die diese Pose und diese spezielle Bewegung bedeuten konnten. Ich wusste, was ich mir wünschte, daher konnte ich ihn nur anstarren und versuchen, das Atmen nicht zu vergessen. Ich vergaß die Sachen in meinen Händen, als ich eine an mein donnerndes Herz hob und die andere an meine Kehle, wo sein Name in einem erstickten Seufzer gefangen war.

Er drehte sich weiter zu mir, und ich konnte eine schmerzhafte Erregung und ein schockiertes Stöhnen nicht zurückhalten. Er hielt inne, bevor ich seine ganze Vorderansicht sehen konnte, aber ich bemerkte, wie angetörnt er war, weil die kräftigen Brustmuskeln sich angespannt hatten und die feinen dunklen Härchen darauf zu Berge standen. Der Mann hatte mehr als ein Sixpack, und dieses V an seinen Hüften war nicht einfach eingekerbt, es war fein ziseliert wie von einem Renaissance-Bildhauer gemeißelt. Die ganze weibliche Bevölkerung würde in Scharen nach Wyoming strömen, wenn sie wüsste, dass Männer wie dieser sich hier draußen mitten im Nirgendwo versteckten.

»Es wurde Zeit, dass Sie herkommen. Sie brauchen ungefähr doppelt so lange wie die anderen.« Er fuhr sich mit seinen breiten Händen durch sein nasses Haar und strich sich die dunklen Strähnen aus dem Gesicht. Ich wollte jedes noch so winzige Wassertröpfchen von ihm ablecken, vor allem die, die an der Säule seines starken Halses hinunterrannen. Ich beobachtete, wie er die Zähne zusammenbiss und ein Muskel in seiner Wange zu zucken begann, während ich ihn weiter benommen anstarrte. Ich hatte das Gefühl, als würde ich zum ersten Mal sehen, wie ein Mann, ein richtiger, echter und redlicher von Gott geschaffener Mann, aussehen sollte. Ich prägte mir die starken Linien seines Rückens ein, die kräftigen Oberschenkel und die kantige Linie seines Kinns, während er mich dabei beobachtete, wie ich ihn beobachtete.

»Ich habe Lane mit dem Abendessen geholfen, da ich wusste, dass ich eine Weile brauchen würde, deshalb wollte ich als Letzte gehen.« Meine Stimme war selbst in meinen eigenen Ohren kieksig und rauchig, und als ich auf meine Hände hinabschaute, zitterten sie. So sehr wünschte ich es mir, ihn zu berühren.

»Oh, sie kann also charmant und freundlich sein, wenn sie will.« Er drehte sich wieder um, und plötzlich wurde das Wasser abgedreht. »Bringen Sie mir dieses Handtuch dort drüben, dann mache ich Ihnen den Weg frei, damit Sie uns allen einen Gefallen tun und den Gestank abwaschen können.«

Ich verharrte ein Weilchen regungslos, denn ich konnte mich nicht von der Tatsache lösen, dass er mich als charmant bezeichnet hatte, gerade so, wie er mir gesagt hatte, ich sei hübsch und hätte einen schönen Hintern. Ich war es nicht gewohnt, dass jemand mir gegenüber so unverblümt war, und solche Komplimente waren mir nicht geheuer. Ich wurde aus meiner lusterfüllten Benommenheit herausgerissen, als er sich plötzlich ganz umdrehte und mich mit ALLEM von Cyrus Warner bekanntmachte – Cyrus Warner in seiner unglaublichen und erigierten Pracht. Mir klappte die Kinnlade herunter, und mein Atem zischte aus meiner Lunge. Ich wusste, ich sollte den Blick abwenden, aber ich konnte nicht. Wie alles an ihm war sein Schwanz beeindruckend groß und schien solider und realer als jeder andere, den ich je zuvor gesehen hatte. Ich hatte außerdem diesen Teil der männlichen Anatomie nie wirklich besonders reizvoll gefunden. Ich meine, es gefiel mir, was Männer damit bewirken konnten, mir gefiel der Zweck, dem ein Penis diente, aber ich hatte keinerlei Drang verspürt, einen länger zu betrachten, bis ich Cys gesehen hatte. Ich konnte nicht aufhören, ihn anzustarren, und ich dachte definitiv, dass dieser Teil von ihm genauso attraktiv war wie alles andere an ihm. Ich wollte die Hände darauflegen. Ich wollte ihn in den Mund nehmen. Ich wollte, dass Cy die Hände darauflegte, während ich zuschaute.

Ich strich mit der Zunge über meine Unterlippe, während ich ihn weiter bewunderte, als sei er ein unbezahlbares Kunstwerk, das im Louvre hing. Meine Füße wollten sich immer noch nicht von dort wegbewegen, wo sie anscheinend Wurzeln geschlagen hatten.

»Leo, bringen Sie mir das Handtuch oder kommen Sie her und benutzen Sie Ihre Zunge zu einem besseren Zweck.« Seine ohnehin schon tiefe Stimme wurde noch tiefer und schnarrte noch rauer, als er mein stummes Flehen beantwortete und eine Hand auf den steifen

Schaft senkte, der direkt nach oben zu seinen Bauchmuskeln zeigte. Ich seufzte leise, als er langsam darüberstrich.

Seine Ekstase wirkte urtümlich … rau. Sie ließ die Adern an den Seiten seines Halses hervortreten und färbte sein Gesicht in einem dunklen Rotton. Seine Oberschenkelmuskeln wölbten sich, und sein Torso wurde starr. In jeder Linie seines Körpers lag Macht, und jeder Teil von ihm verströmte Verlangen. Sein Atem hallte rau, laut und sprunghaft zwischen den Blechwänden. Ich hätte geschworen, dass ich drauf und dran war, selbst einen Orgasmus zu bekommen, einfach, indem ich beobachtete, wie er dem seinen hinterherjagte. Sein Schwanz glitt mühelos durch seine Hand, während sein Unterarm sich auf- und abbewegte. Es folgte ein atemloser Moment, eine Reglosigkeit, als er die Augen wieder aufriss und in meine schaute. Er sagte meinen Namen nicht, aber er lag trotzdem auf seinen Lippen, als das Sperma herausspritzte und seine kräftigen Knöchel verschmierte. Es traf sogar die verrostete Wand direkt vor ihm. Ich wollte, dass er so auf mir kam, dass er mich markieren und mich auf eine Weise für sich fordern würde, die so wild und so ungezähmt war wie die Landschaft, in der wir uns befanden. Ich wollte ihm sagen, dass er auf meinem Hintern kommen könne, auf meinen Titten, auf meinem Bauch … wo immer er wolle, solange er derjenige war, der mich zu der seinen machte. Ich hatte noch nie jemandem erlaubt, im Bett etwas zu tun, das dem hier auch nur ansatzweise nahekam. Im Gegenteil, normalerweise war ich die Frau, die gern oben war, damit ich meinen Orgasmus bekam und nach Hause gehen konnte, aber dieser Mann ließ mich alle möglichen Dinge ersehnen, die ich noch nie zuvor auch nur gedacht hatte.

Er drehte sich um und stellte das Wasser an, damit er den Beweis wegwaschen konnte, der sich auf seinem Schwanz zeigte, und als er mir den Rücken zudrehte, überwand ich endlich ganz die Entfernung zwischen uns, damit ich ihm das Handtuch reichen konnte. Als er sich wieder zu mir umwandte, trafen sich unsere Blicke, und seine Augen loderten auf, während meine voll von mehr Fragen waren, als ich je zuvor gehabt hatte.

»Was bedeutet das, dass Sie die Rothaarigen, die Sie mögen, zu sehr mögen?«

Er nahm das Handtuch entgegen und rubbelte sich zuerst das Haar, dann die Brust. Erst als er zu seiner Taille kam und sich das Handtuch um die Hüften schlang, antwortete er mir.

»Meine Mom war rothaarig. Sie hat meinem Dad hundertmal das Herz gebrochen und meine Brüder und mich allein gelassen, wann immer sie die Gelegenheit dazu hatte, denn dieses Leben war nichts für sie. Wir ließen sie immer zurückkommen. Ich habe sie trotzdem geliebt, denn sie ist meine Mom, und mein Dad hat sie angebetet. Meine Ex-Frau ist rothaarig. Ich habe sie auf dem College kennengelernt, und es war Liebe auf den ersten Blick. Sie hat mir das Herz nur einmal gebrochen, aber es war genug, dass ich beabsichtige, die Erfahrung niemals zu wiederholen.«

Ich spürte, wie meine Augen bei seiner knappen Beschreibung der wichtigsten Frauen in seinem Leben immer größer wurden. Ich kämpfte auch mit der Tatsache, dass eine Frau ihn gehabt hatte und mutig genug gewesen war, ihn gehen zu lassen. Ich fragte mich, ob die Frau jeden Morgen aufwachte und sich dafür in den Hintern trat, dass es ihr nicht gelungen war, die Beziehung zu einem Mann wie Cy zu halten.

»Brynn ist rothaarig, und ich liebe sie wie eine Schwester, aber sie bricht meinem kleinen Bruder wieder und wieder das Herz und weiß es nicht einmal. Rothaarige sind leicht zu lieben, aber schwer zu halten, was der Grund ist, warum Sie, sobald Sie Ihre freche Klappe öffnen, von einer Ablenkung zu einer Gefahr werden, Sonnenschein. Ich habe weder die Zeit noch die Geduld, mich mit der Art von Zerstörung zu beschäftigen, zu der Sie imstande sind.«

Ich prallte zurück und wäre fast in der Pfütze Wasser ausgerutscht, die er hinterlassen hatte. Er streckte die Hand aus, um mich festzuhalten. Als er mich in seinem Griff hatte, zog er mich an seinen nackten Oberkörper. Meine Hände landeten auf den harten Muskeln und krallten sich in die Härchen dort.

»Ich bin nicht hier, um irgendetwas zu zerstören. Ich versuche, etwas wieder aufzubauen.« Und ich machte ziemlich gute Fortschritte. Was zum Teil daran lag, dass er mich aufpeitschte, nachdem ich mir gestattet hatte, in meinen eigenen Selbstvorwürfen und meinem Bedauern zu erstarren. Wie Em sagte, er ließ mich brennen, und ich bestand aus Zunder, der nur darauf wartete, durch ihn entflammt zu werden.

»Frauen wie Sie brauchen nicht zu versuchen, Dinge zu zerstören, Leo. Sie tun es einfach, weil Männer wie ich nicht stark genug sind, um uns von ihnen fernzuhalten.

Und dann wünschen wir uns am Ende Dinge, die sie zu geben nicht imstande sind.«

Das waren wahrscheinlich die ehrlichsten Worte, die irgendjemand jemals zu mir gesagt hatte. Sie waren sehr süß auf eine verkorkste und tragische Art. Es war besser, gewollt zu werden und zu wissen, dass es nicht perfekt sein würde oder gründlich durchgeplant. Ich war begehrt worden, weil ich es demjenigen so leicht gemacht hatte, und das hatte nicht im Geringsten funktioniert. Ich bevorzugte es, begehrt zu werden, weil ich eine Herausforderung darstellte und, so glaubte ich zumindest, ein großes Risiko. Ich wollte keinen gekünstelten, makellosen Mann. Ich wollte diesen hier. Einen, der echt war und fehlerhaft und so weit außerhalb meiner Komfortzone, dass ich nicht die geringste Sicherheit verspürte. Ich wollte immer noch wegrennen, aber jetzt wollte ich erst mal auf ihn zurennen und auf die Gefühle, die er in mir weckte.

Ich küsste ihn, weil er süß sein konnte, selbst wenn es nicht seine Absicht war.

Die erste Berührung meiner Lippen auf seinen brachte mein Blut in Wallung und ließ mir den Kopf schwirren. Ich spürte seine Stärke und die Anspannung, die in all seinen Muskeln lag, als ich mich an ihn presste.

Ich küsste ihn, weil er vor mir stand, fast nackt, immer noch nass und unverschämt sexy.

Dieser Sex-Appeal schoss eine Million Grad nach oben, als er einen Schritt zu mir hin machte und mich rückwärts zu der Blechwand hinter mir schob. Ich hörte sie klappern, konnte aber nicht darüber hinaus denken, weil eine seiner Hände sich um mein Kinn legte und meinen Mund aufdrückte, während die andere sich in meinem Haar verhedderte. Ich konnte mich nicht bewegen. Ich konnte nirgendwohin … und ich war in meinem ganzen Leben nie glücklicher darüber gewesen, gefangen zu sein. Ich konnte spüren, wie seine erwachende Erektion sich gegen meinen Bauch drückte, und es entlockte mir ein Stöhnen. Er nutzte die Gelegenheit, um die Zunge zwischen meine geöffneten Lippen zu schieben.

Ich erwiderte seinen Kuss mit Zunge, denn ich hatte gerade beobachtet, wie er masturbiert hatte, während er an mich gedacht hatte. Und ich wollte, dass es das nächste Mal, wenn es passierte, *meinetwegen* passieren würde. Ich wollte die Herrin seiner Lust und seines Verlangens sein. Ich wollte mit ihm kommen und fühlen, wie es war, wenn all diese Macht und Leidenschaft sich auf mir und in mir entfesselten.

Ich umfasste seine Seiten und ließ es zu, dass ich mich in dem Moment verlor. Ich war mir noch nie der Bereiche meines Körpers so bewusst gewesen, die mich unverkennbar weiblich machten, wie ich es jetzt mit Cy war. Ich konnte spüren, wie sich meine erregten Brustwarzen an ihm rieben. Ich konnte spüren, wie die Innenseiten meiner Oberschenkel zitterten und wie mein Zentrum sich hart und schnell zusammenkrampfte. Mir war schwindlig, und ich war feucht zwischen den Beinen. Er musste die Wirkung spüren, die er auf mich hatte, denn er stieß eins seiner Beine zwischen meine und beugte sich tiefer über meinen Oberkörper. Meine Hüften bewegten sich aus eigenem Antrieb an dem steinharten Oberschenkel, der sich in meine weichste Stelle drückte. Ich wollte lüstern und wild sein. Ich wollte mich an ihm reiben, bis das Pochen zwischen meinen Beinen verging. Mein Herz konnte nicht schlagen, ohne an seinem zu liegen, und jeder Atemzug, den ich tat, schmeckte nach ihm.

Ich küsste ihn mit so viel Sehnsucht und Verlangen, wie ich besaß, weil er es mir erlaubte und nicht davonrannte. Ich hatte noch nie erlebt, dass ich einer Sache nachjagte, vor der ich Angst hatte. Ich nahm die Herausforderung an, meinen Weg zu gehen, mich durch eine Zurückweisung nicht aufhalten zu lassen, auch wenn es das Beste gewesen wäre.

Ich küsste ihn, weil ich wissen wollte, wie es wäre, ihn zu küssen, und weil ich mir ziemlich sicher war, dass niemand sonst mich jemals so küssen würde wie er.

Seine Bartstoppeln kratzten mir übers Gesicht, seine Hand war hart, als er sie mir unters Kinn legte, aber sein Daumen war eine sanfte Liebkosung auf meiner Wange, als er mit seinem Mund über meinen fuhr. Seine Lippen waren weich, aber beharrlich, als sie über meine strichen, und seine Zunge war zärtlich, als sie neckend über meine glitt. Seine Weichheit war ein starker Kontrast zu all den anderen Teilen von ihm, und mir gefiel das alles – um die Wahrheit zu sagen, ich wollte mehr davon.

Ich fuhr mit der anderen Hand über die Umrisse seiner wohldefinierten Brustmuskeln, in der vollen Absicht, mich zu dem unpassenden Knoten vorzuarbeiten, der das Handtuch an seiner Taille festhielt. Plötzlich zog er sich zurück und legte mir sachte eine Hand um die Kehle, sodass er das Rasen meines Pulses spüren konnte, dann schob er mich stirnrunzelnd behutsam von sich. Es gefiel mir, wie mein Mund seinen glänzend und rot machte. Mir gefielen die Hitze in seinen Wangen und das Feuer in seinen Augen. Mir gefiel, wie sein Puls an seinem Hals pochte und wie sein Schwanz in offensichtlicher Verärgerung über die jetzt kühle Entfernung zwischen unseren Leibern zuckte.

Er fuhr sich mit den Händen durchs Haar und schüttelte den Kopf. »Lane wird nach mir suchen kommen, oder Ihre Freundin wird nach Ihnen suchen kommen. Dies ist ein ganz schlechtes Timing und zweifellos eine wirklich schlechte Idee für uns beide. Ich werde jetzt gehen, damit Sie sich waschen können, solange ich noch genug Blut oberhalb des Gürtels habe, um gute Entscheidungen zu treffen.«

Er ging zu der klapprig aussehenden Brüstung, auf der seine Kleider lagen, nachdem er stehen geblieben war, um die Sachen hochzuheben, die ich fallen gelassen hatte, und sie ebenfalls dorthin zu legen. Ich drehte ihm den Rücken zu, als er das Handtuch fallen ließ und sich anzog. Ich streifte meine eigenen Klamotten ab und hielt die Hand unter den Wasserstrahl, dann kreischte ich überrascht auf, als ich fühlte, wie kalt es war. Wenn ich gewusst hätte, dass ich mit Eiswasser duschen würde, wäre ich vorhin in den See gesprungen, als ich daran gedacht hatte, und hätte mir schon da den Gestank abgewaschen.

Ich ließ mir das eisige Nass direkt ins Gesicht spritzen und erschauerte, als es über meine Kopfhaut und durch mein Haar lief. Ich zuckte zusammen, als Cys brummende Stimme mich über das Plätschern des Wassers erreichte. »Ich könnte definitiv mehr als Sympathie für Sie empfinden, Leo, und es besteht keine Frage, es gefällt mir über alle Maßen, wie Sie ohne Kleidung aussehen.«

Ich ließ den Blick über ihn hinweggleiten und bemerkte, dass er auf seinen Schwanz hinabschaute, der sich hob und dicker wurde, während wir beide seine Reaktion auf mich beobachteten. Er stand an derselben Stelle, an der ich zuvor gestanden hatte, mit seinen Stiefeln in der Hand und einem Ausdruck auf seinem Gesicht, der vermutlich meinem ähnelte, während ich ihn beobachtet hatte, nur schroffer und konzentrierter. Als sein Blick zu mir gewandert war, hatte ich dessen Aufprall gespürt wie eine körperliche Berührung. Ich war mir bewusst, dass man mich niemals bitten würde, in einer Modenschau von Victoria Secret's über den Laufsteg zu gehen, aber ich hatte nie ein Problem mit meinem Aussehen gehabt. Der Ausdruck auf Cys Gesicht, während sein Blick über jede Wölbung und jeden Hohlraum wanderte, über jedes Grübchen und jedes Mal, das ein Leben in dieser Haut kennzeichnete, weckte außergewöhnliche Gefühle in mir. Sein Blick, wie sein ganzes Gesicht sich vor Begehren verzog, die Anerkennung darin, verursachten ein Hochgefühl in mir, vermittelten mir, dass ich es verdiente, angebetet und vielleicht geliebt zu werden.

Ich zog eine Schulter hoch und ließ sie wieder sinken. »Tja, wenn wir ›wie du mir, so ich dir‹ spielen, bedeutet das, dass ich auch an Sie denken darf, während ich an die Reihe komme, mich zu … entspannen.« Ich grinste ihn an, denn die Gefühle, die er in mir weckte, und die Dinge, die ich seinetwegen mit mir selbst tun wollte, waren alles andere als ruhig und geruhsam. »Sie können dableiben und zuschauen – oder hierher zurückkommen und helfen –, denn das wäre nur fair.«

In seinen Augen blitzten Fäden geschmolzenen Silbers auf, als er leise und ausgiebig fluchte.

Ich war keine Frau, die normalerweise vor den Augen eines Mannes die Initiative für ihre eigene Befriedigung ergriff. Ich war zu steif, machte mir zu große Sorgen darum, was die andere Person vielleicht denken könnte. Aber heute war der Tag, an dem ich einen Berg erklommen und einen Mann geküsst hatte, der der Falsche für mich war, daher stiegen mir Kühnheit und Verwegenheit zu Kopf – auf eine Weise, wie das noch nie zuvor passiert war. Im Normalfall war ich nicht offen genug, um mit jemandem zu teilen, was ich mochte, und ich war niemals transparent, wenn es darum ging, was ich fühlte. Aber in diesem Augenblick mit ihm, als es sich so anfühlte, als wären wir die beiden einzigen Menschen auf der ganzen Welt, wollte ich ihm alles geben. Mit Cy gab es keine Furcht, und ich brauchte nicht zu erraten, was er dachte. Jedes Gefühl, Verlangen und Ermutigung zeigten sich deutlich auf seinem auf düstere Weise gut aussehenden Gesicht. Er würde mich auffordern, Farbe zu bekennen, und wir würden einfach beide die Konsequenzen tragen.

Ich sah ihm fest in die Augen, während ich mit einer Hand in das Tal zwischen meinen Brüsten griff. Das eisige Wasser hatte mir eine Gänsehaut beschert, und meine Brustwarzen waren härter als bei unserem Kuss. Ich nahm eine der samtigen Knospen zwischen Daumen und Zeigefinger und zog ein wenig daran, bevor ich den Daumen darum kreisen ließ, um das zarte Ziehen zu spüren. Ich stieß ein leises Stöhnen des Wohlbehagens aus, und meine Lider senkten sich, als ich Cyrus abermals fluchen hörte.

Dann warf ich den Kopf in den Nacken und bewegte die Beine so, dass sie gerade weit genug geöffnet waren, um ihn mit all dem feuchten Begehren zu necken, das er in mir wachgerufen hatte. Ich legte die andere Hand unter die Wölbung meiner Brust und ließ sie über die Hügel meiner Rippen wandern und über die weiche Fläche meines Bauchs. Es war nicht das kalte Wasser, das mich zittern ließ. Es war die Art, wie Cy meinen Namen knurrte. Es klang gleichzeitig nach einem Versprechen und einer Warnung.

Ich umkreiste meinen Bauchnabel mit dem Zeigefinger und seufzte, als ich die Finger weiter nach unten wandern ließ. Es war ein Schock für meine überhitzten Sinne, als meine kühle Berührung auf flüssige Hitze traf. Meine Scham war feucht und fast zu empfindlich, um sie zu berühren. Meine Klitoris pochte und bettelte um Aufmerksamkeit. Als meine Berührung die schmerzende kleine Spitze der Lust streifte, durchfuhr ein Ruck meinen ganzen Körper, und ich konnte das leise Stöhnen, das sich mir entrang, nicht aufhalten. Ich war gefangen in einem Hurrikan der Gefühle, und bei dem Kontrast von Hitze und Kälte schwirrte mir der Kopf. Mein Körper war allein schon deshalb bereit, weil ich Cy dabei beobachtet hatte, wie er es sich selbst gemacht hatte. Es würde nur des Schnippens meines Handgelenks bedürfen, einer Drehung meiner Finger und vielleicht eines festen Ziehens an meiner Brustwarze, um zu kommen. Ich war mir sicher, dass es noch nie in meinem Leben einen Moment gegeben hatte, in dem ich so erregt gewesen war, und das hatte alles mit dem Mann zu tun, der mich beobachtete, als würde er sterben, wenn er den Blick abwenden müsste.

Seine Brust hob und senkte sich, als bekäme er nicht genug Luft. Sein Blick war so scharf, dass ich ihn spüren konnte, wie er in meine Haut schnitt. Sein Gesicht wies eine heiße Röte auf, und sein Mund war nur so weit geöffnet, dass ich die gerade Linie seiner Zähne sehen konnte, die sich in die Innenseite seiner Unterlippe senkten.

Das war kein Spaß für ihn, so wie es vorher für mich ein Spaß gewesen war. Das hier war Folter.

Ich schloss meine Lider und flüsterte: »Ich bin soooo nah dran. Normalerweise geht das bei mir nie so schnell.« Meine Stimme war rauchig, und ich erkannte meine eigenen Worte kaum selbst. Ich war keine Frau, die je erregt klang, aber Cy bewirkte das.

Ich ließ meinen Daumen um meine Klitoris kreisen und keuchte auf, als die Berührung ein ganzes Feuerwerk der Gefühle unter meiner Haut entzündete.

»Heilige Scheiße.« Die Worte klangen, als wären sie dem Mann, der mich beobachtete, entrissen worden. Ich hörte den zweifachen Aufprall, als die Stiefel, die er in der Hand gehalten hatte, zu Boden fielen. Sobald es mir gelang, meine schweren Lider zu öffnen, war alles, was ich sah, Mann.

Ich stieß einen spitzen Schrei aus, als seine Hand sich an meinen Hals legte, während er mich wieder an die Wand drückte. Das Wasserrinnsal, das aus der Dusche kam, konnte kaum zwischen uns gelangen; so nah war er mir. Es schien ihm nichts auszumachen, dass er dabei genauso nass wurde wie ich.

Sein Mund traf meinen mit Wucht. Beißend und blaue Flecken bescherend. Seine Finger schlossen sich um meine Kehle, aber sein Daumen zeichnete die lange Linie meines Halses nach und jagte dem Frösteln hinterher, das er verursachte. Seine Knie drückten meine weiter auseinander, und seine freie Hand bedeckte meine. Ich konnte nicht atmen. Ich konnte nicht denken. Ich konnte mich nicht einmal bewegen.

Alles, was ich tun konnte, war fühlen.

Und was ich fühlte, genügte, um meine ganze Existenz auf den Kopf zu stellen.

Er drückte meine Finger härter auf meine Klitoris und benutzte seine, um eine berauschende Kreisbewegung zu beginnen. Sobald ich so erregt war und von Kopf bis Fuß zitterte, löste er seine Lippen von meinen und strich damit über meine Wange. Es war der süßeste Kuss, den ich je empfangen hatte, und ich wäre beinahe umgefallen, als er mit dem plötzlichen Eindringen seiner Finger in meine bebende Öffnung verbunden wurde.

Ich drückte den Rücken durch. Ich verdrehte die Augen. Mir stockte der Atem, und ich war mir ziemlich sicher, dass meine Knie sich in Pudding verwandelten. Das Einzige, was mich aufrecht hielt, war sein Griff um meine Kehle und die Art, wie er mich mit seinem unerschütterlichen Blick festhielt.

Es gehörte nicht viel dazu. Er stieß mit seinen Fingern in das glitschige Verlangen, das auf ihn wartete, und krümmte einen, als wisse er genau, wie er die Stelle erreichen konnte, die mich kommen lassen würde. Lust durchströmte mich, überraschend in ihrer Intensität. Ich hatte noch nie einen derartigen Orgasmus gehabt. Niemals hatte Befriedigung sich so machtvoll und stark angefühlt.

Ich legte beide Hände auf Cys nasse Schulter und blinzelte ihn an. Ich hatte das Gefühl, als hätte er mein Innerstes nach außen gekrempelt, und ich wusste nicht, ob ich mich bei ihm bedanken oder ihn beschimpfen sollte. Ich bekam weder zum einen noch zum anderen die Chance, denn sobald er sah, dass ich nicht schwach und hilflos zu seinen Füßen zusammensackte, ließ er mich los, als sei meine Haut aus brennenden Kohlen gemacht.

»Wie gesagt, ich bin nicht stark genug, um mich fernzuhalten.« Seine Worte waren schroff und beinahe zornig. Nichts von der leidenschaftlichen Hitze und Anerkennung, die aus seinen Augen geleuchtet hatte, als er seine Hände auf und in mir gehabt hatte, war zu finden, nur Frustration und siedender Zorn.

Er wandte sich ab, strich mit einer Hand über sein nasses T-Shirt und den feuchten Reißverschluss seiner Jeans. Ich war mir nicht sicher, ob die Nässe von mir kam oder von der miserablen Dusche, aber ich wünschte mir irgendwie, dass es von mir war. Die Tür schloss sich mit einem kleinen Klicken hinter ihm, und ich drehte mich wieder zu der Dusche um.

Ich sollte verletzt sein wegen seiner Grobheit, aber ich war es nicht. Ich brauchte nicht zu raten, was er mit seinen Abschiedsworten gemeint hatte, denn er hatte genau das gemeint, was er gesagt hatte. Es war der falsche Ort und die falsche Zeit, und wir waren definitiv die beiden Falschen, aber er wollte mich und konnte sich nicht fernhalten. Cyrus Warner hatte genauso viel Kontrollprobleme wie ich, was der Grund war, warum wir beide gern die Grenzen des anderen testeten und keiner von uns gern dabei scheiterte.

Wenn Scheitern sich so anfühlte, konnte ich es gar nicht erwarten, es wieder zu erleben. Wenn ich gedacht hatte, ich hätte gute Entscheidungen getroffen, hatte das mit einem gebrochenen Herzen und zersplitterter Selbstachtung geendet. Schlechte Entscheidungen hatten sich bereits als viel spaßiger erwiesen.

Eines stand fest, er hatte sein Wort, dies zu einem Urlaub zu machen, den ich nie vergessen würde, bereits gehalten.

Kapitel 8

Eine weniger nette Begegnung

»Wie lange warst du verheiratet?« Ich stellte die Frage an Cys Rücken, nachdem einige Stunden Schweigen geherrscht hatte.

Keine Ahnung, warum, aber ich dachte, da wir einander in unserer ganzen Pracht gesehen und köstliche Küsse ausgetauscht hatten, würde er Mr Charakterkopf zur Ruhe betten und ein wenig zugänglicher sein. Er hatte den morgendlichen Ritt genauso mürrisch und in sich gekehrt begonnen wie immer. Irgendwie war ich heute in der Reihe der Reiter direkt hinter ihm gelandet, aber da ich ihm so nah war, konnte ich sein Schweigen spüren wie einen Umhang, der mir um die Schultern gelegt wurde. Ich hatte keinen Schimmer, worüber er nachgrübelte, aber was immer es war, es schien nicht sehr angenehm zu sein. Rückblickend war meine Frage wahrscheinlich nicht die beste gewesen, um diese düstere Stimmung aufzulockern.

Er drehte sich um, damit er mich ansehen konnte, und ich zuckte zusammen angesichts des finsteren Ausdrucks in seinen rauen Zügen. »Warum willst du das wissen?«

Ich wollte es wissen, weil er seine Zunge in meinem Mund gehabt hatte und seine Hände überall auf meinem Körper. Ich wollte es wissen, weil er mir die Wahrheit sagte, aber seine Augen Geheimnisse hüteten. Ich wollte es wissen, weil ich ihn so gut kennenlernen wollte, wie er mich bereits zu kennen schien.

Ich erwiderte sein Stirnrunzeln. »Es fällt mir schwer, mir jemanden vorzustellen, der dich gehen lassen würde, obwohl du Übellaunigkeit zu einer Kunstform erhoben hast.« Ich war überrascht über meine eigene Ehrlichkeit – und er schien ebenfalls überrascht zu sein. Seine Züge wurden eine Spur unbefangener, und etwas von dem Sturm, der immer in seinen Augen tobte, klärte sich. Doch dann verdunkelten sie sich wieder so, dass sie fast schwarz wurden. Sie waren nicht mehr stürmisch, dieses Stadium hatten sie überschritten, sondern noch dunkler und irgendwie furchterregend. Ich dachte nicht, dass er antworten würde, und als er es tat, war ich nicht darauf vorbereitet, dass seine Aufrichtigkeit mich ausweiden würde. War nicht darauf vorbereitet, wie sie mein Herz um seinetwillen schmerzen ließ. Seine Geschichte ließ meine eigene vergleichsweise töricht und bedeutungslos erscheinen, und ich wusste plötzlich, dass die Prellungen in meinem Herzen nichts im Vergleich zu den Narben waren, die seinem vielleicht zugefügt worden waren.

»Sie wollte mich nicht gehen lassen, und ich wollte nicht, dass sie mich gehen ließ. Wir haben uns geliebt, und sie war alles für mich. Aber sie saß hier fest. Sie wollte nicht in Wyoming bleiben. Sie liebte mich, hasste aber mein Leben und die Verpflichtungen, die damit verbunden waren. Sie wollte mich, aber nicht die Verantwortung, die dazugehörte. Ich hätte absolut alles gegeben, um sie glücklich zu machen, aber sie wollte, dass ich die eine Sache aufgab, die ich nicht aufgeben konnte.« Da war keine Verbitterung in seinem Ton, nur traurige Akzeptanz der Tatsache, dass die Liebe manchmal nicht genügte, um zwei Menschen zusammenzuhalten, ganz gleich, wie viel sie einander bedeuteten.

Es klang, als sei er zwischen zwei hohen, unüberwindlichen Felswänden eingeklemmt gewesen. Wenn es ein Kampf zwischen Liebe und Loyalität war, kam man niemals als Gewinner heraus.

»Hat sie nicht gewusst, wer du warst und woher du kamst, bevor sie zugestimmt hat, den Rest ihres Lebens mit dir zu verbringen?«

Cy kam mir nicht vor wie ein geschmeidiger Aufreißer. Ich konnte nicht ganz den Finger darauflegen, *was* er war – kein Cowboy und kein Anzugträger, so viel stand fest –, aber *wer* er als Mann war, war von Anfang an kristallklar gewesen. Ein Mann, der sich um seine Familie kümmerte und jene beschützte, die ihm etwas bedeuteten.

Cy drehte sich um, sodass er wieder dem Pfad vor uns zugewandt war. Seine tiefe Stimme erreichte mich mühelos, als er schnaubte und dann antwortete: »Ich habe dir erzählt, dass ich sie auf dem College kennengelernt habe. Ich bin weggegangen, um zu studieren. Es waren nur vier Jahre, die ich nicht auf der Ranch verbracht habe und nicht mit meiner Familie. Während der Ferien bin ich mit Freunden nach Hause gekommen, aber das war nicht das Gleiche wie die Arbeit bei der Zucht oder die Herde für eine Auktion bereit zu machen. Es war nicht das Gleiche wie an den Tagen, an denen wir uns alle zusammen den Arsch aufreißen müssen, um den Winter zu überstehen.«

Ich sah, wie er sich im Sattel bewegte, und beobachtete, wie er mit einer Hand über sein tadellos gestyltes Haar strich. »Ich wollte nie in Wyoming bleiben. In meiner

Jugend habe ich die Isolation und die harte Arbeit verabscheut. Ich wollte nur flachgelegt werden und mich amüsieren, wie jeder andere Teenager in Amerika. Ich habe nie die Chance dazu bekommen, und deswegen war ich sauer. Ich war immer ein guter Student und habe all meine Prüfungen am College mit einer hohen Punktzahl bestanden. Ich hatte eine Jammergeschichte über meine Mom eingereicht, die uns verlassen hatte, als wir klein gewesen waren, und wie hart unser Leben auf der Ranch gewesen war, was mir einen Platz an der Boston University erbracht hat. Ich habe mich auf die Chance gestürzt, so weit wie möglich von zu Hause wegzukommen. Ich hatte höllische Schuldgefühle, weil ich Dad mit Lane und Sutton allein gelassen hatte, aber ich musste einen Versuch wagen und feststellen, wie der Rest der Welt aussah. Ich habe nach dem grüneren Gras gesucht und mir ziemlich was darauf eingebildet.«

»Boston ist wunderschön.« Es war eine meiner Lieblingsgroßstädte an der Ostküste, aber wie sehr ich mich auch bemühte, ich konnte mir ihn nicht dabei vorstellen, wie er durch die schmalen Straßen schlenderte und mit den Städtern verschmolz – nicht einmal als jungen, naiven Mann.

»Es ist wunderschön, und das war Selah auch. Ich bin wie angewurzelt stehen geblieben, als ich sie das erste Mal gesehen habe. Ich bin ihr im ersten Jahr begegnet und habe keine Minute verschwendet, Anspruch auf ihr Herz und ihre Zeit zu erheben. Sie war ein liebes Mädchen aus dem Nirgendwo Colorados, daher hatten wir sofort einen Draht zueinander. Keiner von uns dachte, dass wir jemals wieder in einer Kleinstadt leben würden, und wir haben viele Nächte damit verbracht, ein großartiges, abenteuerliches Leben zu planen. Im vorletzten Jahr meines Studiums haben wir uns verlobt, und nicht einmal einen ganzen Monat nach dem Abschluss habe ich sie geheiratet. Wir waren jung und idiotisch verliebt … wobei idiotisch das Schlüsselwort ist.«

Er schaute mich über seine Schulter hinweg an, und ich bemerkte, dass seine Lippen so fest aufeinandergepresst waren, dass es aussah, als würde sein ganzes Gesicht womöglich von der Anspannung zersplittern. »Mein Dad war mit den Jungs bei der Hochzeit, und mir ist aufgefallen, dass er nicht so toll ausgesehen hat. Ich bin während meiner Collegejahre nicht oft zu Hause gewesen, teils mit Absicht, weil ich vermutlich wusste, wenn ich die Stadt zu oft verließe, würde ich irgendwann einfach nicht mehr zurückkehren. Ich mochte die Stadt, aber sie war nie ein Zuhause für mich, und es gab kein grüneres Gras zu finden. Was ich an Boston am liebsten mochte, war Selah. Ich war arrogant genug zu glauben, dass wir glücklich sein würden, wo immer wir uns befanden, solange wir zusammen waren.«

Mein Herz stolperte bei seinen Worten über sich selbst. »Das klingt nicht arrogant. Es klingt romantisch und süß.« Ich wusste, dass ich ihn begehren und mich in eine bebende Masse gierigen Verlangens nach ihm verwandeln konnte. Es erstaunte mich, dass ich ihn außerdem sogar mögen und bewundern konnte. Seine harte äußere Schale verbarg einen wirklich besonderen Kern. Ich fragte mich, ob wir mehr gemeinsam hatten, als ich ursprünglich gedacht hatte.

Cy gab einen tiefen Laut der Verachtung von sich, bei dem Boss den Kopf herumriss. Ich beugte mich vor, um über die schwarze Mähne des Pferdes zu streichen und uns beide zu beruhigen.

»Ich war dumm und kurzsichtig. Ich hätte wissen sollen, was mich erwartete, wenn man bedenkt, dass ich mit angesehen habe, wie meine Mutter in mein Leben hinein- und wieder hinausgeflattert ist, wann immer sie beschlossen hatte, dass das Dasein in Wyoming zu langweilig oder zu hart war. Dad war krank, war schon einige Jahre krank gewesen, und wollte nicht, dass ich davon erfuhr. Ich wollte das Leben abseits der Ranch kennenlernen, und er wusste, dass ich, sobald ich herausfand, wie krank er war und wie ernst die Situation daheim war, zurückkehren würde, ohne Fragen zu stellen. Genau das habe ich auch getan. Nur bin ich mit einer Ehefrau zurückgekommen, die keinerlei Verlangen hatte, dort zu sein.« Er griff sich in den Nacken und rieb ihn, als würde das die Spannungen dort lindern.

»Selah hat ihr Bestes gegeben. Zuerst hat sie versucht, zu helfen und ihren Platz zu finden, aber sie war nie glücklich, und je kränker Dad wurde, desto mehr stürzte ich mich in die Arbeit auf der Ranch, daher wusste sie, dass sie mich nicht würde überreden können fortzugehen. Meine Brüder wurden älter, brauchten aber trotzdem noch jemanden, der sich um sie kümmerte. Zu der Zeit lebte auch Brynn bei uns und brauchte ebenfalls jemanden, der auf sie achtgab. Es waren zu viele Menschen, die sich auf mich verließen, aber der eine Mensch, der am meisten zählte, für den konnte ich nichts tun.«

Ich wollte ihn umarmen, weil es nach einer ausweglosen Situation klang, in der er damals gefangen gewesen war. In der Liebe ging es oft um Opfer; ich wusste das, weil meine Großeltern eine Menge aufgegeben hatten, als sie mich aufgenommen hatten. Aber sie hatten sich nie darüber beklagt und immer dafür gesorgt, dass ich jede Gelegenheit bekam, Erfolg zu haben.

»Sie war ein Jahr hier, und mit jedem Tag konnte ich sehen, wie ein klein wenig mehr von ihrem Glück starb. Ihr Geist erstickte, und das süße Mädchen, das ich liebte, verwandelte sich in jemanden, den ich nicht wiedererkannte.« Er schüttelte den Kopf und senkte die Stimme. »Ich dachte, es würde sich alles zum Guten wenden, als sie feststellte, dass sie schwanger war.«

Ich schnappte leise nach Luft, weil er nicht erwähnt hatte, dass er Kinder hatte. Mir stockte der Atem bei dem Bild, wie er ein dunkelhaariges kleines Mädchen mit grauen Augen auf einem Pferd festhielt, dessen Fell so schwarz und silbern war wie das Haar ihres Dads. Ich hatte keine Ahnung, woher das Bild kam, aber es ließ mein Herz rasen und meine Handflächen schwitzen.

Cys Schultern verwandelten sich vor mir in Stein, und sein Pferd spürte offensichtlich die Veränderung in der Stimmung seines Reiters, denn es ruckte hart mit dem Kopf am Zügel. »Dads Leben näherte sich seinen letzten Stunden, aber die Geschäfte liefen besser mit mir am Ruder. Ich dachte, wenn wir eine Familie gründen, würde das helfen, sich einzuleben und zu erkennen, dass dies ein ebenso guter Ort war wie jeder andere, um unsere Kinder großzuziehen. Wir waren umringt von Verwandten, und unser

Baby hätte dafür stehen können, das zu bewahren. Die Zeit entfernt von zu Hause hatte mir eine Wertschätzung für alles eingeflößt, wofür ich arbeitete, und die Tatsache, dass ich mit eigenen Händen geholfen hatte, es aufzubauen, erfüllte mich mit einem Stolz, den ich in der Stadt nicht gekannt hatte. Sie wirkte endlich hoffnungsvoll und widerstrebend einverstanden damit, dass wir uns hier ein Leben aufbauten.«

Er schwieg kurz, und als er endlich weitersprach, klang seine Stimme, als würde sie aus einem Ort tief in seinem Inneren gezogen, der erfüllt war von solch heftigem Schmerz, vor dem ich davongelaufen war, als er mich ereilt hatte. »Es war mitten im Winter, als etwas schiefging. Sie bekam Krämpfe, und bevor wir wussten, wie uns geschah, blutete sie und hatte schlimmere Schmerzen, als ich gedacht hätte, dass irgendein Mensch sie empfinden konnte. Die nächste Stadt ist von der Ranch aus eine Stunde entfernt. Im Winter werden daraus leicht zwei Stunden oder mehr. Als ich mit ihr im Krankenhaus ankam, hatte sie das Baby verloren und fast ihr eigenes Leben.«

Er räusperte sich und schüttelte den Kopf, als versuche er, die schmerzhafte Erinnerung loszuwerden. »Sie ist nicht auf die Ranch zurückgekehrt. Sie hat sich geweigert. Sie hat der Ranch die Schuld gegeben, dass sie ihr sowohl ihren Ehemann als auch ihr Baby genommen hatte. Sie hat mich angefleht, mit ihr zu kommen, als sie endlich wieder hinreichend genesen war, um zu reisen, aber ich konnte nicht. Ich hatte meinen Dad und meine Brüder. Ich hatte die Ranch und Dinge, die immer in meine Verantwortung fallen würden. Sie hat mir das Herz gebrochen, aber ganz ehrlich, ich habe ihr das Herz noch schlimmer gebrochen. Sie ist fortgegangen, und ich bin geblieben, und so hat es geendet. Es war spiegelgleich dazu, wie die Dinge zwischen meiner Mom und meinem Dad geendet hatten.«

Ich brauchte eine Sekunde, um meine Stimme wiederzufinden, und als es mir gelang, klang sie angespannt und dünn von Mitgefühl. »Das ist traurig. Es tut mir so unglaublich leid für euch beide.« Es erklärte auch, warum er nach außen hin vielleicht kein Cowboy war, aber im Inneren zu hundert Prozent. Sein Leben war so, wie traurige Countrysongs es beschrieben. Es klang tragisch und herzzerreißend. Die meisten Menschen trennten sich, weil ihre Liebe zerbrach oder sie sich einfach nicht mehr daran erinnern konnten, was sie überhaupt an der Person geliebt hatten. Es kam mir gänzlich unfair vor, dass Cy und seine Ex-Frau einander so geliebt hatten, dass es aber trotz allem nicht genug gewesen war, um glücklich bis ans Ende ihrer Tage zusammenzuleben.

»Das muss es nicht. Selah ist jetzt mit einem Chiropraktiker verheiratet und wohnt außerhalb von Boston in Salem. Sie hat drei Kinder und schickt mir jedes Jahr zu Weihnachten eine Karte. Sie hat angeboten hierherzufliegen, als mein Dad schließlich starb, aber ich konnte es nicht ertragen, sie zu sehen, während ich gleichzeitig mit allem fertigwerden musste und mit dem Drama, das meine Mom anzettelte, sobald er tot war. Selah war eine gute Frau, sie war nur nicht die richtige Frau für mich.«

»Und du warst nicht der Mann für sie.« Ich warf ihm seine Worte von neulich entgegen und wurde mit einem schwachen Grinsen belohnt. Ach, es wärmte mich am ganzen Körper und ließ dieses Kribbeln an intimen Stellen glücklich zu einer Melodie pulsieren, die anscheinend nur er singen konnte. Ich zog die Brauen hoch, nicht, weil er immer noch freundschaftlich mit einer Frau verkehrte, die ihm so viel bedeutet hatte, sondern wegen seiner Worte über seine Mom. »Deine Mom hat eine Szene gemacht, als dein Dad gestorben war? Das klingt genau nach etwas, was auch meine Mutter tun würde.«

Er warf mir einen Blick über seine Schulter zu. »Mein Dad hat sich von ihr scheiden lassen, als er herausfand, dass er krank war, nicht weil er aufgehört hatte, sie zu lieben, sondern weil er verhindern wollte, dass sie versuchte, die Ranch zu verkaufen, sobald er tot war. Sie kam nicht mehr her, aber als sie es doch tat, hatte er wieder geheiratet, daher hatte sie keine Chance, ihn wirklich zu manipulieren und noch länger Spielchen mit ihm zu spielen. Auf seiner Beerdigung hat sie die Gelegenheit genutzt, ihre Gefühle zu offenbaren, weil sie praktisch keinen Cent von ihm bekommen hatte. Das ging so, bis ich sie aus der Kirche gezerrt und ihr gesagt habe, sie solle nie wieder einen Fuß nach Wyoming setzen. Ich muss mich deutlich genug ausgedrückt haben, denn sie hat eine fünfjährige Enkelin, die sie niemals versucht hat kennenzulernen.«

»Siehst du deine Stiefmutter noch manchmal?« Mir gefiel der Gedanke, dass es seinem Dad gelungen war, noch einige Momente des Glücks zu erleben, bevor er das Zeitliche gesegnet hatte. Es klang, als sei er ein guter, ein starker Mann gewesen ähnlich meinem eigenen Großvater. Und es bestand kein Zweifel daran, dass er all diese Eigenschaften an den Mann vor mir weitergegeben hatte, den er nach seinem eigenen Vorbild großgezogen hatte.

Cy stieß ein Lachen aus, in dem keine Spur von Erheiterung lag. »Ich sehe sie fast jeden Tag. Du hast sie doch kennengelernt.« Er zog seine dunklen Brauen hoch, und in seinem Kinn zuckte ein Muskel. »Brynn ist in einem Wohnwagenpark nicht allzu weit von unserer Ranch entfernt aufgewachsen. Sie und Lane sind im selben Alter und haben in der Schule dieselbe Klasse besucht. Ihr häusliches Leben war nicht das Beste, zum Teil, weil sie zu einem Viertel Indianerin ist, aber vor allem, weil ihr Dad gern trinkt. Mein Bruder hatte schon immer ein weiches Herz. Er hat sie wieder und wieder mit nach Hause gebracht, und jedes Mal war sie in einer schlimmeren Verfassung als das Mal davor. Dad hat angeboten, sie dauerhaft aufzunehmen, aber ihr alter Herr wollte nichts davon wissen. Wann immer sie hier war, tauchte er betrunken und stinksauer auf und zerrte sie zurück nach Hause. Die hiesige Polizei konnte nicht viel dagegen tun, denn der Trailer-Park befand sich auf der Grenze zwischen staatlichem und Indianerland, daher wurde immer versucht, die Zuständigkeit an den anderen weiterzureichen.«

Mir schwirrte der Kopf, und ich konnte beim besten Willen nicht nachvollziehen, wieso die fröhliche, hübsche Brynn einen Mann heiratete, der doppelt so alt war wie sie selbst und sterbenskrank.

»Nachdem er jahrelang versucht hatte, sie zu beschützen und auf sie aufzupassen, hatte Dad irgendwann genug. Die einzige Möglichkeit, sie von ihrer Familie und dem ständigen Missbrauch fortzuholen, war die, sie an eine andere Familie zu binden. Ich war in Boston, Sutton hatte ein Techtelmechtel mit Dayes Mom, und Lane war zu unreif, um zu heiraten. Da er so viel Spaß daran hat, dir alles über mich zu erzählen, habe ich kein Problem damit, dir zu erzählen, dass er Brynn binnen eines Herzschlags einen Ring an den Finger gesteckt hätte. Sie war kaum achtzehn, und Dad hat sie geheiratet, um sie zu befreien, aber viele Leute haben das nicht so gesehen. Sie haben ihn beschuldigt, sie auszunutzen, und sie, dass sie nur ihre Krallen in einen ziemlich wohlhabenden Mann schlagen wollte, der nicht mehr lange zu leben hatte. Es war für keinen von ihnen einfach, vor allem, da Lane schon immer eine Schwäche für sie gehabt hatte, aber es war die beste und effektivste Option. Sie war immer Teil der Familie gewesen, und sie hatte sich bestens um alles gekümmert, bis ich wieder nach Hause kam, wo ich hingehörte.«

Ich stieß einen langen Atemzug aus und rutschte im Sattel nach vorn. »Das ist eine höllische Geschichte.«

Er grunzte vor mir. »Es ist nicht meine Lieblingsgeschichte. Was ist mit dir? Warst du schon mal verheiratet?«

Ich stieß ein Lachen hervor und schüttelte den Kopf, obwohl er mich nicht ansah. Er richtete seine Aufmerksamkeit wieder auf den Weg vor uns.

»Nein. Nicht einmal ansatzweise. Ich hatte in meinem ganzen Leben als Erwachsene nur eine einzige ernste Beziehung, und die hat sich als weniger ernst entpuppt, als ich gedacht hatte.« Das trug mir einen neugierigen Blick ein, aber in dem Moment begannen die Maultiere verrücktzuspielen, und er musste seine Konzentration genauso schnell von mir abziehen, wie er sie mir hatte zuteilwerden lassen. »Ehrlich gesagt, war das Ganze ein Witz.« Ein Witz auf meine Kosten.

»Du bist scheu und unsicher, und es besteht kein Zweifel daran, dass du einen guten Kern hast und jemandem das Einreiten zur Hölle machen kannst. Was zum Teufel stimmt nicht mit den Männern, wo du herkommst?« Er warf mir dieses sehr nach Wyoming klingende Kompliment zu, ohne mich anzusehen.

Ich starrte auf seinen Rücken und konnte mir ein ungläubiges Lachen nicht verkneifen. »Haben Sie mich gerade mit einem Pferd verglichen?«

Er grinste mich an, als er die Zügel in seinen Händen um den Sattelknauf vor ihm legte, damit er die Stricke ergreifen konnte, an denen die Maultiere liefen. Die anderen Tiere wollten offensichtlich stehen bleiben, und Cy musste sich mächtig ins Zeug legen, um dafür zu sorgen, dass sie weitergingen.

»Du wolltest einen Cowboy, und Cowboys kennen sich mit zwei Dingen aus: mit guten Frauen und guten Pferden. Zufällig haben beide ähnliche Eigenschaften.«

Ich schnaubte, hin- und hergerissen, ob ich mich geschmeichelt oder gekränkt fühlen sollte. »Nun, also, danke … Und mit den Männern, da, wo ich herkomme, ist alles in Ordnung. Die meisten von ihnen wollen jemanden, der bereit ist, sie an die erste Stelle zu setzen, und der offen dafür ist, ein Leben mit ihm zu teilen. So eine Frau bin ich nicht. Ich bin zu konzentriert auf mein eigenes Leben und meine eigenen Probleme, um mir die eines anderen aufzuladen, und ehrlich: Ich bin die meiste Zeit nicht sehr nett.«

Er stieß einen leisen Pfiff aus. »Kontrollfreak.«

Ich schnaubte und murmelte: »Man muss selber einer sein, um einen zu erkennen.«

»Also, was war los mit dem Mann, der sich als nicht so ernst entpuppt hat?«

Er war so offen mit mir gewesen, als er über seine Ehe gesprochen hatte, dass ich fand, ihm dasselbe schuldig zu sein. »Er hat mich dazu gebracht, freundlich und anspruchslos zu sein. Er war attraktiv, aber nicht so, dass alle sich nach ihm umdrehten. Warm, nicht heiß. Er war schlau und geistreich, aber nicht auf eine unangenehme Weise. Ich fand ihn perfekt, und ausnahmsweise einmal war da jemand in meinem Leben außer Em, mit dem ich gern länger als nur ein paar Stunden zusammen war. Es war ihm immer egal, dass ich nicht wollte, dass er bei mir übernachtete. Er geriet nie in Wut, wenn ich wegen der Arbeit ein Treffen absagte. Er stellte niemals irgendwelche Forderungen an mich. Er hinterfragte mich nie. Er störte mich nie. Er hat mich nie herausgefordert oder auf die Probe gestellt. Er hat sich nahtlos in mein Leben gefügt, und deswegen war ich mir sicher, dass wir füreinander bestimmt waren. Ich dachte, er würde mich verstehen.«

Niemand wusste, dass ich mich ständig in der Defensive befand – und das allen Menschen gegenüber –, weil ich eine unstillbare Angst davor hatte, verlassen zu werden, was ich meiner beschissenen Mutter verdankte. Ich ließ niemals jemanden nah an mich heran, weil ich nicht darauf vertraute, dass die Person bleiben würde, wenn sie vor die Wahl gestellt wäre, mit mir zusammen zu sein oder fortzugehen.

»Ich habe die Tatsache ignoriert, dass es nicht so einfach sein sollte. Ich habe nicht auf Em gehört, als sie darauf hingewiesen hat, wie seltsam es sei, dass Chris immer zu mir kommen wollte und mich nie in sein eigenes Haus eingeladen hat. Er hat sie kennengelernt, mir aber nicht angeboten, mich seinen Freunden vorzustellen, und es kümmerte ihn nie, dass wir immer zu Hause blieben und niemals zusammen in der Öffentlichkeit irgendwohin gingen. Ich vermutete, dass er sich ein Bein ausriss, damit unsere Beziehung so funktionierte, wie ich es mir wünschte, weil er so sehr auf mich stand. Wie sich herausstellte, war ich maßgeschneidert als perfekte Frau für nebenbei. Er hat in einem Haus in einem Vorort eine Ehefrau und Kinder.«

Cy riss seinen dunklen Kopf herum, und der Zorn in seinen Zügen ließ mich stutzen. Er war schrecklich wütend, nicht auf mich, sondern um meinetwillen. Ich erschauerte, und plötzlich mochte ich ihn noch mehr, als sich das bereits angebahnt hatte. »Wie hast du herausgefunden, dass er verheiratet war?«

Ich gab einen erstickten Laut von mir, der beinahe ein Lachen war. Irgendwann während dieser Reise war es mir gelungen, in der Situation mehr zu entdecken als Kummer und Enttäuschung. Es war alles so verrückt, so lächerlich, dass ich nicht umhinkonnte, in all dem Schmerz eine gewisse Komik zu entdecken. »Seine Frau hat die Firma, für die ich arbeite, für eine Beratung engagiert. Wir sollten Marktforschungen für eine neue vegane Kosmetiklinie anstellen, die ihre Firma demnächst herausbringen würde. Als ich zu unserem ersten Treffen in ihr Büro gekommen bin, standen auf ihrem ganzen Schreibtisch Fotos von ihr,

Chris und ihren Kindern. Es war ein größerer Vertrag, der meiner Firma eine Menge Geld einbringen sollte. Ich konnte nichts zu ihr sagen, weil ich Angst hatte, sie würde den Deal sausen lassen und meine Firma nicht beauftragen. Ich hätte meinen Job verloren, und auf keinen Fall hätte ich ohne solide Referenzen einen neuen gefunden. Es war ein Albtraum, aber ich habe das Treffen durchgestanden und Chris alles unter die Nase gerieben, sobald ich die Gelegenheit dazu hatte.«

Ich schnaubte bei der Erinnerung an seine blasierte Reaktion. »Er war überrascht, dass es mich scherte, dass er verheiratet war. Er sagte mir, er hätte gedacht, ich hätte es nach den ersten paar Monaten gewusst, weil ich immer so zufrieden wirkte, wenn er gehen musste. Er dachte, ich hätte gewusst, dass er zu Hause eine Ehefrau hatte, und ich hätte ihm das Leben leichter gemacht, indem ich mich nicht an ihn geklammert hatte. Und ich dachte, er würde Rücksicht auf meine Gefühle nehmen, aber in Wirklichkeit hat er nur all das ausgenutzt, was mit mir grundlegend nicht stimmt.«

Ich deutete auf mich selbst und verzog das Gesicht. »Ich war so aufgeregt darüber, jemanden zu haben, der mich wirklich verstand. Seine Akzeptanz dessen, was ich von einer Beziehung wollte, hat mich blind gemacht. Ich habe ihn nie auf Facebook gesucht oder gegoogelt. Ich habe nie seine Arbeit oder seinen Background näher unter die Lupe genommen. Als ich es dann getan hatte, war offensichtlich, dass er verheiratet war, und als wir mit der Arbeit für seine Frau begonnen hatten, war klar, dass ich ganz und gar nicht seine erste Affäre war. Sie hat immer noch keine

Ahnung, aber Chris hat sich durch die Hälfte ihrer weiblichen Angestellten gevögelt.« Ich seufzte. »Ich mag meinen Job. Ich bin gut darin, und ich will nicht irgendwo anders noch mal von vorn anfangen.« Nicht nur das, die Vorstellung, wegen eines schlechten Urteils über mein Privatleben gefeuert zu werden, weckte in mir den Wunsch, mich zu übergeben.

»Hört sich so an, als würde der Mann darauf abfahren, starke Frauen zu manipulieren. Seine Frau besitzt eine Firma, die sich deine Arbeit leisten kann, du hast deinen eigenen Mist am Laufen und interessierst dich nicht für jemanden, den das stören könnte, also sucht sich dieser Typ Frauen, die ohne ihn gut klarkommen, und macht es sich zu seiner Mission, sie zu verarschen. Das macht ihn geil. Ich wette, er hat einen kleinen Schwanz.« Cys Stimme zitterte vor Zorn, was ihn so klingen ließ wie ein Erdbeben, das bereit war, alles um sich herum niederzureißen. Die Tatsache, dass er um meinetwillen so zornig war, machte mich seltsam glücklich.

Schließlich brach ein echtes Lachen, unbeschwert und frei aus mir heraus, das gefangen gewesen war. Cy ließ es so klingen, als sei ich tatsächlich eine Zielscheibe gewesen und keine verzweifelte, törichte Frau. Und ich musste zugeben, mir gefielen die Gründe, die er skizziert hatte, warum Chris seiner Meinung nach überhaupt auf mich abgefahren war. Ich hoffte wirklich, dass er mich als eine Frau sah, die ihre Angelegenheiten im Griff hatte, und nicht als eine, die sich täglich abmühte klarzukommen.

Ich sah ihn voller Verlangen an und zog die Brauen hoch, bevor ich vielsagend auf seine Gürtelschnalle schaute.

»Er war nicht so, dass ich darüber unbedingt mit meiner besten Freundin hätte quatschen wollen. Ich habe größere und bessere gesehen.« Seiner verdiente mehr als eine Nachricht an die beste Freundin, er verdiente einen ganzen Roman voller Adjektive und blumiger Bewunderung. Ich würde sogar so weit gehen zu sagen, er verdiente eine Medaille und ein Ehrenabzeichen.

Er zog seinerseits die Brauen hoch, und ein freches Grinsen umspielte seine Mundwinkel. Hitze stieg mir in die Wangen, als wir uns beide daran erinnerten, wie viel größer und besser seiner tatsächlich war.

Ich zog mich in die Realität zurück und gestand ein wenig verlegen: »Das Schlimmste war, wie grässlich ich mich allen gegenüber benommen habe, nachdem es passiert war. Ich habe Emrys vor den Kopf gestoßen. Ich habe zugelassen, dass meine Großmutter, bei der ich aufgewachsen bin, ohne einen richtigen Abschied weit weg an die Ostküste gezogen ist. Ich habe meinen Kollegen den Löwenanteil der Arbeit für den Kosmetikvertrag überlassen, obwohl ich dafür zuständig war, die Recherchen anzustellen. Es ist mir schwergefallen, Chris' Frau in die Augen zu sehen, in dem Wissen, was er hinter ihrem Rücken tat. Ich wollte es ihr erzählen, aber noch wichtiger war es mir, meinen Job zu behalten, und das macht mich zu einer miesen Person und zu einer schrecklichen Frau. Wir Frauen sollten aufeinander aufpassen, denn ein *Mann* wird es niemals tun.«

Ich brachte ihn zum Lachen. »Wann wird der Vertrag mit der Firma seiner Frau auslaufen? Kannst du ihr die Neuigkeit dann überbringen?«

Ich stöhnte und stieß ein frustriertes Knurren aus. »Der Vertrag wird in drei Monaten auslaufen. Dann könnte ich es ihr erzählen, aber ich habe immer noch Angst davor, dass mein Boss davon erfährt und was das langfristig für mich bedeuten würde.«

»Dann sitzt du in der Klemme.« In seiner Stimme war so viel Mitgefühl, was erneut bewies, dass seine harte Schale aufgeweicht wurde durch eine verborgene andere Seite. Ich wollte mich an die Teile von ihm pressen, die fest und steif waren, während ich die Hände auf all das legen wollte, was biegsam und samtweich war. Er war eine gewaltige sensorische Überlastung, und ich wollte jeden einzelnen meiner Sinne sich an ihm gütlich tun lassen. Ich wollte mit der Zunge über seine Haut fahren, während ich den frischen, herben Duft einatmete, der so ganz sein eigener war. Mann und Wildnis, mit einem Hauch Wildwest darin, um das Ganze noch maskuliner und authentischer zu machen. Ich brannte darauf, ihn meinen Namen sagen zu hören, leise und tief. Der Laut würde über nackte Haut grollen und auf ewig in der Abgeschiedenheit um uns herum widerhallen.

»Nun, bei dieser ganzen Reise geht es darum, mich dazu zu zwingen, Risiken einzugehen und Dinge zu tun, die ich normalerweise nicht tun würde. Wenn ich zurückkomme, werde ich vielleicht etwas von diesem neu gefundenen Mut in die Bay Area mitnehmen können.«

Ich wartete darauf, dass er mit etwas Sarkastischem antwortete oder vielleicht mit etwas Süßem, da er mir diese Seite seines Selbst zeigte, wenn ich es am wenigsten erwartete, aber die Maultiere wählten ausgerechnet diesen Moment aus, um abrupt stehen zu bleiben, was Cys Pferd zwang, das Gleiche zu tun. Der plötzliche Halt ließ Boss nervös zur Seite tänzeln, und der Dominoeffekt brachte die ganze Reihe hinter uns in Unruhe.

»Weshalb bleiben wir stehen?«, hallte Lanes Stimme durch die Reihe, und bevor Cy oder ich ihm antworten konnten, platzte von der vor uns liegenden Wegbiegung das Geräusch von etwas Motorisiertem und sehr Deplatziertem in die Stille.

Die Maultiere wieherten nervös, als sie das unverkennbare Brummen eines Motors vor sich hörten. Cys Pferd riss den Kopf hoch, während er darum rang, das große Tier dazu zu bringen, direkt vor mich hinzutreten, statt an den Rand des Pfades und zwischen die Bäume, wohin es sich offensichtlich zurückziehen wollte.

»Klingt nach einem Geländemotorrad«, brüllte Cy Lane zu. Er wirkte gelassen, aber ich sah, wie seine Wirbelsäule pfeilgerade wurde und seine breiten Schultern sich versteiften, als bereitete er sich auf einen Streit vor.

»Hier draußen?« Die Frage kam von einem der beiden verdächtigen Männer, und ich zuckte zusammen, als ich den Blick sah, den Cy seinem Bruder über seine Schulter hinweg zuwarf. Das war etwas, das sie normalerweise nicht erlebten, und es gefiel ihm nicht. Ebenso wenig wie den Pferden. Sie alle wieherten, und ich hörte ihre Hufe auf dem Boden scharren.

Boss tänzelte wild zur Seite, als das Geräusch immer lauter wurde. Cy befahl uns allen, an den Wegrand zu reiten, so gut hintereinander aufgereiht, wie es uns bei den nervösen Pferden möglich war. Er vermutete, wer immer auf den Motorrädern sitze, würde uns sehen und hoffentlich einfach an unserer beunruhigten Reihe vorbeifahren oder anhalten, wenn ersichtlich war, was für ein Aufruhr verursacht wurde. Er hoffte, die Leute würden zustimmen, die Motoren abzustellen, damit die Pferde nicht noch mehr erschreckt wurden. Seine Stimme war so leise, dass nur ich hören konnte, dass die Tiere sicher waren, wenn die Motorradfahrer aus dieser Gegend stammten und die Gepflogenheiten in der Wildnis kannten und akzeptierten.

Das war offensichtlich nicht der Fall. Die Maschinen, die mit Tarnfarben angestrichen waren, röhrten und rasten durch die Bäume und den schmalen Weg entlang, als gehörten ihnen die Berge. Sie schossen viel zu dicht auf die verängstigten Tiere zu, als versuchten sie, sie absichtlich in Panik zu bringen. Es gelang ihnen, denn Erdbrocken flogen überallhin, und ich wusste, wenn es mich durch die Kleidung hindurch schmerzhaft traf, musste es die ungeschützten Pferde noch schlimmer erwischen. Die Männer auf den Geländemotorrädern trugen Tarnanzüge und hatten bedrohlich wirkende schwarze Helme auf, die keinen Teil ihres Gesichtes unbedeckt ließen. Die Motoren heulten auf, und die Reifen bohrten sich in den Boden, als sie vorbeidonnerten, Erde aufwirbelten und Chaos stifteten, während sie mit wenig Rücksicht auf die Pferde oder jene, die darauf saßen und mit deren Nervosität kämpften, vorbeirauschten. Es würde ein übles Ende nehmen. Wir hatten es aus einer Meile Entfernung kommen hören.

Ich hörte Cy fluchen, und Lane brüllte den Männern etwas zu, als sie vorbeischossen, aber dann verlor sich alles in einem Dröhnen und in dreckgespicktem Nebel, als Boss plötzlich durchging. Ich konnte die Angst des großen Tieres spüren, als er einen Satz machte und verzweifelt nach einem Entkommen vor dem motorisierten Brummen suchte, das unseren stillen Nachmittag zerriss. Ich rief den Namen des Pferdes und kämpfte mit den Zügeln, während ich die Absätze meiner Stiefel in seine Flanken bohrte. Er hatte solche Angst, dass er durch den Wald raste und sich nicht darum scherte, dass Äste und Zweige uns beiden die Haut aufrissen. Seine Flanken wogten, und ich hörte, dass er atmete, als sei er im Kentucky Derby angetreten, während ich mich hilflos auf seinem Rücken festklammerte. Ich war hellwach und doch gefangen in einem Albtraum aus meiner Vergangenheit.

Ich erwog es abzuspringen, aber da war nirgendwo eine Stelle ohne Unterholz oder Steine, um sicher zu landen. Ich würde mir das Genick brechen, wenn ich es riskierte, daher blieb nur, mich festzuklammern, als ginge es ums pure Überleben – und zu beten, dass Boss ermüdete, bevor ich mich nicht mehr halten konnte.

Als wir wild und unkontrolliert durch das Gelände jagten, ging mir die ganze Zeit durch den Kopf, dass ich grandios in dem Bemühen gescheitert war, dem Pferd und dem Mann, der mich daraufgesetzt hatte zu zeigen, wer der Boss war, und dass ich wirklich nicht bei dem Versuch sterben wollte, meinem Leben einen Hauch von Risiko hinzuzufügen. Ich wollte nicht, dass die Entscheidung, wieder aufs Pferd zu steigen, allem ein Ende machen würde.

Kapitel 9

Landung auf vier Buchstaben

Ich hatte keine Ahnung, wie lange das Pferd sich durch den unnachgiebigen Wald gepflügt hatte, aber es fühlte sich wie eine Endlosschleife an, in der ich mich erfolglos abmühte, das Tier wieder unter Kontrolle zu bekommen. Entsetzen schnürte mir die Kehle zu, und Angst kratzte mit scharfen Krallen über meine Wirbelsäule. Ich schrie so lange und so laut, dass meine Stimme brach, und irgendwann schloss ich wohl die Augen und betete. Mein Magen schmerzte, so verkrampft war er. Das Einzige, was mich aufrechthielt, war die Tatsache, dass Boss nicht daran interessiert zu sein schien, mich abzuwerfen. Er war jedoch fest entschlossen, so weit wie möglich von dem wegzukommen, was ihn erschreckt hatte, und zwar so schnell es ging. Genau wie Cy es mir prophezeit hatte, als ich das erste Mal in Boss' Sattel gestiegen war. Boss schlängelte sich in einem atemberaubenden Tempo zwischen Bäumen hindurch und sprang über Steine und Büsche.

Er war fest entschlossen, sich in Sicherheit zu bringen, und er würde mich mitnehmen, ob ich es wollte oder nicht. Ich konnte mich nur festhalten, als ginge es um mein Leben, und nutzlos nach den Ästen und Tannennadeln schlagen, die mir die Haut aufrissen. Irgendwann schnellte ein Zweig gegen meine Wange, und ich stieß einen kleinen Schrei aus, weil die Haut aufplatzte und ich spüren konnte, wie mir Blut übers Gesicht rann und vom Kinn tropfte. Ich hatte zu große Angst, das wild gewordene Tier loszulassen, um den dunkelroten Beweis meiner Zwangslage wegzuwischen, daher konnte ich nur frustriert fluchen.

Plötzlich, als wäre mein unausgesprochenes Flehen erhört worden, brach Boss durch eine letzte Baumlinie und galoppierte auf eine Lichtung, die völlig deplatziert in dem üppigen und dichten Wald wirkte. Der weit offene Raum sah aus wie ein bestelltes Feld, das man auf einer Farm vorfinden würde. So fremdartig es in diesem bewaldeten Terrain auch war, war es doch ein Geschenk Gottes, denn die weiche Erde unter den Hufen des Pferdes verblüffte das Tier so, dass es in seinem gestreckten Galopp langsamer wurde und ich mich gefahrlos von seinem Rücken auf den Boden gleiten lassen konnte. Ich landete mit einem kräftigen Aufprall, und natürlich erwischte ich einen Stein dabei. Mir blieb die Luft weg, und der Himmel verschwamm zu einem abstrakten blauen Fleck, während Tränen des Schmerzes meine Augen fluteten.

Ich keuchte und stöhnte, während ich mich auf die Knie hochzog, den Kopf gesenkt und um Luft ringend. Mein Handgelenk schrie vor Schmerz, als es mich wissen ließ, dass es die Hauptwucht des Schadens abgefangen hatte, den der Stein hinterlassen hatte. Jetzt, da Boss von seiner Last befreit war, würde er garantiert seine wilde Flucht durch den Wald fortsetzen, dachte ich. Aber dann stupste seine samtige Nase meinen Kopf an, und es wehte mir das Haar ins Gesicht, als er mir in den Nacken schnaubte. Vermutlich überzeugte er sich davon, dass es mir gut ging, während ich mich hochrappelte und meine Angst unter Kontrolle brachte.

Ich hob den Handrücken an die Wange und rieb nutzloserweise an dem Blut, das dort klebte. Dann streichelte ich die Schnauze, die mich beharrlich anstupste, und versuchte, beruhigende Worte zu murmeln, um das Pferd davon zu überzeugen, dass es mir gut ging. Ich wollte, dass er wusste, dass alles in Ordnung war. Ich wollte ihm sagen, dass ich es nur zu gut kannte, instinktiv und töricht zu handeln, wenn mich etwas erschreckte. Ich machte ihm keinen Vorwurf daraus, dass er genau das getan hatte, was ich in ähnlichen Situationen tat. Ich riss sogar andere mit mir zu Boden, während ich vor dem wegrannte, was immer mir Angst machte, sodass sie unter den Konsequenzen leiden mussten.

»Es ist alles gut«, sagte ich wieder und wieder. Meine Schulter schmerzte, und eine Seite meiner Hüfte pochte. In meinem Kopf begann es zu hämmern. Ich strich mit der Hand über Boss' Hals und musterte ihn, um mich davon zu überzeugen, dass er sich nicht verletzt hatte, als er wie eine Fledermaus aus der Hölle durch Flora und Fauna gerast war. Ich schnalzte mit der Zunge, als ich seine aufgeschürfte Fessel sah, und sorgte mich um eine hässlich aussehende Schnittwunde quer über seinem Hinterbein. Als mich das letzte Mal ein Pferd verletzt hatte, hatte ich mich jahrelang geweigert, ein anderes auch nur anzusehen. Diesmal machte ich mir mehr Sorgen um den Schaden, den das Tier sich zugezogen hatte, als um die Beulen und Prellungen, die ich zurückbehalten würde.

»Armer Kerl. Diese Männer haben dich wirklich erschreckt, nicht wahr?« Boss neigte den Kopf in meine Richtung, und ich rieb meine unverletzte Wange an seiner. »Sie waren Mistkerle, und es steht definitiv fest, dass sie nicht hierhergehören.«

Er schnaubte, dann wieherte er laut und warf warnend den Kopf hoch. Ich versteifte mich neben ihm, als ich Äste knacken hörte und das Hämmern schwerer Hufe. Ein anderer Reiter erschien auf der ungewöhnlichen Lichtung. Ich wusste, dass es mich nicht hätte wundern sollen, dass Cy mir gefolgt war, aber es überraschte mich doch. Ich war außerdem gerührt und fast überwältigt von dem besorgten Ausdruck auf seinem Gesicht. Ich wusste, dass es ihm um sein Pferd gehen musste und wie mein wilder Ritt sich auf sein Geschäft auswirken würde, aber ich wusste auch ohne jeden Zweifel, dass etwas von seiner Angst und Beunruhigung mir galt.

Er schwang sich aus seinem Sattel, bevor sein Pferd ganz stand. Dann legte er die Arme um mich und zog mich an sich, bevor ich ein Wort herausbringen konnte, um ihm zu sagen, dass Boss und ich zwar ordentlich durchgeschüttelt worden waren, dass es uns aber eigentlich gut ging. Seine Finger schoben sich in mein Haar, bevor ich wieder zu Atem kommen konnte. Er hatte mich mit hartem Griff zu sich herumgerissen, und sein gieriger Mund war auf meinem gewesen, bevor ich registrieren konnte, dass sein Herz raste und dass ein feines Beben seinen ganzen Körper zu durchlaufen schien. Die Hände in meinem Haar waren verzweifelt und zitterten. Die Lippen auf meinen waren fordernd und brutal.

Er küsste mich, um sich davon zu überzeugen, dass ich an einem Stück geblieben und unversehrt war.

Er küsste mich, weil er sich um mich sorgte.

Er küsste mich, weil das die einfachste Methode für einen Mann wie ihn war, all die komplizierten Gefühle zu übermitteln, die zwischen uns beiden pulsierten.

Er küsste mich, weil ich es ihm erlaubte und ihn nicht daran hinderte, selbst als er Anstalten machte, sich zu lösen.

Ich schlang meinen unversehrten Arm um seinen Hals, stellte mich auf die Zehenspitzen und drückte meine Lippen auf seine, während mich die Bestätigung durchströmte, dass ich am Leben war und noch viele Dinge erleben würde, bevor meine Zeit auf diesem Planeten abgelaufen war.

Unsere Zungen spielten miteinander, und ich ließ meine Zähne über die feuchte Wölbung seiner Unterlippe gleiten. Ich konnte seine Furcht dort schmecken, und sie war süß, denn es war Furcht um mich. Er hauchte mir Leben und Leidenschaft ein, während ich alles in mich aufnahm und versuchte, meinerseits zu beruhigen und zu trösten. Ich hatte nie gewollt, dass jemand mich verließ, aber ich hatte auch nie jemandem wirklich erlaubt, für mich da zu sein, wenn ich ihn gebraucht hatte. Ich hatte Menschen immer von mir gestoßen, aber als sein Mund meinen in Anspruch nahm, war es mir unmöglich, Cy nicht enger an mich zu ziehen. Ich seufzte, als er leise »Scheiße, Gott sei Dank« murmelte, sich von mir löste und dann seine Stirn an meine bettete.

Eine seiner Hände entkam dem unordentlichen Gewirr

meines Haares und strich mir langsam über meine aufgerissene Wange und mein Kinn. Seine Berührung war federleicht und kaum merklich, aber ich spürte sie wie eine Tonne Ziegelsteine. Als er ganz weich wurde, genügte das, um mich aufzusprengen. Seine Sanftheit war ein Funke, der mich innerlich schmelzen ließ. Seine Hand legte sich um meinen Hals, und sein Daumen strich über meinen Puls, als zählte er meine Herzschläge und überzeugte sich davon, dass alles in Ordnung war.

»Es hat mir eine Scheißangst gemacht, als Boss sich losgerissen hat. Dieser nervöse Mistkerl hat dich fast fünf Meilen von der Stelle weggebracht, wo wir waren. Er sieht aus wie ein Mordskerl, aber im Inneren ist er ein großes Baby. Ich dachte, ich würde dich an einen Baum geklatscht oder auf dem Boden vorfinden, mit gespaltenem Schädel. Ich hätte wissen sollen, dass du auf dich aufpassen kannst.«

»Ich habe nichts anderes getan, als mich festzuhalten.« Meine Stimme war ebenso zittrig wie seine Hände, aber ich klang angetörnt, nicht ängstlich, und diese Tatsache erfüllte mich mit einem seltsamen Gefühl des Stolzes.

Cy zog sich zurück, und die Hand auf meiner Kehle glitt in die Mitte meiner Brust. Die Knöpfe meiner Bluse sprangen auf, als seine Hand sich auf die Stelle legte, wo mein Herz raste und stumm um mehr bettelte. Seine Hände waren nicht weich oder glatt. Die Tatsache, dass er mit den Händen arbeitete, um sich seinen Lebensunterhalt zu verdienen, war auf meiner Haut zu spüren, die Rauheit ließ mir den Atem stocken und die Knie weich werden. Der Ausdruck in seinen Augen, als er mich beobachtete, während er versuchte, durch den zarten Käfig, in dem es gefangen war, mein Herz zu berühren, ließ meine Brustwarzen zu harten Spitzen werden, und Begehren pochte in dem heißen, feuchten Ort zwischen meinen Beinen. Der Mann brauchte mich nur mit diesen wolkenfarbenen Augen anzusehen, und ich wurde feucht vor Verlangen und bekam schwache Knie, so sehr brauchte ich ihn.

»Manchmal muss man einfach das Beste aus einer schlechten Situation machen. Du hast dich festgehalten, als es so viel einfacher gewesen wäre loszulassen.« Seine Worte dröhnten durch seine Brust, und ich spürte, wie sie sich ihren Weg durch mich hindurchbahnten.

Ich wollte festhalten – ihn und diese Frau, die ich war, während ich mit ihm hier draußen war –, aber dies war weder der richtige Ort noch die richtige Zeit dafür. Es verwirrte mich auch nach wie vor, wo genau wir uns in dem scheinbar endlosen Wald befanden.

»Warum ist diese Lichtung hier? Ich habe sie von dem Felsen aus gesehen, als wir neulich geklettert sind, und ich fand es seltsam, und jetzt, da ich mitten auf dieser Lichtung stehe, weiß ich erst recht, wie seltsam sie ist. Sie gehört nicht hierher.«

Cy entfernte sich von mir und bückte sich, um die Verletzungen an Boss' Beinen zu untersuchen. Er strich besänftigend über die Flanken des Tieres, und seine Behutsamkeit dem Pferd gegenüber schnürte mir das Herz zusammen. Ich mochte ihn, wenn er schroff und unzugänglich war. Ich mochte ihn noch mehr, wenn er freundlich und aufmerksam war.

»Wenn ich dazu neigen würde, Wetten abzuschließen, würde ich gutes Geld darauf setzen, dass dieses Feld und die Männer auf den Motorrädern miteinander zusammenhängen.« Er drückte den Rücken durch und stemmte die Hände in die Hüften. »Ich würde ebenfalls darauf wetten, dass sie diejenigen waren, die neulich Nacht hinter dem Pistolenschuss gesteckt haben. Dieser Teil des Wanderwegs ist ziemlich abgelegen, denn er führt auf die Berge hoch. Nur unsere geführten Reisegruppen und Jäger benutzen diesen Weg. Ich denke, wir stehen auf irgendjemandes Plantage.« Er klang grimmig, und der Ausdruck auf seinem Gesicht passte zu seinem Tonfall.

»Eine Plantage?« Wir waren in Wyoming, nicht in Kolumbien oder Mexiko. »Du meinst, ein Marihuanafeld?«

Er nickte und nahm Boss' Zügel in eine Hand und die seines eigenen Pferdes in die andere. »Mit Pott kann man im Nachbarstaat und einige Staaten westlich von uns gute Geschäfte machen. Die Leute, die Marihuana anbauen, haben ihren Weg in die Berge gefunden, um Pflanzen zu züchten und sie dann in die Staaten zu transportieren, wo sie legal sind. Ich habe es hier noch nicht gesehen, aber einige Rancher außerhalb von Montana, mit denen ich Geschäfte mache, hatten mehrere Hektar Gras auf ihrem Besitz, ohne davon zu wissen. Sie waren ahnungslos, bis die Drogenbehörde mit Haftbefehlen an ihre Türen geklopft hat. Es sieht aus, als sei das ein Problem, das seinen Weg hierher gefunden hat, und wir befinden uns unglückseligerweise mittendrin.«

»Warum sollte man hier Pott anbauen, wenn es anderswo legal ist?« Es verwirrte mich immer noch, was hier los war und was es für uns bedeutete, da wir uns nach wie vor mitten im Nirgendwo befanden und noch einen mehrtägigen Ritt vor uns hatten, bis wir wieder in der Zivilisation ankommen würden.

»Wenn die Behörden involviert sind, bedeutet das Gebühren und Vorschriften. Normalerweise schätzen es die Leute nicht, die mit Drogen handeln, gesagt zu bekommen, was sie tun dürfen. Und es gefällt ihnen nicht, dem Fiskus einen Teil ihrer Gewinne zu überlassen. Sie bauen die Drogen an Orten an, die schwer zu erreichen sind, mitten im Wald; an Orten, an denen selten andere Menschen auftauchen. Sie können die Drogen für gutes Geld an die Zwischenhändler verkaufen, ohne sich Sorgen machen zu müssen, dass man ihnen Steuern abverlangt und Vorschriften aufdrängt. Das ist nicht gut. Wir sind diesem Unternehmen gefährlich nah, und sie lassen es uns wissen. Wir müssen zurück und eine andere Route nehmen. Ich werde uns alle hinunterführen, damit wir dem Fluss folgen können. Dort sind mehr Menschen, und es ist wahrscheinlich, dass die Verantwortlichen für diese Plantage Gegenden mit mehr Menschen meiden. Ich muss außerdem zusehen, dass ich Sutton erreichen kann, bevor er zu uns aufbricht. Ich muss ihn bitten, die Behörden zu verständigen. Ich will nicht, dass er bei all diesen Sachen, die hier passieren, allein reitet.« Sein Blick wanderte über mich hinweg, und seine Mundwinkel zogen sich nach unten. »Fühlst du dich gut genug, um zu reiten? Ich kann dich nicht wieder auf Boss setzen, bis wir seine Schnittwunden mit Salbe behandelt und ihn verbunden haben, aber wir können beide auf Edgar reiten.«

Ich hob den Arm und schnappte vor Schmerz nach Luft, als mein Handgelenk protestierte und ein scharfer Schmerz in meinen Ellbogen und darüber hinaus schoss. Um mich auf etwas anderes zu konzentrieren, damit ich mich vor Schmerz nicht übergab, keuchte ich: »Du hast dein Pferd Edgar genannt?«

Er verzog das Gesicht. »Er war ein Hochzeitsgeschenk meines Dads, als ich wieder nach Hause gekommen bin. Er sollte eigentlich Selah gehören. Sie hat Edgar Allen Poe geliebt.«

Ich ging zu ihm hinüber und legte ihm eine Hand auf den Arm. Die Muskeln spannten sich unter meinen Fingern an, und seine Augen wechselten von Sturmfarben zu Grafit. »Und ihr solltet einander lieben, *heißer als Liebe liebt.*« Die Zeile stammte aus *Annabel Lee*, meinem Lieblingsgedicht von Poe. Irgendwie fühlte sich die Zeit mit Cy, auch wenn es nur Tage und Minuten gewesen waren, wichtiger an als jede andere davor.

»Hat nicht so ganz geklappt.« Die Worte waren schroff, genau wie der Mann, der sie leise und tief murmelte. Ich spürte sein Bedauern und seine Reue. Es machte mir den Unterschied klar, ob man jemanden verlor, den man wirklich liebte, oder jemanden, von dem man nur dachte, man würde ihn lieben. Mein Herz tat weh, aber es erholte sich bereits langsam von Chris' Misshandlungen. Wenn Cy über seine Vergangenheit sprach und was er dort zurückgelassen hatte, war offensichtlich, dass seine Ex-Frau einen großen Brocken seines Herzens mitgenommen hatte, als sie fortgegangen war.

Ich drückte den Arm, an dem ich mich festhielt, und fragte: »Klappt es je?« Ich meine, meine Großeltern hatten sich auf diese Weise geliebt, aber das war das einzige Beispiel, das mir einfiel.

Wir sahen einander einen langen, stummen Moment an, und sein Blick suchte meinen mit undeutbarer Intensität. Schließlich streckte er die Hand mit dem ledernen Zügel, der darum geschlungen war, aus und strich mir mit den Knöcheln über die Wange. Als er die Hand sinken ließ, waren seine Finger rostrot, und ich erinnerte mich daran, dass ich immer noch blutete. Jetzt war nicht der Moment, um mir zu gestatten, sentimental wegen Dingen zu werden, die niemals hatten sein sollen. Es hatte auch keinen Sinn, mir zu gestatten, mich in einen Mann zu verlieben, der nicht für mich bestimmt war … Aber mein Herz ignorierte meinen Kopf ziemlich nachdrücklich.

Er deutete mit einem Nicken auf den Sattel und bedeutete mir damit, aufzusteigen. »Manchmal bekommen wir mehr, als wir erbeten haben, weil wir uns so lange mit weniger begnügt haben. Wenn du Buße getan hast, wirst du irgendwann belohnt werden.«

Mit brennendem Handgelenk und hämmerndem Kopf brauchte ich seine Hilfe, um auf das Pferd zu steigen. Das schloss eine Hand auf meinem Hintern ein und einen Stoß, aber es genügte und lenkte mich von der Tatsache ab, dass ich wieder auf einem Pferd saß, so kurz nach dem furchteinflößenden Ritt durch den Wald. Es kam mir nicht einmal in den Sinn mich zu sträuben und mich zu weigern, wieder zu reiten, was eine Offenbarung war. Es gab mir das Gefühl, mutig und stolz zu sein. Es fühlte sich an, als sei meine Mission, mein Selbstbewusstsein wiederzufinden, fast vollendet.

Cy schob Boss näher an Edgar heran, damit er sich hinter mir in den Sattel schwingen konnte. Ganz gleich, wie weit ich auf dem Sattel nach vorn rutschte, sein kräftiger Körper und seine Wärme beanspruchten allen verfügbaren Platz, daher widersprach ich nicht, als er mir einen muskulösen Arm um die Taille legte und mich an seine Brust zog. Es fühlte sich an wie eine Umarmung, die mehr war als ein Haltgeben, und es gefiel mir, dass selbst sein Trost eine Mischung aus seiner Härte und seiner Weichheit war. Der Mann war eine berauschende Mixtur aus beidem, und ich wurde in einem erschreckenden Tempo süchtig nach ihm.

Ein Weilchen ritten wir schweigend und langsam, aber stetig, um Boss mit seinen verletzten Beinen zu schonen. Ich sah die abgebrochenen Zweige und die aufgewühlte Erde, wo er durch den Wald gestürmt war. Es war glasklar, dass jedwede zwielichtigen Charaktere, die an einem abgelegenen Ort Drogen anbauten, der Fährte zu den anderen folgen konnten.

Ich hatte Angst davor, über etwas zu stolpern, das wir offensichtlich nicht finden sollten, aber ich wusste, dass Cy tun würde, was immer notwendig war, um mich und den Rest der Leute zu beschützen. Er war kein Cowboy, aber er war ein guter Mann, ein Mann, der die Verantwortung für Menschen in seiner Obhut ernst nahm. Er war ein Mann, der sich zwischen jede Gefahr und jene stellen würde, die seinen Schutz brauchten.

»Woher weißt du, dass du Buße getan hast?« Ich stellte die Frage so leise, dass ich mir nicht sicher war, ob er mich hörte.

Sein Arm umfasste mich fester, während ich meine Finger zwischen seine schob, und mein anderes Handgelenk an seine Brust drückte, um es vor dem schaukelnden Gang des Pferdes zu schützen.

»Du weißt es einfach. Plötzlich ist etwas oder jemand vor dir, von dem du weißt, dass du es oder ihn nicht verdient hast.«

»Was ist, wenn du es nur kurz vor dir siehst? Ist es wirklich eine Belohnung, wenn du keine Zeit hast, es voll zu würdigen?« Ich rieb mit dem Daumen über sein Handgelenk und spürte, wie sein Puls unter der Liebkosung in die Höhe schnellte.

»Natürlich ist es das, selbst wenn du nur einen Moment oder ein Weilchen oder einen Tag das Vergnügen hast zu genießen, hast du es immer noch erlebt. Das Erlebnis wird dir auf ewig bleiben, und das ist der Lohn. Niemand kann dir diese Erinnerungen wegnehmen. Niemand kann dich der Augenblicke berauben, die du hattest. Selbst wenn die Trophäe nicht mehr existiert, hast du sie trotzdem gewonnen, und dieser Sieg währt ewig.«

Mein Kopf tat weh, genau wie mein Herz. Der Schmerz in meiner Brust unterschied sich gewaltig von dem, der nach Chris' Machenschaften und Manipulationen dort existiert hatte. Dieser neue Schmerz war dumpf und tief. Es war einer, der jeden verfügbaren Raum einnahm und mir eins ganz klarmachte: Wenn ich diesen Ort und diesen Mann verließ, war es gut möglich, dass ich mit ihm auch einen Teil meiner selbst verlassen würde.

»Ehrlich, ich habe mich noch nie so sehr wie ein Preis gefühlt. Wie bereits erwähnt, meine Mutter war ebenfalls ein Wrack, aber das ist etwas anderes. Sie ist versehentlich geschwängert worden, und meine Großeltern mussten sie anflehen, mich zu behalten. Sie hat mich in der Sekunde, in der ich meinen ersten Atemzug tat, im Stich gelassen. Sie war immer da, als ich aufgewachsen bin, aber sie war niemals in meinem Leben, was die Tatsache, dass sie nichts mit mir zu tun haben wollte, noch offensichtlicher machte. Meine Großeltern haben sich zu Tode geschuftet, um dafür zu sorgen, dass ich eine wunderbare, glückliche und sichere Kindheit hatte. Sie haben mich mehr geliebt als die meisten richtigen Eltern ihre Kinder. Aus irgendeinem Grund hat das niemals etwas an der Tatsache geändert, dass ich mich unerwünscht fühlte. Die Zurückweisung meiner Mutter hat mich defensiv und misstrauisch gemacht. Ich lasse niemals jemanden sehr nah an mich heran. Ehrlich, die einzige Person, die sich geweigert hat, meine Grenzen und meine Schilder mit der Aufschrift *DRAUSSEN BLEIBEN* zu respektieren, war Em.« Ich lachte leise. »Ich vermute, sie hat sich so ins Zeug gelegt, weil ich so erpicht darauf war, sie nicht als Freundin zu haben. Sie hatte es satt, von anderen Frauen benutzt zu werden, weil sie so hübsch und so beliebt war und ist. Alle wollten sich in ihrem Licht sonnen, und mir ging es nur darum, mich in dem Schatten zu verstecken.«

Er rieb sein Kinn an meinem Kopf, und einige meiner lockigen Haare verhedderten sich in seinem Bart.

»Vielleicht ist sie einfach schlau. Alles, was kostbar und wertvoll ist, wird normalerweise hinter Glas aufbewahrt. Es erfordert jemanden, der keine Angst vor scharfen Kanten und Scherben hat, um an die Schätze heranzukommen. Deine Freundin macht nicht den Eindruck, als hätte sie vor besonders viel Angst. Wildheit steht in ihren Augen, und Abenteuer liegt ihr im Blut. Selbst mit all den verrückten Dingen, die bei diesem Ritt passiert sind, amüsiert sie sich so gut wie noch nie im Leben. Sie hat keine Angst vor ein wenig Arbeit, und ich kann fast garantieren, dass sie gewusst hat, dass die Kratzer und Schnittwunden beim Durchbrechen deines Schildes die Freundschaft wert sein würden.« Mr Charakterkopf hatte Mr Philosoph Platz gemacht, und seine Worte bewirkten etwas in meinem Innern, das nie wieder rückgängig gemacht werden konnte.

»Für einen Mann, von dem alle sagen, er könne nicht besonders gut mit Menschen umgehen, hast du eine Gabe, dich auf sie einzulassen und sie zu verstehen, die ziemlich bemerkenswert ist.«

Ich konnte das Lob nicht aus meinem Ton heraushalten, aber er weckte in mir den Wunsch, ihn zu schlagen, als er trocken antwortete: »Nur Frauen, erinnerst du dich? Ich kenne mich mit Frauen und Pferden aus.«

Ich wünschte, ich hätte mich umdrehen und ihn anfunkeln können, aber ich wollte es nicht riskieren, das Gleichgewicht zu verlieren, daher begnügte ich mich mit einem schnippischen: »Tust du die meiste Zeit einfach so, als wärst du ein Mistkerl, damit deine Brüder dich nicht damit nerven, mehr Kontakt zu den Gästen zu haben?«

Er gab einen tiefen, kehligen Laut von sich, eine Mischung zwischen einem Lachen und einem Grunzen. »Ich habe weder die Zeit noch die Geduld für die meisten der Menschen, die hierherkommen und Cowboy spielen wollen. Ich bin zu beschäftigt damit, mich um meine Familie und mein Land zu kümmern, um mir die Zeit zu nehmen, Gefühle in jemanden zu investieren, der nur wenige Tage in meinem Leben sein wird. Ich bin glücklich darüber, mit ihnen Geld zu verdienen und es ihnen eine Weile schön zu machen, aber es schert mich nicht, wer sie sind oder woher sie kommen. Gelegentlich findet eine hübsche Frau aus der Stadt den Weg in mein Bett, bevor sie nach Hause zurückkehrt, und wir haben beide eine angenehme Erinnerung an ihren Besuch hier. Wer sie ist, spielt keine Rolle für mich, nur was sie bereit ist zu geben.«

Ich versteifte mich bei diesem speziellen Eingeständnis, doch wie alles an ihm war seine Aufrichtigkeit echt und ungefiltert.

»Aber es spielt eine Rolle für mich, wer du bist, Leo. Ich will wissen, warum du diejenige bist, die mir ständig im Kopf herumspukt.« Er beugte sich vor, und seine Lippen waren plötzlich an meinem Ohr. »Du hast mich wütend gemacht und mich angetörnt in der Sekunde, als du den Mund geöffnet hast. In dieser Sekunde wusste ich, dass du aus irgendeinem Grund meinetwegen hier bist. Wir bekommen nur diesen Augenblick, Sonnenschein, nur einen einzigen, also muss es für dich genauso viel bedeuten wie für mich.«

Ich drehte den Kopf ein klein wenig, um meine Lippen auf seine zu drücken. Es war nur die zarte Berührung von Lippen, aber es war ein Kuss, der Bände sprach. Ich wollte ihn, und ich wollte so viele Augenblicke, wie wir nur in die kurze Zeitspanne hineinzwängen konnten, die uns zusammen blieb.

»Es bedeutet mir etwas, und du bedeutest mir etwas, Cy.« Und jeder Augenblick bedeutete etwas, jeder, den wir hatten, ganz gleich, was wir taten. Er machte mich wütend, er machte mich glücklich. Er törnte mich an und reizte mich mit einem Wechselbad seiner Stimmungen, aber bei ihm fühlte ich mehr als je zuvor, denn ich rannte nicht weg vor diesen Gefühlen. Ich konnte weder sie noch meine Reaktion auf ihn kontrollieren, und das ängstigte und erregte mich gleichermaßen. Innerlich bombardierte mein Kopf mein Herz mit allen möglichen hässlichen, schmerzhaften Warnungen. Doch mein zartes und frisch erhelltes Herz beschloss, nicht zuzuhören. Lane hatte recht, in der Liebe gab es keinen Platz für Vernunft.

Kapitel 10

Langsamer als gedacht

Als wir wieder auf dem Weg waren, wo alle ängstlich auf unsere Rückkehr gewartet hatten, war der Empfang alles andere als herzlich. Emrys schwirrte sofort um mich herum und verschwendete keine Zeit, mit den begrenzten Vorräten, die die Brüder in einen winzigen Erste-Hilfe-Kasten gepackt hatten, mein zerkratztes Gesicht in Angriff zu nehmen. Sie entschuldigte sich überschwänglich, dass sie mich zu der Reise gezwungen hatte, obwohl sie gewusst hatte, wie nervös ich bei dem Gedanken gewesen war, wieder auf ein Pferd zu steigen.

Ich sagte ihr nicht weniger als hundert Mal, dass es mir innerlich und äußerlich gut gehe, aber sie war gefangen in einem Strudel der Schuldgefühle. Nichts, was ich ihr sagte, keine noch so eindringlichen Beteuerungen, die ich ihr entgegenschleuderte, schienen zu ihr durchzudringen. Ich ließ sie um mich herumwirbeln, während Cy sich um Boss kümmerte und mit leiser, ernster Stimme mit Lane sprach.

Marcus und Meghan machten spitze Bemerkungen darüber, dass die Reise nicht die friedliche, entspannende Verbindung mit der Natur sei, die sie erwartet hätten. Und Evan funkelte mich an, als sei ich persönlich verantwortlich für alles, was in ihrem Leben schiefging. Ich hörte sie sogar mit ihrem Bruder tuscheln, ich hätte mein Pferd absichtlich durchgehen lassen, damit ich einen Vorwand gehabt hätte, Zeit mit Cy allein zu verbringen, und damit er gezwungen sei, seinen Sattel mit mir zu teilen. Zu Ethans Ehren sei gesagt, dass er die Augen verdrehte und ihr antwortete, sie solle sich ein eigenes Leben anschaffen, aber das hinderte das Mädchen nicht daran, mir böse Blicke zuzuwerfen. Und es erstickte auch nicht die Eifersucht, die sie verströmte.

Lane erklärte allen den Plan, einige Meilen durch den Wald zu reiten, um zurück zum Fluss zu gelangen, damit wir alle sicher waren. Ohne zu erwähnen, worüber wir tief im Wald gestolpert waren, teilte er den anderen mit, der Schuss einige Nächte zuvor, gepaart mit den Motorrädern heute, mache diese Route zu unberechenbar, und die Sicherheit der Gruppe müsse Priorität haben. Er versprach, dass unser Ritt uns schnell in die Natur und die unverdorbene majestätische Wildnis von Wyoming zurückbringen würde. Er verkaufte den Kindern die Idee, unten am Fluss zu sein, indem er an einem der folgenden Tage eine Tour mit Reifenschläuchen durch die leichten Stromschnellen in Aussicht stellte. Die Erwachsenen waren schwerer zu überzeugen.

Marcus murmelte etwas über eine Rückerstattung wegen der Änderung der Pläne, aber ich war mir ziemlich sicher, dass er nur redete, um sich selbst sprechen zu hören. Meghan war seiner Anmaßung und seines Getues schon lange leid. Sie mochte die Reise begonnen haben, um zu versuchen, ihre zersplitterte Familie zusammenzukitten, aber irgendetwas sagte mir, dass sie, sobald sie wieder in der Stadt waren, das, was hinüber und nur noch Last war, abwerfen würde. Sie bat ihren Mann, still zu sein, und versicherte Lane, dass sie mit Freuden tun würden, was immer notwendig sei, um den Rest der Reise ungefährdet zu genießen. Sie dankte ihm auch dafür, dass er das Interesse ihrer Kinder im Sinn hatte, während sie ihrem Mann einen Blick zuwarf, der ihm sagte, dass er das vielleicht eines Tages auch einmal versuchen sollte.

Webb und Grady schimpften ebenfalls über die Veränderung der Reiseroute. Sie schienen beide übermäßig interessiert daran zu sein, woher die Männer auf den Bikes gekommen und wohin sie gefahren waren. Sie stellten sowohl Cy als auch Lane eine Tonne Fragen, die die Brüder entweder nicht beantworten konnten oder wollten. Grady schlug sogar vor, dass jemand den Männern auf den Motorrädern folgen solle, um sie dafür zur Rechenschaft zu ziehen, dass sie die Pferde erschreckt und mich in Gefahr gebracht hatten. Er sah mich sogar um Unterstützung heischend an, als er die verrückte Idee versprühte.

Cy reagierte mit einem »Nein«, das null Spielraum für Widerspruch ließ. Ich konnte erkennen, dass er besorgt war und dass ihn die Bedenken aller anderen mit Ungeduld erfüllten. Er konnte Sutton nicht erreichen, als er über das Satellitentelefon auf der Ranch anrief. Brynn sagte ihm, dass der mittlere der Warner-Brüder bereits auf dem Weg zu uns sei, und das ohne irgendeine Warnung vor der Gefahr, die ihm drohen konnte. Sowohl Cy als auch Lane waren noch angespannter, nachdem Brynn ihnen diese Information übermittelt hatte, und es war klar, dass sie wollten, dass wir unsere Sachen packten und uns so schnell wie möglich zu einem neuen Ort begaben. Die einzig gute Neuigkeit war, dass Brynn zugestimmt hatte, die einheimischen Ranger zu verständigen und ihnen mitzuteilen, was passiert war. Cy gab ihr unsere ungefähren Koordinaten durch und sagte ihr, sie müsse jeden warnen, der sich auf den Weg mache, der Sache auf den Grund zu gehen. Er betonte, dass die Leute, die unsere Reise gestört hatten, bewaffnet seien, weil er annehme, dass die Männer auf den Motorrädern dieselben waren, die mitten in der Nacht geschossen hatten. Sie mussten als gefährlich gelten. Trotz des Knisterns der Leitung war die Sorge in Brynns Stimme überdeutlich zu hören, als sie Cy bat, auf sich und Lane aufzupassen.

Als es Zeit war, zum Fluss hinunterzureiten, bot Evan mir mit gespielter, großäugiger Unschuld ihr Pferd an. Boss bewegte sich immer noch viel langsamer als zuvor und belastete überwiegend ein Hinterbein. Ich nahm ihr Angebot an, obwohl ich wusste, dass sie versuchte, auf Cys Pferd zu gelangen, wenn ich ihren Platz einnahm. Glücklicherweise befahl ihre Mutter, bevor das Mädchen eine Szene machen konnte, sich das Pferd mit ihrem Bruder zu teilen. Es war offensichtlich, dass keiner der Geschwister begeistert über die Aussicht war, aber ich hätte Meghan gern dafür abgeklatscht, dass sie endlich ihren Job machte.

Ich war nicht die Einzige, die das Gefühl hatte, ein Stück von sich selbst wiederzufinden, das verloren gegangen war, indem wir hier hinausgeritten waren und Dinge getan hatten, die wir normalerweise nicht tun würden.

Aus irgendeinem Grund wollte ich wirklich, dass Meghan ihr Leben zurückbekam. Ich wollte es für sie und ihre Kinder. Ich wollte wirklich, dass der ahnungslose und ätzende Herr Papa eine Dosis gerechter Vergeltung bekam. Ich sah immer noch keinen Weg, Chris' Frau zu sagen, was er trieb, ohne dass es auf mich zurückfiel. Aber nachdem ich beobachtet hatte, wie diese Frau die ganze Woche lang unter der unfreundlichen Fuchtel eines Mannes gelitten hatte, der sie lieben sollte, verspürte ich mehr und mehr den Drang, mit Chris' Frau reinen Tisch zu machen. Unwissenheit war kein Segen.

Ich brauchte Hilfe, um auf das Pferd zu steigen, denn mein Handgelenk war geschwollen und nahm zunehmend eine furchteinflößende Schattierung von Dunkelviolett an. Es brannte so heftig, dass ich kaum atmen konnte, und es war praktisch unmöglich, meinen Arm zu bewegen. Lane kam herbei, um mich hochzuheben; doch er wurde rüde von seinem großen Bruder aus dem Weg gestoßen, als Cy dessen Hände um meine Taille bemerkte. Diesmal brauchte ich mehr als eine Hand auf meinem Hintern, um in den Sattel zu kommen, und dann konnte ich die Grimasse nicht verbergen oder das Aufkeuchen von Schmerz, das mir entwich, als ich mich vorbeugte, um nach den Zügeln zu greifen.

Cy warf mir einen besorgten Blick zu. »Wirst du es schaffen?«

Ich brauchte eine Minute, um wieder zu Atem zu kommen, damit ich Worte bilden konnte. Als ich es tat, klang meine Stimme schwach und zittrig. »Ich werde es schaffen. Ich habe nicht wirklich eine Wahl.«

Er nickte grimmig. »Wenn Sutton uns findet, werde ich ihn und Lane unseren Ritt beenden lassen und dich zurück zur Ranch bringen, damit ein Arzt sich dieses Handgelenk ansieht. Es könnte gebrochen sein. Emrys kann nach dem Ritt wieder zu dir stoßen. Es sollte nur einen Unterschied von einem Tag machen, wenn wir uns beeilen.«

Ich war nicht begeistert von dieser Idee und wusste, dass Em sie hassen würde. Sie schwirrte bereits um mich herum wie eine Glucke. Wenn sie wusste, dass ich so starke Schmerzen hatte, würde sie auf keinen Fall zulassen, dass Cy allein mit mir verschwand. Da musste ich wohl irgendwie durch. Fürs Erste konzentrierte ich mich jedoch darauf, im Sattel zu bleiben und nicht jedes Mal ohnmächtig zu werden, wenn ich durchgeschüttelt wurde.

»Ich komme zurecht.« Ich hatte eins endlich verstanden: Wenn man herumgeschubst, verletzt und sogar im Stich gelassen wurde, war es möglich, sich davon zu erholen, man musste nur den Willen haben, es zu versuchen. Hölle, Cy lebte mit einem halben Herzen und war immer noch mehr Mann und ein besserer Mensch als die meisten Leute, die unversehrt durchs Leben spazierten. Mein Gemüt würde heilen, und ich würde weiterleben und mich durchkämpfen. Es war ein Wissen, das mir Kraft gab, und es schloss endlich die Tür zu all den Zweifeln und der Unsicherheit, die mein ganzes Selbstbewusstsein und meine Überzeugungen verdrängt hatten.

»Braves Mädchen.« Cyrus tätschelte meinen Oberschenkel und drückte ihn.

Während des Ritts zum Fluss hinab knirschte ich mit den Zähnen, mein Magen krampfte sich zusammen, und meine Knöchel wurden weiß. Zweimal hätte ich mich beinahe übergeben, und meine Sicht trübte sich einige Male, und das so sehr, dass Cy mir die Zügel abnahm und das

Pferd führte, auf dem ich saß, weil ich es nicht mehr halten konnte und es kaum fertigbrachte, im Sattel zu bleiben. Emrys fragte mich alle fünf Minuten, ob es mir gut gehe, und Evan warf mir immer noch biestige, verärgerte Blicke zu. Es war schlimm, und ich war ein Wrack. Mein Gehirn schrie mir zu aufzugeben, mich dem Schmerz zu überlassen und den allumfassenden Gefühlen von Nutzlosigkeit und Hoffnungslosigkeit, die unter der Oberfläche brodelten.

Als wir eine Stelle erreicht hatten, die flach und weit genug vom Flussufer entfernt war, um nicht überflutet zu werden, falls es regnete, war ich nur noch ein Bündel aus Qual und Pein. Bei der leichtesten Bewegung brannten Tränen in meinen Augen, und ich keuchte bei jedem Atemzug. Ich konnte nicht ohne Hilfe vom Pferd steigen, was bedeutete, dass ich buchstäblich in Cys wartende Arme fiel. Er fing mich auf, ohne sich zu beschweren, aber der verschlossene Ausdruck auf seinem Gesicht sagte mir, dass man mir mein Leiden ziemlich klar ansah.

»Du warst weiß wie ein Geist, als wir losgeritten sind, und jetzt bist du grau mit einer Prise Grün darin, damit es interessant bleibt.« Ich konnte mich nicht länger aufrecht halten. Ich brach zusammen, und meine Stirn traf mitten auf seine Brust, während er die Arme um mich schlang, um mich halbwegs vertikal zu halten.

»Das war hart.« Die Worte verschwammen miteinander und ergaben nicht viel Sinn. Ich hatte das Gefühl, hundert Nickerchen und eine Million Schmerztabletten zu brauchen.

»Das war es, aber du hast es geschafft.« Er drehte den Kopf und sagte Lane, der mich ebenfalls beobachtete, als könnte ich jeden Moment umkippen: »Ich werde sie zurückbringen. Sie reißt sich nur mit Mühe zusammen, und ihr Handgelenk könnte gebrochen sein.«

Die Falte zwischen Lanes Brauen grub sich tiefer in sein gut aussehendes Gesicht hinein. »Bist du dir sicher, dass das ungefährlich ist? Was ist, wenn dir unterwegs etwas zustößt? Dann wird sie ganz allein mit einem kaputten Flügel dastehen.«

Der Gedanke daran, erneut auf ein taumelndes, trabendes Pferd zu steigen, ließ mich laut aufstöhnen, und ich hob meine gesunde Hand, um zu protestieren. »Ich steige nicht wieder in einen Sattel. Das Handgelenk ist nicht gebrochen. Ich habe vielleicht einen Haarriss, schlimmstenfalls. Es ist verstaucht und geschwollen, aber ich werde es überleben. Das Geholpere auf dem Rücken eines Pferdes macht das alles nicht besser, und es fühlt sich so an, als würde es mich umbringen.« Und ich wollte nicht darüber nachdenken, was mit mir passieren würde, wenn ich allein im Wald landete.

»Es gibt nur eins, was wir tun können: Wir machen eine Trage für sie, wenn sie nicht zur Ranch zurückreiten will. Ich werde die Hand gründlicher untersuchen, sobald ich sie vor neugierigen Blicken abgeschirmt habe.« Er schenkte mir ein schiefes Grinsen, das seine Augen nicht ganz erreichte. »Ich kenne eine geheime Stelle, zu der ich dich bringen kann und wo ich dem Schmerz in den Muskeln Abhilfe schaffen werde. Außerdem wird der Ort die Steifheit deines Handgelenkes mindern. Es ist keine großartige Lösung, aber es ist das Beste, was ich fürs Erste tun kann.«

Emrys und Evan beobachteten uns beide mit schmalen Augen. Emrys' Augen waren voller Neugier und Fragen. Sie machte sich Sorgen um mich, aber sie wollte dem, was immer es war, warum Cy die Arme so fest um mich gelegt hatte, nicht in die Quere kommen. Evan betrachtete mich stumm und wünschte mir mit jedem funkelnden Blick, den sie in meine Richtung warf, Schreckliches, aber ich hatte zu große Schmerzen, um mir Sorgen um ihre unschuldige Schwärmerei zu machen. Sie würde es überleben und stärker daraus hervorgehen. Ich wünschte, jemand hätte sich die Zeit genommen, mich zu lehren, dass junge Herzen so schnell heilen konnten, bevor ich um meines herum eine Festung errichtet hatte.

Ich erwiderte das schwache Lächeln, das er mir schenkte. »Eine geheime Stelle? Wie kann sie geheim sein, wenn du davon weißt?«

Er blinzelte überrascht und sah mich mit einer hochgezogenen Braue an. »Sie hat immer noch ein großes Mundwerk. Das ist ein gutes Zeichen.« Er wandte sich zum Gehen, aber bemerkte noch über die Schulter hinweg: »Ich weiß alle möglichen Dinge, von denen sonst niemand weiß, Leo.«

Das war die Wahrheit. Er wusste, wie er mich zugleich fordern und beruhigen konnte. Er war der einzige Mensch, der in mir den Wunsch weckte, einem gebrochenen Herzen mit voller Geschwindigkeit hinterherzujagen. Er war der Einzige, der all meine standardmäßigen Abwehrmechanismen durchschaute und an ihnen vorbeipreschte, als wären sie überhaupt nicht vorhanden. Er wusste, dass ich reizbar und launisch war, aber mehr als das: Er kannte die

Gründe dafür, und meine Dornen schienen ihm nicht das Geringste auszumachen.

Grady und Webb hatten sich ein Stück entfernt, um das Lager aufzuschlagen. Wie gewöhnlich führten sie ein eindringliches Gespräch miteinander und schienen sich nicht dafür zu interessieren, was mit dem Rest der Gruppe passierte. Ehrlich, es überraschte mich, dass sie überhaupt noch bei uns waren. Sie hatten längst aufgegeben, so zu tun, als ob sie hier eine Art geschäftliches Partnertraining machten. Sie hatten Hintergedanken, warum sie mit uns hier im Wald waren. Das merkte man schon alleine daran, dass sie sehr konzentriert darauf waren, wer sonst noch auf den entlegenen, schwer erreichbaren Pfaden unterwegs war. Ich konnte mir auch deswegen keine Sorgen machen, weil Cy mich umdrehte, meinen Rücken an seine Brust drückte und mich zum Fluss und weg vom Lager führte. Er hielt mich immer noch aufrecht, und bei jedem Schritt, den er machte, übernahm er den Großteil meines Gewichts, während ich vor ihm her stolperte. Ich war nicht mehr als eine Marionette in Leo-Form, und all meine Fäden hatte sich Cy um die Finger geschlungen.

»Willst du, dass ich euch folge, wenn ihr länger als eine Stunde wegbleibt?« Lanes Stimme wechselte von ernsthaft zu anzüglich, und in seinen Augen glitzerte ein wissendes Leuchten. Bei dem Lächeln auf seinem Gesicht errötete ich.

»Gib mir ein wenig mehr Zeit. Wir werden heute Nacht abwechselnd Wache halten müssen, damit wir nach Sutton Ausschau halten können.« Und nach jedweden anderen Personen, die vielleicht im Wald herumlungerten, aber diesen Teil sprach er nicht laut aus. »Sieh zu, dass alle etwas zu essen bekommen und sich für die Nacht bereit machen. Wir werden bald zurück sein.«

Cy führte mich weg von den anderen. Lane lachte und rief mir nach: »Denken Sie daran, dass hier nichts die Geräusche dämpft, Leo. Wenn Sie zum Schreien neigen, wird das ganze Lager es wissen.«

Mir wurde noch heißer, und ich versuchte, den Kopf zu drehen, damit ich ihm eine Abfuhr verpassen konnte, aber Cy ließ es nicht zu. Er war auf einer Mission, und nichts würde ihn davon abhalten. Als meine Beine den Dienst endgültig aufgaben, weil der Schmerz von meiner Schulter meine ganze verbliebene Energie und Ausdauer aufgezehrt hatte, hob er mich einfach hoch und trug mich die letzten zehn Minuten des Marschs wie ein Baby, fest an seine Brust gedrückt zu verborgenen heißen Quellen.

Wir kamen zu einer Flussbiegung und Felsen, die zu steil aussahen, um sie zu erklimmen. Cy ging um die Formation herum, und ich erblickte hinter den Felsen erstaunt einen blubbernden Teich, der ungefähr die Größe eines privaten Swimmingpools hatte. Irgendjemand hatte das Wasser mit Steinen eingefasst, sodass es ein natürlicher Whirlpool war, versteckt mitten im Nirgendwo.

»Das hier ist absolut verrückt.« Ich stieß die Worte voller Ehrfurcht aus. Hier war nichts als weiter, offener Himmel und zerklüftete Felsen. Es sah aus wie in einem Film oder einer Hochglanz-Reisebroschüre mit dem Slogan: *Kommen Sie nach Wyoming!*

»Wyoming ist voll von Thermalquellen. Es gibt alle möglichen Stellen am Fluss, die die Leute abgesperrt haben, um natürliche Badewannen zu formen. Diese Stelle ist versteckt, weil sie hinter den Felsen liegt. Unser Dad ist oft mitten im Winter mit uns hierhergekommen.« Er trat von mir weg und drehte mich zu sich um.

»Warum im Winter?«, fragte ich, während er sich das Gesicht rieb, als sei sein Geduldsfaden kurz davor zu reißen.

»Er hat uns immer gesagt, im Sommer würden wir die Stelle nicht zu würdigen wissen. Die Arbeit auf einer Ranch ist immer hart und anstrengend für den Körper, aber das wird im Winter noch schlimmer. Man kämpft nicht nur mit sturem Vieh und unversöhnlicher Landschaft, man versucht auch, gegen Mutter Natur zu bestehen, und dieses Miststück ist hier in der Gegend unbesiegbar.« Er deutete mit dem Kopf auf das Wasser. »Es ist heiß, aber ich denke, es wird bei einigen deiner Beulen und Prellungen helfen.«

Ich betrachtete das Wasser und dann wieder ihn. Ich spürte, wie mir die Hitze den Hals hinaufschoss und meine Wangen heiß wurden. Meine Reaktion ließ seine Augen aufblitzen, mit silbernen Streifen der Erregung darin.

»Wunderbar. Aber ich glaube nicht, dass ich es allein dorthin schaffe.« Wenn ich hineinstieg, würde ich auf keinen Fall allein wieder rauskommen.

»Ich werde dir hineinhelfen.« Seine tiefe Stimme troff von Samt und Versprechen.

Ich errötete unter seinem unbeirrten Blick. »Wir haben nichts, das wir anschließend anziehen können.«

Dieses Beinahelächeln umspielte seine Mundwinkel, und ich wusste, dass ich ihm, falls es ihm jemals gelang, bis zu dem vollen Lächeln zu kommen, fraglos mein Herz schenken würde. Sein schwaches Lächeln hatte mich bereits im Sturm erobert, und das komplette würde mich gewiss verzehren.

»Wir gehen ins Wasser, aber unsere Kleider nicht.«

Nun, so konnte man es auch ausdrücken …

Ich machte mich daran, meine Bluse aufzuknöpfen, und landete fast auf den Knien vor ihm, weil ein sengender Schmerz mich durchzuckte, als ich versuchte, mit meiner verletzten Hand nach den Knöpfen zu greifen. Mit tränenden Augen und zugeschnürter Kehle sagte ich: »Ich glaube auch nicht, dass ich mich ausziehen kann. Das wird unglaublich peinlich werden.«

Er kam einen Schritt näher, dann noch einen. Wir standen fast Brust an Brust da und teilten Atemzüge und Herzschläge. Er hob die Hände vor meine Bluse und war qualvoll sanft, während er einen Knopf nach dem anderen öffnete. »Keine Sorge, Leo, ich hab dich und werde mich nach bestem Vermögen um dich kümmern.«

Er *hatte* mich tatsächlich. Mehr von mir, als ich je zuvor irgendjemandem überlassen hatte. Er hatte meine Aufmerksamkeit und meine Zeit. Er hatte mein Interesse und mein Engagement. Seinetwegen lagen mein Herz und mein Verstand miteinander im Streit. Das Herz verlangte, ihn und die Verwüstungen zu meiden, für die er verantwortlich war, mein Verstand schrie mir zu, mich zu öffnen, die Erinnerungen willkommen zu heißen, die wir gewiss gemeinsam erschaffen würden. Wir würden vielleicht nicht für immer zusammen sein, aber wir konnten sehr viel in die Augenblicke, die wir bekamen, hineinfüllen. Sie konnten wichtiger sein als alle anderen, die ich in meinem Leben mit jemand anderem geschaffen hatte. Er hatte mich, weil ich mich ihm gerade überließ, doch ich war im Begriff, ihm noch so viel mehr zu geben.

Es war nicht so, als würde ich irgendetwas zur Schau stellen, das er nicht bereits gesehen hatte. Er zog mir so behutsam die Bluse aus, dass ich fast nicht spürte, wie der Stoff verschwand, bis die Bergluft auf meine Haut traf. Ich erschauerte, während er am Rand meines langweiligen Baumwoll-BHs entlangfuhr. Ein Kribbeln stieg in mir auf, das nur er erzeugen konnte, als er seine zweite Hand um meinen Rücken schob, um den Haken zu öffnen.

Instinktiv wollte ich die Hände heben und mich bedecken, als der BH zu Boden fiel, aber ich konnte die Arme nicht bewegen, und der hungrige Ausdruck in seinem Gesicht, als ich solchermaßen entblößt vor ihm stand, ließ mich verharren. Es hatte mich noch nie ein Mann so angesehen, als sei ich etwas Besonderes. Cy betrachtete mich, als sei ich in jeder Hinsicht besonders, und mir wurde warm, und ich zitterte vor Verlangen. Ich war daran gewöhnt, durchschnittlich und akzeptabel zu sein. Mehr und prachtvoll zu sein war so berauschend, dass es mich trunken vor Lust und Verlangen machte.

»Du hast mich schon nackt gesehen, Cy. Worauf wartest du?« Meine Stimme zitterte, als seine Hand über den unteren Teil meines Brustkorbs glitt und neckend mit dem Taillenbund meiner Jeans spielte. Er löste meinen Gürtel und grinste mich an.

»Man hat mir in meinem Leben nicht viele Geschenke gemacht, daher lasse ich mir, wenn ich doch einmal eins bekomme, gern Zeit dabei, es auszupacken.« In seinen Augen glitzerten sexy Absichten und Humor. Er würde sich nicht hetzen lassen, und ich würde vielleicht dabei sterben, darauf zu warten, dass er zum Inhalt vordrang.

»Unsere Zeit ist begrenzt. Das solltest du vielleicht im Kopf behalten.« Ich wollte ihn nicht daran erinnern, dass es uns vorherbestimmt war, dass das hier endete. Dass wir von geborgter Zeit lebten, mit gestohlenen Sekunden arbeiteten. Ich hatte das Gefühl, als würde eine Uhr den Countdown zeigen, eine Uhr, die über unseren Köpfen hing und deren Minuten mit jedem Blinzeln und jedem gesprochenen Wort verrannen.

»Ich werde mir keine Sorgen um die Zeit machen, die wir *nicht* haben. Ich werde mich darauf konzentrieren, dass die Zeit zählt, die wir haben.« Er hatte meinen Gürtel und meine Hose geöffnet, bevor mir eine passende Erwiderung auf seine vielsagenden Worte einfiel.

Ich legte ihm die Hand meines unverletzten Arms auf die Schulter, während er sich vor mich hinhockte und sich daranmachte, mir die Stiefel von den Füßen zu ziehen. Diese neue Position brachte sein Gesicht auf die gleiche Höhe mit dem Teil von mir, der nie schüchtern gewesen war, total feucht und bereit, wenn *er* in der Nähe war. Ich war kurz davor, wieder umzufallen, nur dass es diesmal nichts mit Schmerz zu tun hatte.

»Ich weiß nicht, ob ich im Moment irgendwelchen anstrengenden Aktivitäten gewachsen bin, Cy. Ich bin nicht gerade in Hochform.« Ich hasste es, das zuzugeben, aber ich wollte nicht auf meinem Hintern im Dreck landen, nackt und aufgefaltet wie eine Zeitungsseite im Wind.

Mein neu wiederhergestelltes Ego konnte derzeit keinen Tiefschlag verkraften. Mein Handgelenk schmerzte, wenn ich es bewegte, aber der Rest von mir war vollauf damit einverstanden, ihn tun zu lassen, was immer zur Hölle er tun wollte.

Er hockte sich auf die Fersen. Als er zu mir aufschaute, sah ich nur Leidenschaft und Versprechen in seinen Augen. Seine schweren Hände landeten auf beiden Seiten meiner Hüften, und langsam, ganz langsam fing er an, mir die schmutzige, zerfetzte Jeans herunterzuziehen. Sobald ich fast nackt war, beugte er sich vor, sodass seine weichen Lippen und sein kratziges Gesicht beide vorspringenden Hüftknochen markierten. Seine Nase zog eine qualvolle Spur über den oberen Rand meines Slips, und sein Atem strich heiß über die Baumwolle, die kaum meine schmerzende Klitoris bedeckte.

»Vertraust du mir, Leo?«

Es war eine törichte Frage. Ich kannte ihn kaum, auch wenn ich das Gefühl hatte, ihn komplett zu verstehen.

Ich nahm meine Hand von seiner Schulter und ließ die Finger durch sein dickes Haar gleiten. Es fühlte sich klebrig an – nicht auf eine unangenehme Weise –, von was auch immer er benutzt hatte, um es zu stylen. Mir gefiel der Gedanke, dass er, wenn ich mit ihm fertig war, zerzaust und berauscht sein würde. Ich wollte diese Male auf ihm hinterlassen.

»Ich vertraue auf das, was ich über dich weiß, Cy, was nicht sehr viel ist.«

Das letzte Wort endete in einem erstickten Keuchen, als er seine Daumen in meinen Slip schob und mit ihnen über mein pochendes, feuchtes Geschlecht strich. Es ließ sich nicht verbergen, wie sehr ich ihn wollte oder wie sehr seine Berührung mich antörnte.

»Du vertraust dem, was ich dir gegeben habe, und du vertraust dem, was ich dir sage. Ich sage dir, dass ich dich *habe*, Leo. Ich werde dich nicht hinfallen lassen oder dir wehtun.«

Vertrauen war eine riesige Sache für mich. Ich verschenkte es nicht leicht, und ich hatte nicht viel davon übrig. Als er jetzt zu mir aufsah, sein Blick voller Versprechungen und Möglichkeiten, konnte ich ihm auf keinen Fall irgendetwas abschlagen … Auf keinen Fall konnte ich ihm mich selbst abschlagen.

Kapitel 11

Kein Zurück

Ich ließ niemals jemanden so nah an mich heran, weder physisch noch emotional.

Davon würde es kein Zurück geben. Ich konnte es spüren, konnte *ihn* spüren. Es gab ein Leben vor Cyrus Warner und ein Leben danach. Die beiden ließen sich nicht einmal ansatzweise miteinander vergleichen, ebenso wenig, wie ich je ein vergleichbar großes Vergnügen mit jemandem gehabt hatte wie mit diesem großen, grüblerischen Mann. Jede Berührung zwischen uns war eine Erinnerung, die geschaffen wurde, und jedes Wort, als er mich behutsam ins Wasser hinunterließ, war ein Gelübde, von dem ich wusste, dass er beabsichtigte, es zu halten.

Er versprach Wonne und Leidenschaft.

Er versprach Befriedigung.

Er versprach Vergessen.

Er versprach Bewunderung.

Er versprach eine Ablenkung von dem Schmerz, der meine Hand noch immer kribbeln und meine Finger pochen ließ.

Ich war bereit, ihn beim Wort zu nehmen, denn das warme Wasser wirkte Wunder, und ich wusste, dass unsere Zeit begrenzt war. Der Schmerz in meinem Handgelenk war wieder da, das Gleiche galt aber für den süßen Schmerz zwischen meinen Beinen. Um mein Handgelenk würde ich mich kümmern, sobald ich wieder auf der Ranch war. Ich hatte keine Ahnung, ob ich eine weitere Gelegenheit bekommen würde, den anderen Schmerz mit dem Mann zu stillen, der dafür verantwortlich war.

Ich keuchte seinen Namen und rutschte erschrocken nach vorn, und ich kapitulierte, als er zwischen meinen Beinen hindurch meinen Hintern umfasste. Begehren schlug über mir zusammen.

Ich legte meine gesunde Hand auf die starre Fläche seiner Schulter und explodierte fast unter seinen Liebkosungen, während sich seine Wimpern hoben und Augen entblößten, die zornig und gewittrig vor Verlangen waren. Es war ein Sturm, den ich mir herbeiwünschte … auf mir oder in mir. Es war mir eigentlich egal. Sein Mund war feucht und rot, weil er mich damit bearbeitet hatte, und obwohl er immer noch nicht lächelte, hatte sein gewohntes Feixen viel weniger Schärfe. Ich wusste nicht, ob er glücklich war oder nicht, aber was immer zwischen uns beiden in diesem Moment geschah, hatte ihm definitiv einen Grund geliefert zu vergessen, dass er nur ein halbes Herz hatte. Ihm fehlte in dem Moment nichts, denn er war ganz allein auf mich konzentriert und darauf, wie er meinen Körper dazu bringen würde, ihm die Reaktionen zu zeigen, die er erzielen wollte. Wer hätte gedacht, dass Loslassen sich so verdammt gut anfühlen konnte?

Ich hob die Hand, um sein kantiges Kinn nachzuzeichnen, und wäre fast unter Wasser gerutscht, als sein Mund meinen bedeckte und seine Zunge zwischen meine Lippen glitt und sich im gleichen Rhythmus wie seine zustoßenden Finger bewegte. Die doppelte Stimulation war zu viel, um sie zu verarbeiten, und mein Körper versuchte es erst gar nicht. Ich war Wachs in seinen Händen, und ich würde mich von ihm leiten lassen, an einen Ort, an dem ich noch nie gewesen war. Ich war es gewohnt, Anweisungen zu erteilen und dafür zu sorgen, dass erledigt wurde, was erledigt werden musste. Bei Cy waren keine Anweisungen nötig. Je mehr ich mich auf ihn stützte und mich an ihn drückte, umso schneller klopften seine Finger an eine verborgene heiße Stelle in mir, von deren Existenz ich bisher nichts gewusst hatte.

»Was machst du mit mir?« Die Worte kamen als ein Flüstern heraus, als ich spürte, wie sich tief in meinem Bauch der Höhepunkt formte, bis es zu brennen begann. Ich hatte eine Hand in seinem Haar und hielt ihn fest. Tatsächlich spürte ich seine Schwanzspitze so nah vor meinem offenen und entblößten Zentrum, wie das nur möglich war. Er wiegte sich zwischen meinen seidigen Schamlippen, während wir beide erregt nach Luft schnappten.

Ich war berauscht und nah dran, unter seinen geschickten Fingern zusammenzubrechen. Mein Handgelenk spürte ich nicht mehr. Alles war ein Nebel blendender Wonne und außerordentlichen Verlangens.

Sein warmer Atem tanzte über meine Lippen. »Ich sorge dafür, dass du weißt, dass du zählst, Leo. Unsere Zeit mag begrenzt sein, aber jetzt fühlen sich all die verschiedenen Methoden grenzenlos an, wie ich dich dazu bringen kann, meinen Namen zuerst zu flüstern und dann zu schreien.«

Es waren nicht seine Finger, die sich um meinen Hintern schlossen und verschwanden, um über Stellen zu streichen, die noch nie ein Mann zu berühren versucht hatte und einen wundervollen Orgasmus vorbereiteten. Es war nicht die Schärfe seines leidenschaftlichen Kusses oder der talentierte Tanz seiner Zunge. Es waren nicht die Finger, die mich berührten und all die süßen, hungernden Stellen in mir peinigten, die scheinbar seit einer Ewigkeit darauf gewartet hatten, dass er sie ausfüllte. Es war nicht der Druck seiner Beine zwischen meinen oder die bedächtige Art, wie er mein verletztes Handgelenk an seine Brust drückte und dafür sorgte, dass ich es nicht bewegte, die meinen Orgasmus aus seinem Versteck lockten und mich seinen Namen schluchzen ließen.

Es war seine tiefe Stimme und das Knurren seiner Worte auf meiner Haut, als er mir sagte: »Du bist so viel mehr, als ich erwartet habe, dass du sein würdest.«

Dass dieser außerordentliche Mann mit seiner ganzen Geschichte und seinem Kummer mir sagte, ich sei etwas Besonderes, zerriss mich innerlich. Ich war vergraben unter einer Lawine aus Leidenschaft. Ich zersplitterte auf Wellen von Zuneigung und Glückseligkeit. Ich driftete auf einem Orgasmus davon, der so intensiv war, dass er alles auf den Kopf stellte, vor allem meine Vorstellung davon, was Sex und Befriedigung sein sollten.

Er fing mich auf, als ich an seine Brust sackte. Er knurrte, dass er mich nach vorn beugen wolle, um mich von hinten zu nehmen, damit er seine Hände in meiner wilden Mähne verlieren könne.

Ich räusperte mich nervös und zog meine Finger aus seinem wirren Haar, damit ich jeden Bogen seiner Augenbrauen und der scharfen Wölbung seiner Wange nachzeichnen konnte. Es gefiel mir, all seine weichen Stellen zu berühren.

»Ich hatte schon immer eine Schwäche für Männer mit einem Plan, Cyrus.« Ich seufzte, als er mir ins Ohr flüsterte, dass er mir zeigen würde, wie Spaß aussehen konnte, wenn ich ihm erlaubte, mich an diesen Ort zu bringen, an den ich noch nie jemanden gelassen hatte. Funken der Neugier und des Interesses durchzuckten mein durchnässtes Zentrum, das bereits um mehr von seiner Aufmerksamkeit bettelte. Ich war nicht besonders kühn, aber für ihn würde ich es vielleicht sein. Sein Daumen rieb Kreise in meine Kniekehle, während ich erschauerte und zitternd von dem Gipfel der Lust herunterkam und zurück in die Realität rutschte.

Er griff noch einmal mit beiden Händen nach meinem Kinn und drückte meinen Kopf hoch. Seine Lippen zuckten, und es war mein Herz, in dem es zog, statt mein gieriges Geschlecht. Mein Körper mochte seinen Mund und seine Hände, mein Herz beschäftigte sich ganz mit dem, was ihn dazu brachte, seinen stahlharten, undurchdringlichen Schild zu senken. »Wenn du keine Schmerzen hast, werde ich dich mit meinem Gesicht vögeln, während du meinen Schwanz lutschst. Dann werde ich dich mich so hart reiten lassen, dass wir beide eine Woche lang nicht richtig laufen können.«

Das war bisher das beste Versprechen, das er mir gegeben hatte.

Ich streifte mit den Lippen die Seite seines Halses und zeichnete mit der Zungenspitze die Ader nach, die dort pochte. Ich spürte, wie ihm der Atem stockte, und sein harter Schwanz unter meinem Hintern presste sich beharrlich in meine Haut und ließ mich wissen, dass dies hier noch lange nicht vorbei war.

»Versprechungen, Versprechungen …« Ich atmete ihm die Worte ins Ohr und strich ihm mit der Zungenspitze durch die Muschel. Er schmeckte nach Bergen und Mann. Das Beben, das seinen ganzen Körper bei der leichten Berührung durchlief, genügte beinahe, um mich mein verletztes Handgelenk vergessen zu lassen.

Ich wusste, mit welch aufregendem Equipment er arbeitete, und konnte mich nicht bezähmen. Ich wiegte mich auf seinem köstlichen Schwanz hin und her, der so solide war wie Stahl und samtweich an meiner Öffnung. Ich wiegte mich, während ich automatisch nach Erfüllung suchte. Das verführerische Schaukeln presste mich an feste Bauchmuskeln, und die Schulter, an der ich mich festhielt, war hart. Ich rieb mit der Nasenspitze über sein stacheliges Kinn und berührte mit den Lippen seinen Mundwinkel.

»Falls du gesund bist – ich nehme die Pille, nur für den Fall, dass du dir diese Frage gestellt hast.« Seine Eichel neckte meinen Eingang und gab mir gerade genug von einem Vorgeschmack, dass ich nach mehr schrie. Bei meinen Worten verlagerte er sein Gewicht gerade so weit, dass die geschwollene Spitze gegen meine gleichermaßen pralle Klitoris stupste. Meine Erklärung, ich sei bereit und willig festzustellen, wohin diese Sache zwischen uns führen würde, wenn *nichts* zwischen uns war, war zweifellos das Kühnste und Riskanteste, das ich je von mir gegeben hatte.

Seine rauen Finger spannten sich erneut um meinen Hals, und ich musste mich wirklich massiv darauf konzentrieren, meine Atmung langsam und gleichmäßig zu halten, während sein Schwanz aufgeregt an meinem Hintern zuckte. Ich war so irritiert, dass ich meinen anderen Arm bewegen konnte, wie ich wollte. Ich wollte diesen pochenden, dicken Schwanz einfach in die Hände nehmen. Er war noch heißer als das Wasser, das um uns herumwirbelte.

»Es ist definitiv nicht gesund für mich, wenn ich bei dir bin, Leo, aber ich bin gesund, was Sex betrifft, und ich würde dich niemals einer Gefahr aussetzen. Das weißt du, oder?« Er ließ meinen Hals los, drehte mich mühelos auf sich um und strich mit der Hand über meine Brust, bis sie unter dem Wasser verschwand. Ich zog den Bauch ein, als seine Finger mit der weichen Haut dort spielten und dann tiefer hinabglitten, während er sich unter mir bewegte. Sein steifer Schwanz zuckte und presste sich an mich. Dann glitt er tiefer zwischen meine Beine, die ich bereitwillig spreizte, um ihm Zugang zu gewähren. Seine Eichel drückte sich so weit hinein, dass mein Körper seiner Invasion nachgab. Wir stöhnten dabei, ich erstickt, er hungrig.

»Ich wäre nicht hier, wenn ich gedacht hätte, dass du die Absicht hattest, mir wehzutun, Cy. Ich bin hier, weil du versprochen hast, mir zu helfen, dass sich alles besser anfühlt.« Das war eine hohe Anforderung, aber bisher schien er der Aufgabe gewachsen zu sein.

Er ächzte, und dann leitete er seinen Schwanz tiefer in mich, während seine Finger von vorn in meine Wärme tauchten, sodass sie meine bereits empfindliche Klitoris massieren konnten.

Sein Atem ging rasselnd an meinem Ohr, und seine Nasenspitze streifte meine Wange, als er mich weit spreizte und den Raum in mir in Beschlag nahm. Mein Körper hieß ihn willkommen, umschloss ihn in einem Rausch flüssiger Wonne. Meine Muskeln zogen sich um ihn herum zusammen, und ich bewegte mich auf ihm. Je weiter Cy sich in meinen Körper presste, desto mehr törnte er mich mit schmutzigen Worten an, die er mir ins Ohr flüsterte. Das, was er sagte, und seine cleveren Finger zwischen meinen Beinen definierte neu, was Sex sein konnte. Das hier mit ihm war besser. Und ich war besser, weil ich keine andere Wahl in der Angelegenheit hatte. Er ließ mich alles fühlen. Er zwang mich, ihm zu sagen, wie gut es sich anfühlte, und verlangte, dass ich von ihm nahm, was ich wollte, während er sich nahm, was er von mir brauchte.

Es fing langsam und stetig an. Er bewegte sich in meinem durchnässten Zentrum mit einem Rhythmus auf und ab, der das Wasser um uns herum nur schwach in Bewegung brachte. Es sandte ein Verlangen durch sämtliche meiner Gliedmaßen, träge Wonne erfüllte mein Blut, als er mich sanft und mit großer Zurückhaltung nahm, während er auf meinen verletzten Arm aufpasste und meinen immer noch pochenden Kopf. Es war gut, wirklich gut, und ich sagte ihm das, aber es reichte nicht. Und wenn ich mutig genug war, ihn hereinzulassen, dann wollte ich ihn *ganz.*

»Cy.« Sein Name wurde mir entrissen, verzweifelt und hektisch.

»Leo.« Es klang wie ein Gebet und ein Flehen.

Ich legte ihm meinen unversehrten Arm um den Hals und ließ die Finger über die empfindliche Haut dort gleiten. Das führte dazu, dass er seinen breiten Körper an meinen drückte, und sein sicherer Rhythmus geriet ins Stocken, während er in mich hinein- und herausglitt.

»Ich brauche es, dass du mich vögelst.«

Ich spürte sein Ausatmen an der Seite meiner Wange. »Das tue ich doch gerade, Honey.« Er stieß die Worte zwischen zusammengebissenen Zähnen hervor.

Ich schüttelte den Kopf und warf ihn dann in den Nacken, dass er an seiner Schulter landete. »Nein, Cy, ich will, dass du mich *vögelst,* und ich will, dass wir beide kommen.« Wir waren so weit, dass es an der Zeit war, aufs Ganze zu gehen und einander mit geilen und sündhaften Erinnerungen zu beschenken, die zu vergessen unmöglich sein würde.

»Große Klappe.« Seine Zähne sanken abrupt in mein Ohrläppchen, dann schob er mich leicht von sich. Sein kräftiger Arm hielt mich unter meinen Brüsten fest, während er mich noch ein klein wenig nach vorn bog. Seine neckenden Finger verließen die Stelle, wo wir verbunden waren, und gruben sich in die dichte Masse meines Haares, während er zuhörte, worum ich ihn bat, und es lieferte … und dann noch viel mehr.

Sein Becken nahm Fahrt auf und klatschte in das warme Wasser und die Wölbung meines Hinterns. Das Geräusch war fleischlich und roh, genau wie die Art, wie er mich wimmern ließ, als er in mich hineinstieß, während ich schwerelos im Wasser trieb, an nichts anderem geerdet als an seinem peitschenden Schwanz. Nichts hielt mich in der Realität außer seiner wilden Stöße. Sein Schwanz war das Zentrum meines Universums, und wie er in meinen Körper stieß, wie er sein Terrain absteckte, markierte und sich jede Zelle aneignete, an der er sich rieb, war das Einzige, was zählte. Ich hatte mich noch nie so begehrt gefühlt, so wichtig für die Vervollständigung einer anderen Person wie in diesem Moment. Es war überwältigend und berauschend. Es bedeutete so viel Macht, diejenige zu sein, die das Kommando über die Befriedigung eines Mannes wie Cy hatte.

Er zog an meinem feuchten und wild gelockten Haar, so fest, dass sich mir ein Laut des Protests entrang. Dann knabberte er mit mehr Nachdruck, als ich erwartet hatte, an meinem Ohr, und es verblüffte mich, dass ich seine Grobheit vielleicht noch lieber mochte als seine Zärtlichkeit.

»Ich war seit sehr, sehr langer Zeit nicht mehr in einer Frau, ohne etwas zwischen mir und ihr. Ich war noch nie in einer, die so heiß brennt und sich so gut anfühlt wie du. Du bist ein verdammter Traum mit diesem Mund und diesen Brüsten, aber der Zuckerguss auf dem Kuchen ist die Art, wie du meinen Schwanz massierst, als wolltest du ihn nie wieder loslassen. Du fickst so geil wie keine andere.«

Seine Worte vibrierten über meine Haut. Ich wollte ihn behalten, und ich konnte auf keinen Fall dorthin zurück zu dem, was ich gehabt hatte, bevor ich mit ihm geschlafen hatte. Das war einfach ein Leben gewesen, das zu leben sich nicht gelohnt hatte, zumindest danach zu schließen, wie mein Körper sich jetzt darauf vorbereitete, erneut loszulassen.

Er keuchte mir leise ins Ohr, und ich spürte, wie sich seine muskulöse breite Brust anspannte, wo ich an ihr ruhte. Eins seiner Knie drückte meine unter Wasser und zwang mich, meine Haltung zu korrigieren und mich ein wenig mehr nach vorn zu beugen, sodass meine Brust die schäumende Oberfläche des Teichs berührte. Er hielt mich fest, während er in mich hineinstieß. Meine Wonne war träge und bewegte sich schläfrig durch meinen Körper, seine war hektisch und fiebrig und ließ ihn fast aus der Haut fahren.

»Leg die Finger zwischen deine Beine. Fass dich an, so wie du möchtest, dass ich dich anfasse. Ich kann nicht loslassen, sonst landest du mit dem Gesicht voraus im Wasser.« Der Anflug von Humor in seinem schroffen Befehl bewirkte fast so viel wie das verführerische Kommando.

»Ich werde diese süße Stelle füllen, bis sie überquillt, und ich will, dass du jeden Tropfen davon in dir spürst.«

Schmutzige Worte, aber sie gaben mir das Gefühl, ganz glänzend und neu zu sein. Ich war nicht unberührt oder unerprobt, aber ich war definitiv unerfahren und grün, wenn es um Sex ging, der eine Frau sich Dinge wünschen ließ, von denen sie wusste, dass sie sie nicht haben konnte. Ich war eine Novizin, wenn es darum ging, von einem Mann besessen zu werden, der einen dazu brachte, alles Gekannte aufzugeben, um es gegen etwas einzutauschen, das vielleicht besser war.

Ich fuhr mit der Hand durchs Wasser und vertraute drauf, dass er mich festhielt. Als meine Finger sachte meine Klitoris streiften und dabei den steifen Schaft berührten, der sich in der hungrigen und heißen Öffnung vor- und zurückbewegte, war das alles, was nötig war, um die Augen zu schließen und meinen Atem als ein Zischen entweichen zu lassen. Es war zu viel, daher stolperte ich hinein in Glückseligkeit und riss Cy zusammen mit mir mitten in die köstliche Erlösung hinein. Sein Schwanz zuckte. Seine Brust hob und senkte sich, während er mir leise ins Ohr fluchte, und seine Schenkel spannten sich an und drückten sich gegen die Rückseiten von meinen, als die Stelle, an der wir vereint waren, plötzlich hundertmal heißer war als das Wasser um uns herum. Er brannte, und ich fing Feuer. Es tobten Wellen der Lust durch mich hindurch.

Ich ließ den Kopf an seine Schulter fallen, als er mich an seine Brust zog. Seine Lippen trafen meine Schläfe, und er hob die Hand, die auf meinen Rippen lag, um sie über mein rasendes Herz zu breiten. »Fix und fertig, Sonnenschein. So fühlt es sich an, fix und fertig zu sein.«

Ich stieß ein leises Summen aus, sagte aber nichts. Wenn das fix und fertig war, dann wollte ich immer fix und fertig sein.

Nach einem Weilchen, als wir wieder zu Atem gekommen waren, zog er sich aus mir zurück und hinterließ eine Leere, von der ich wusste, dass nur er sie ausfüllen konnte. Ich ließ mich im Wasser treiben, bis ich ganz auf dem Rücken lag, den Blick auf den sich verdunkelnden Himmel über Wyoming gerichtet. Er war so gewaltig und so unendlich. Er ließ das Großartige, das gerade zwischen mir und dem Mann vorgefallen war, der vielleicht kein Cowboy war, aber todsicher der beste Liebhaber, den ich je gehabt hatte, klein und bedeutungslos erscheinen.

»Wir müssen unsere Sachen zusammensuchen und zu den anderen zurückkehren. Ich muss es Lane ermöglichen, ein wenig zu schlafen, damit wir während der Nacht abwechselnd ein Auge auf das Lager haben können.« Er ergriff mich und hob mich aus dem Wasser, bis ich vor ihm stand. Mein Handgelenk tat immer noch weh, aber der Schmerz war nicht mehr grell und pochend unter der Schwellung.

»Okay.«

Wir sahen einander einen Moment lang an, warteten, beobachteten. Von einem Blinzeln zum nächsten wechselten seine rauen Gesichtszüge von atemberaubend attraktiv zu etwas, gegen das keine Sterbliche ihr Herz wappnen konnte. Kein Wunder, dass der Mann nicht so oft lächelte, denn wenn er es tat, hörte die Welt auf, sich zu drehen. Ich zuckte unter dem blendenden Strahlen perlweißer Zähne mitten in seinem rauen Angesicht zusammen. Er war wunderschön, und sein Lächeln war absolut außerordentlich. Es ließ ihn aussehen wie einen glücklichen Mann, der nicht die Last der Welt und endlose Verpflichtungen auf seinen breiten Schultern trug.

Ich hob eine Hand, um sie auf seine Wange zu legen, und erschauerte, als sein Bart über meine Handfläche kratzte. »Du lächelst, Cy.«

»Ich bin glücklich, Leo.«

Oh Gott. Ich blinzelte heftig, um das Erstaunen zurückzuhalten und Tränen, die in mir aufstiegen. So viel dazu, dass das Risiko die Belohnung wert war. Alles, was ich vielleicht in naher Zukunft verlieren würde, war es wert, durchlitten zu werden, wenn es bedeutete, dass ich diesen Moment mit diesem Mann und seinem Lächeln erleben durfte.

Kapitel 12

Fordere keinen Ärger heraus

»Ich hasse Sie, und ich finde, Sie sind eine Schlampe.«

Ich verschluckte mich beinahe an dem viel zu starken Kaffee, den Cy sich für seine erste Schicht gekocht hatte, damit er wach blieb. Ich hatte angeboten, ihm Gesellschaft zu leisten, aber ich hatte zur Antwort einen Blick aus schmalen Augen erhalten und die Bemerkung, er müsse sich konzentrieren. Ich war noch nie irgendjemandes Ablenkung gewesen, daher wertete ich es als Kompliment und ging zum Lagerfeuer, wo Evan saß und uns beide mit verkniffenem Gesichtsausdruck beobachtet hatte.

Ich wusste, dass ich nicht schlafen würde, denn ich würde mich um den Mann sorgen, der ein Auge auf uns alle hatte, daher waren das Koffein und Cy meine einzigen Retter in diesem Moment. Ich hatte kaum den ersten Schluck intus, als das junge Mädchen seine verbale Bombe platzen ließ.

Lane hatte sich bereits hingelegt, da er vor Sonnenaufgang aufstehen musste, um Cy abzulösen. Em spielte mit Evans Mom und Bruder ein Kartenspiel, während der Vater der beiden sein Bestes tat, in ihre Bluse zu spähen, wenn er sich unbeobachtet fühlte. Die beiden anderen Männer legten sich ebenfalls früh schlafen, boten aber beide an, ein Auge auf das Lager zu haben, falls Cy nicht die ganze Nacht aufbleiben wollte. Der Eifer, mit dem die beiden einer Begegnung mit jemandem von denen entgegenfieberten, die für unsere Planänderung verantwortlich waren, gab uns Rätsel auf. Sie hatten irgendwelche Hintergedanken und waren nicht zum Spaß hier – und sie gaben sich keine Mühe mehr, dies zu verbergen.

Alle anderen waren beschäftigt oder abgelenkt, und vermutlich genau deshalb hatte Evan diese Gelegenheit für ihren Angriff genutzt.

»Es ist ziemlich hässlich, das zu jemandem zu sagen, den du nicht besonders gut kennst.« Ich hielt meinen Ton locker und sprach leise, damit wir keine Aufmerksamkeit erregten. Es wurde Zeit, dass ihr jemand den Kopf zurechtrückte.

»Alle wissen, warum Sie mit Cy in den Wald gegangen sind. Sie kennen ihn ungefähr einen Tag lang. Das ist widerwärtig und total nuttig. Mir an Ihrer Stelle wäre das furchtbar peinlich.« Ihr Gesichtsausdruck war trotzig, aber da lag Gekränktheit in ihren Augen, die nicht davon rührte, dass ein Mann, der völlig unpassend für sie war, sie zurückgewiesen hatte.

Ich nahm noch einen Schluck von dem Becher Kaffee, den ich vorsichtig mit meiner gesunden Hand festhielt. Ohne Cys spezielle Art der Ablenkung pochte und schmerzte mein Handgelenk erneut mit jedem Schlag meines Herzens. Das heiße Wasser von der Quelle und einige Tabletten hatten den Schmerz auf ein erträgliches Maß reduziert.

»Die Sache ist die: Ich denke nicht, dass du dich darüber aufregst, was zwischen mir und Cy passiert. Denn du bist klug und scharfsichtig genug, um zu wissen, dass er sein Unternehmen niemals einem Risiko aussetzen würde, indem er sich mit einem sehr jungen Gast einlässt. Selbst wenn das Mädchen sehr hübsch ist.« Bei dem Kompliment wandte sie den Blick ab, und ich hätte gern zum x-ten Mal ein wenig Vernunft in die Köpfe ihrer Eltern geprügelt.

»Ich denke, du bist es leid, von dem Mann in deinem Leben übersehen und ignoriert zu werden, der dir Aufmerksamkeit schenken sollte. Ich denke außerdem, dass dich stört, wie dein Vater deine Mom behandelt. Ich verstehe vollkommen, warum du für Cy schwärmst, er ist zauberhaft und fast ein Cowboy, aber meiner Meinung nach dreht es sich bei deinen Gefühlen für ihn und für mich mehr darum, was bei dir zu Hause los ist.« Ich sah sie mit hochgezogenen Augenbrauen an, aber sie funkelte nur weiter in meine Richtung, die Hände auf den Oberschenkeln zu festen Fäusten geballt.

»Du willst, dass deine Mom dir sagt, dass du es bleiben lassen sollst, und dein Dad soll herbeirauschen und deine Ehre verteidigen. Du willst, dass sie sich zusammentun und tatsächlich Eltern für dich und deinen Bruder sind, denn das sollte ihr Hauptanliegen sein, und sie missachten es. Du willst ihre Aufmerksamkeit, weil du die meiste Zeit von ihnen getrennt bist, und wenn ihr doch einmal alle zusammen seid, ist es offensichtlich, dass es keiner von euch besonders angenehm findet.«

Ihre Unterlippe zitterte, und sie wandte sich ab, sodass ihr Haar ihr Gesicht bedeckte. Sie saß auf Boss' beiseitegelegtem Sattel, und ich ließ mich neben sie sinken.

»Sie wissen überhaupt nichts.«

Ich lachte leise und schloss die Finger fester um meinen Blechbecher. »Es würde dich überraschen, wie viel ich darüber weiß.« Ich stupste mit meiner Schulter sachte gegen ihre und schenkte ihr ein winziges Grinsen. »Meine Mom wollte mich nicht, will mich immer noch nicht. Sie hat mich an meine Großeltern weitergereicht, und sie haben mich erzogen.« Ich schüttelte den Kopf. »Ich hatte keine Ahnung, wie gut ich es mit ihnen getroffen hatte, denn ich konnte mich nur auf darauf konzentrieren, warum meine Mutter mich nicht wollte. Deswegen habe ich vieles versäumt. Ich hatte Angst davor zu versagen und Fehler zu machen. Dadurch bin ich übertrieben vorsichtig geworden. Es hat keinen Spaß mit mir gemacht. Es macht meistens immer noch keinen Spaß mit mir.«

Evan legte den Kopf schräg und musterte mich ein Weilchen nachdenklich. »Warum erzählen Sie mir das? Wollen Sie, dass ich Mitleid mit Ihnen habe?«

Wieder schüttelte ich den Kopf und tätschelte ihre Hand. Insgeheim war ich begeistert, dass sie vor der Berührung nicht zurückzuckte. »Ich erzähle es dir, weil du eine Mom hast, die für dich kämpfen kann und kämpfen wird, wenn sie einen Grund dafür hat. Sie verbringt so viel Zeit damit, um eine Liebe zu kämpfen, die nicht da ist, dass sie die Liebe übersieht, die sie immer noch umgibt. Ich habe das Gleiche getan und bedaure es mittlerweile sehr. Mein Grandpa ist gestorben, bevor ich ihm sagen konnte, wie sehr ich alles zu schätzen wusste, was er für mich getan hat. Er war nicht hier, um zu sehen, wie ich wieder aufs Pferd gestiegen bin, im buchstäblichen und im bildlichen Sinne.« Sie wollte nicht wissen, was das bedeutete, aber die Art, wie meine Stimme brach und ein Tränenschleier meine Sicht trübte, zeigte ihr, wie wichtig es für mich war.

»Wenn deine Eltern sich nicht auf dich konzentrieren wollen, konzentrierst du dich auf sie. Erinnere sie an die Liebe, die sie noch immer in sich haben, selbst wenn es nicht die Liebe ist, die sie früher füreinander empfunden haben. Deine Mom braucht jemanden an ihrer Seite, und dein Vater braucht einen Weckruf. Sei besser als die beiden.«

»Das ist eine Menge Verantwortung.« Sie klang traurig und verloren, daher legte ich einen Arm um sie und drückte sie ein wenig an mich.

»Du kannst es nur versuchen, und wenn es bei ihnen nichts bewirkt, wird es etwas für dich und deinen Bruder bewirken. Sei jemand, auf den ihr beide euch verlassen könnt. Wenn du das tust, bist du bereits Meilen dem Punkt voraus, an dem ich in deinem Alter war.«

Sie nickte, und ich ließ sie in Ruhe. Ich rappelte mich auf, stupste aber noch einmal mit der Zehenspitze meines Stiefels gegen ihren Fuß, sodass sie zu mir aufsah. »Vor nicht allzu langer Zeit hätte ich nie etwas mit einem Mann wie Cy angefangen, denn du hast recht, ich kenne ihn kaum, und alle um uns herum wissen, was da läuft. Das wäre so eine Verschwendung gewesen.« Ich zog eine Braue hoch, sah sie an und sagte: »Wir Frauen brauchen starke, rücksichtsvolle Kumpaninnen, also gib dir einen Ruck. Frauen müssen andere Frauen stützen und sie nicht zu Boden zerren.«

Ich sah sie an, bis sie den Kopf senkte und kaum merklich zustimmend nickte. »Ich bin eifersüchtig. Ich weiß, dass er viel zu alt für mich ist, aber er ist wirklich heiß. Ich würde dafür sterben, wenn er mich so ansehen würde, wie er Sie ansieht.«

Ihre Zähne blitzten in einem kessen Grinsen auf. Ich mochte sie wirklich und sah eine verwandte Seele in ihr. Ich hoffte, dass sie es in sich hatte, ihrer Familie zu helfen, ihren Weg zum Glück zu finden. Ich wünschte, jemand mit klarerer Perspektive von außen hätte mir ein wenig Verstand eingebläut, als ich damit beschäftigt gewesen war, ein Häufchen Unglück zu sein. »Vielleicht werde ich meine Aufmerksamkeit von jetzt an auf Lane richten. Er ist nicht so viel älter als ich, und er scheint tatsächlich zu wissen, wie man sich amüsiert. Cy wirkt ziemlich langweilig.«

Er war das komplette Gegenteil von langweilig, aber ich konnte verstehen, wie seine sachliche Strenge rüberkommen konnte.

Ich riet Evan, sich an Jungen ihres eigenen Alters bei sich zu Hause zu halten, und ich stahl Emrys weg von dem Kartenspiel, damit sie mir Gesellschaft leisten konnte, während ich meinen Kaffee austrank und versuchte, meine wild wuchernden Nerven zu beruhigen. Sie entschuldigte sich noch einmal, dass sie mich zu dieser Reise gezwungen hatte, woraufhin ich lachend antwortete, dass diese Reise das Beste war, das mir je passiert war. Und da sie meine beste Freundin war, wollte sie einen ausführlichen Bericht darüber, wie genau der älteste Warner-Bruder es angestellt hatte, mich aufzurütteln. Es machte mir nichts aus, ihr vage Details zu erzählen, aber da Cy irgendwo jenseits der dünnen Zeltwand umherging, wollte ich nicht ans Eingemachte gehen. Es waren außerdem meine Momente und Erinnerungen, und ich hütete sie wie meinen Augapfel.

Ich musste trotz des Koffeins eingeschlafen sein, aber irgendwann am frühen Morgen weckte mich das Geräusch des Reißverschlusses meines Schlafsacks, der aufgezogen wurde, bevor kalte Hände die Haut unter meinem Shirt berührten. Ich blinzelte und versuchte, meine Augen dazu zu bringen, sich an das fahle Licht zu gewöhnen, aber ich konnte nur graue Augen sehen, die mich anschauten, und das Lächeln, das Herzen zum Stillstand bringen konnte und mich jetzt herausforderte, ein Risiko einzugehen.

»Was machst du hier? Wo ist Em?« Das Zelt war zu klein für uns alle drei. Es war kaum groß genug für ihn, um sich ganz darin auszustrecken, was er tat … auf mir. Seine Hand fand meine Brüste unter dem weichen Stoff meines langärmligen T-Shirts. Ich biss mir auf die Unterlippe, um den erstickten Laut zu unterdrücken, der sich mir fast entrungen hätte, als er eine meiner Brüste zusammendrückte und dann einen Finger um den Nippel kreisen ließ.

»Sutton ist vor einer halben Stunde aufgetaucht. Er hat uns gleich gefunden, weil er den ganzen Weg bis zu der Stelle, wo er uns vermutet hat, dem Fluss gefolgt ist. Lane übernimmt die Wache, und Em hat Sutton geholfen, sein Pferd zu versorgen. Sie hat gesagt, sie könne nicht schlafen und wolle daher zum Fluss und versuchen, ein paar Fische fürs Mittagessen zu fangen. Einer meiner Brüder wird sie zum Wasser begleiten.« Er drückte die Nase in die Seite meines Halses, was mich erschauern ließ. Er war gleichzeitig kalt und glühend heiß. »Wenn sie sich darum streiten, wer mit ihr gehen darf, dann haben wir ein Problem.«

Die Hand, die meine Brust liebkoste, verlagerte sich, und jetzt drehte seine Handfläche langsame, qualvolle Kreise über meine Brustwarze. Die Knospe versteifte sich und stellte sich bei seiner Berührung enthusiastisch auf.

»Tun sie das? Sich um eine Frau streiten?« Die Worte waren rauchig und gebrochen, während seine Zähne unter dem Kragen meines Shirts verschwanden und an meinem Hals knabberten. Ich bewegte die Beine rastlos unter dem Gewicht der seinen, was dazu führte, dass er sich mit dem Becken an mir rieb. Unter seinem Reißverschluss spürte ich eine Wölbung, die sich nicht ignorieren ließ.

»Normalerweise nicht, aber deine Freundin ist ein Hammer und weiß, wie man mit Angel und Schnur umgeht. Das macht sie zu jemandem, um den es sich in diesen Teilen des Landes zu kämpfen lohnt.« Seine Zähne kratzten an der ganzen Seite meines Halses hinab, während ich zur Seite rutschte, um ihm Platz zu machen. Er zog die Hand unter meinem Shirt hervor, damit er sich daranmachen konnte, die Barriere über meinen Kopf zu ziehen. Ich hielt ihn an den Handgelenken fest.

»Em könnte jeden Moment zurück sein.«

»Sie wird uns nicht stören. Sie wusste, dass ich auf dem Weg zu eurem Zelt war, und deine Freundin gibt dir Rückendeckung.«

Er kicherte, und ich spürte es überall auf meiner Haut.

»Meine Brüder wissen es besser. Es gibt nicht viel im Leben, das ich für mich selbst will, wenn ich also etwas finde, das ich will, kommen sie mir dabei nicht in die Quere. Es ist zu früh, als dass sonst noch jemand wach sein könnte, also sei leise … oder auch nicht. So oder so ist es mir völlig egal.«

»Du willst mich.« Es war keine Frage, denn die Antwort lag klar in seinen schimmernden Augen. Ich atmete aus und legte ihm meine heile Hand in den Nacken, während er sich daranmachte, meine weiche Schlafanzughose herunterzuziehen, die die Hitze seiner Erektion kaum daran hatte hindern können, meine Haut zu versengen. Sobald ich nackt unter ihm dalag, bäumte er sich auf und kümmerte sich um seine eigenen Kleider. Er schob seinen schwarzen Cowboyhut mit einem ungeduldigen Ruck beiseite, während ich mir seinen Gürtel vorknöpfte und an seiner Jeans zerrte. Irgendwie verhedderten wir uns, und am Ende war er halb angezogen und unter mir gefangen, während ich kleine Küsse auf seine ganze Brust hauchte und über seinen wohldefinierten Bauchmuskeln verteilte. Es war, als säße ich auf einer steinernen Statue, aber sein Schwanz fühlte sich zwischen meinen Beinen wie Samt und Seide an. Ich rutschte tiefer an ihm herab, erpicht darauf, all diese Härte in den Mund zu nehmen.

Ich knurrte praktisch seinen Namen, als er mich von meiner sehr vergnüglichen Aufgabe ablenkte und mich wieder auf sich zog, damit er mir einen sengenden Kuss auf meine geschwollenen Lippen drücken konnte. Er strich mit den Händen an meinen Seiten auf und ab, während er mich unter gesenkten Brauen ansah.

»Wir müssen in ein paar Stunden losreiten, und ich brauche etwas Schlaf. Wir haben leider keine Zeit, solche herrlichen Spielchen zu spielen, obwohl ich nichts lieber tun würde.«

Ich sah ihn mit einer hochgezogenen Braue an und ließ die Hand sinken, um sie auf die starke Wölbung seiner Brustmuskeln zu legen. Ich mochte es, wie seine zarte Brustbehaarung sich unter meinen Handflächen anfühlte.

»Dein Schwanz in meinem Mund ist ein *Spiel*?« Ich zog ihn auf, aber ich sah, dass er tatsächlich müde wirkte, und sein flüchtiges Lächeln war erloschen.

»Klar, denn sobald du mir einen Orgasmus beschert hast, muss ich dafür sorgen, dass du einen noch besseren und noch längeren bekommst. Denn sobald ich mich davon erholt habe, deinen Mund um meinen Schwanz gespürt zu haben, werde ich dich vögeln, bis keiner von uns mehr geradeaus gucken kann. Ich könnte kommen, einfach indem ich an deinen Mund auf meinem Schwanz denke … das habe ich bewiesen. Du warst dabei.«

Das Bild von ihm, wie er seinen pulsierenden Schwanz gerieben hatte, als ich ihn nur beobachtet hatte, sorgte dafür, dass mein Inneres sich zusammenkrampfte. Mir lief das Wasser im Mund zusammen. Es war das Erotischste, was ich je erlebt hatte, und ich hatte es verursacht.

»Willst du, dass ich dir einen Gutenachtkuss gebe und dich allein lasse?« Ich dachte, dass er weitere Pläne hatte, da er derjenige war, der mir meine Kleider ausgezogen und mich mit wandernden Händen und einem ungeduldigen Schwanz geweckt hatte.

Dieses Lächeln, das strahlender war als die Sonne an einem perfekten Tag, strich über seine Züge. Es war verheerend. »Nein. Ich will, dass du auf meinen Schwanz kletterst und ihn hart und wild reitest. Vögel mich, bis ich den Verstand verliere, und tu es schnell. Ich will, dass du bei uns beiden das Innerste nach außen kehrst, und wenn du fertig bist, kannst du mir einen Gutenachtkuss geben.« Er griff nach meinen Hüften und drängte mich, mich hochzustemmen, damit sein Schwanz in mich gleiten konnte. Ich war bereits voller Verlangen, feucht und bereit für ihn. Er glitt an meiner Scham entlang und an meiner zittrigen Klitoris. Es ließ mich auf ihm zusammenzucken. Er schenkte mir ein wissendes Grinsen und wiederholte die Bewegung, bis sein Schwanz glänzte und bedeckt war mit dem flüssigen Verlangen, das in mir brodelte.

Ich bettete die Knie links und rechts von seinen Hüften, griff zwischen uns, um ihn einzufangen, und stemmte mich so weit hoch, dass ich ihn zu meinem Eingang führen konnte. Er beobachtete mich mit hungriger Vorfreude; und ich ließ mich langsam auf dem steifen Schaft hinab. Ich fand es herrlich, wie mein Körper sich an ihn anpasste. Ich wusste, dass er da war, dass er einen Platz für sich selbst in mir schuf. Die Dehnung fühlte sich lustvoll und erotisch an.

Er wollte, dass ich ihn vögelte, ihn schnell vögelte, aber ich musste mir Zeit lassen, um ihn dorthin zu bekommen, wo wir beide ihn haben wollten. Das Hineingleiten seines Schwanzes fühlte sich an, als dauerte es eine Ewigkeit. Qualvolle Sekunden, während ich mich um ihn zusammenkrampfte. Als er in mir war, wollte mein Körper ihn nicht verlieren. Ich versuchte, ihn festzuhalten, und die Tortur ließ ihn schwitzen. Seine Brust hob und senkte sich in einem irre schnellen Tempo, während er darauf wartete, dass ich meinen nächsten Schritt tat.

Ich hockte auf ihm, beugte mich vor und drückte meine Lippen auf seine, während ich tat, was er mir aufgetragen hatte. Ich ritt ihn hart, und ich ritt ihn wild. Ich wiegte die Hüften in einem hektischen Tempo vor und zurück und hob und senkte mich in einem Rhythmus, der uns beide schneller atmen ließ. Ich stützte mich auf seiner Brust ab und grub die Finger so fest in seine Muskeln, dass auf seiner gebräunten Haut Male zurückblieben. Mein Haar fiel in gelockten Kupferwellen, die Cy so sehr zu lieben schien, um uns herum.

»So verdammt heiß, Leo. Mir ist seit Jahren nicht mehr so warm gewesen. Du bist wirklich ein Sonnenschein.«

Bei seinen Worten bewegte ich mich noch schneller und warf den Kopf in den Nacken, als er eine besonders exquisite Stelle traf. Ich versuchte, leise zu sein, daher verschluckte ich ein Stöhnen und musste mir auf die Zungenspitze beißen, als seine Hand wieder meine Brust bearbeitete, während seine andere Hand sich dorthin bewegte, wo wir miteinander verbunden waren. Sein Daumen traf meine Klitoris mit scharfschützenähnlicher Präzision und begann einen kreisförmigen Tanz, bei dem sich tief in meinem Unterleib Begierde sammelte und sich spiralförmig ausbreitete.

»Du bist wie für mich gemacht.« Selbstbewusstsein drängte aus seinen Worten hervor.

Vielleicht hatte er recht. Niemand hatte mich je so ausgefüllt oder hatte die Sache sich so wichtig und essenziell anfühlen lassen wie er. Er machte mir mit allen Sinnen bewusst, wie weiblich ich neben all seiner Männlichkeit war. Er machte mir auch auf irrwitzige Weise klar, wie machtvoll all diese Weiblichkeit war.

Ich legte eine Hand über die nackte Brustwarze, an der er gerade nicht rieb, und streichelte die weiche Knospe mit viel leichteren Berührungen, als er es bei der anderen tat. Die Stimulierung ließ mir den Kopf schwirren, und mein Körper krampfte vor Entzücken. Wir verschmolzen miteinander, schmolzen in einem gemeinsamen Teich aus Begehren und Lust.

Alles war hektisch und wild. Das ganze Zelt bewegte sich um uns herum, und ich konnte die leisen Laute der Lust nicht zurückhalten. Wir waren maßlos und gierig. Wir hatten weder genug Zeit noch Platz, um an alles heranzukommen, was wir wollten, aber wir schlugen uns wacker.

Seine Hand verließ meine schmerzende Brust und wanderte zu meiner Kehle empor. Er strich lediglich mit dem Daumen über meine Adern und streifte sie sachte. Es war eine sanfte Berührung, eine, die ich kaum spürte, aber es war eine Berührung, die Bände sprach. Er legte beide Hände auf mein Herz, und das im buchstäblichen Sinne. Es reagierte im Gleichklang mit seinem Körper und seinen Worten

»So nah dran, Sonnenschein. Gib mir alles, was du hast, und lass uns beide zerbersten.« Die Adern an der Seite seines Halses traten hervor, und seine Augen glühten fast silbern in dem fahlen Morgenlicht.

Ich wollte uns nicht zerbersten lassen. Ich wollte uns heilen, damit es vielleicht einen Weg für uns gab, unbeschadet statt vernarbt aus diesem Feuer herauszukommen.

Ich löste mich von seiner herausfordernden Zunge. Ich drückte den Rücken durch und schaffte es, mich in eine Position zu bringen, von der aus ich hinter mich langen konnte. Seine Augenbrauen schnellten in die Höhe, als ich eine Hand zwischen den Stoff schob, der immer noch um seine Hüften verheddert war, und die Gelegenheit bekam, die weichen Kugeln zwischen seinen Beinen zu erwischen, die sich zusammengezogen hatten vor Wonne.

Es brauchte nur eine kleine Liebkosung, das winzigste Kratzen meiner Nägel über die empfindliche Oberfläche, um ihn den Verstand verlieren zu lassen. Er knurrte meinen Namen, schlang mir einen Arm um die Taille und rollte uns so, dass er auf mir lag und in mich hineinhämmern konnte, als versuchte er, uns beide in den Boden zu stampfen. Seine Haut klatschte auf meine, unsere Becken prallten so hart aufeinander, dass wir blaue Flecken davontragen würden, und ich wurde offen und weich, während er angestrengt in mich stieß.

Sein Gesicht verschwamm über mir, als sein Kopf sich nach hinten neigte und sein Hals sich anspannte. Die Arme, mit denen er sich zu beiden Seiten meines Kopfes abstützte, zitterten, und seine Nasenflügel bebten. Es war urtümlich und so verdammt heiß, dass ich einen Orgasmus bekam, einfach nur, indem ich ihn beobachtete, wie er seinen erlebte. Stolz jagte Wonne und Verlangen von meinem Kopf bis in meine Zehenspitzen. Ich ließ ihn zersplittert und befriedigt aussehen. Sanft und gesättigt.

Ich wimmerte und bebte durch meinen eigenen Orgasmus, mit seinem Namen auf den Lippen und ihm an meiner Seite, der mich umschlungen hielt, innerlich und äußerlich. Es war herrlich und unvergesslich.

Er senkte sich herab, sodass er wie eine riesige muskulöse Decke auf mir lag, und rieb seine stachelige Wange an meiner. Wir waren immer noch auf eine Weise verbunden, die sich unzertrennlich anfühlte, und er strich mir mit einer Hand über den Oberschenkel und hob ihn an, um ihn sich um die Hüfte zu schlingen. Ich half ihm mit einem Fuß, seine Hose ganz herunterzuziehen, und liebkoste seine Wirbelsäule, während er laut in mein Ohr gähnte.

»Ich bin bereit für diesen Gutenachtkuss.«

Schläfriger Humor prägte seine Stimme, daher drehte ich den Kopf und begegnete seinen Lippen mit meinen eigenen.

»Lass mich aufstehen, dann lasse ich dich schlafen.« Seine Arme umfassten mich fester, und seine Bartstoppeln kratzten über meine Haut, während er ablehnend den Kopf schüttelte. »Ich lasse dich nicht los.« Seine Augen waren geschlossen, und er atmete bereits langsamer.

Ich seufzte und schlang beide Arme um seine breiten Schultern.

»Du willst mich.« Ich konnte die volle Wucht dessen, wie viel mir das bedeutete, immer noch nicht ganz verarbeiten.

Er stieß einen langen Atemzug aus und küsste mich auf die Schläfe. »Ich verdiene dich. Ich verdiene es, wie ich mich in deiner Nähe fühle, selbst wenn es nur vorübergehend ist. Bleib noch ein Weilchen bei mir. Wir haben nicht viel Zeit.«

Die Erinnerung daran brachte mich schier um, aber immerhin ermöglichte er mir eine behaglichere Position in seinen Armen, als er uns auf die Seite drehte, während der Kummer um alles, was ich zurücklassen würde, wie eine Regenwolke über mir hing. Sex mit Cy ließ mich nicht zerbersten; er gab mir das Gefühl, ganz und neu zu sein.

Eine Stunde später schlängelte ich mich aus Cys Umarmung, als sein Griff sich endlich lockerte und seine Arme nur noch schlaff um mich lagen. Es kostete ein wenig Anstrengung, mich anzuziehen, ohne ihn zu berühren, vor allem wenn man bedachte, dass er den Großteil des Zelts beanspruchte, aber ich schaffte es trotz meines schwachen Handgelenks. Ich ging zum Morgenfeuer, das bereits brannte, und in dessen Kohlen die Kaffeekanne stand. Sutton stand auf einer Seite, und Em saß auf der anderen. Sie schienen nicht miteinander zu reden, aber es war offensichtlich, dass da etwas Peinliches im Gange war. Sehr interessant. Es war etwas, nachdem ich sie später fragen würde. Als ich sie schließlich erreichte, verschwand, was immer an sexueller Spannung vorher dagewesen war.

Em schenkte mir ein schnelles Grinsen, und Sutton begrüßte mich mit einer erhobenen Tasse und seinem typischen Stirnrunzeln. Em bot mir eine Tasse Kaffee an und berührte meine Schulter mit ihrer, als ich mich neben sie setzte.

»Du siehst … gut ausgeruht aus.«

Ich verdrehte die Augen, konnte mir aber ein Grinsen nicht verkneifen, ein Grinsen, das erstarb, als Sutton murmelte: »Eine weitere Urlaubsaffäre, die zerbrechen und verglühen wird. Ich hoffe immer noch darauf, dass er eine Frau findet, die tatsächlich bleibt.«

Ich legte den Kopf schräg und musterte ihn eine Weile. »Vielleicht sucht er sich mit Absicht Frauen aus, die nicht bleiben können, weil er keine Wiederholung dessen will, was mit seiner Ehefrau passiert ist. Wenn man weiß, dass die andere Person fortgehen muss, tut es weniger weh, sie ziehen zu lassen.«

Er senkte die Kaffeetasse in seiner Hand und zog die Brauen zusammen. »Er hat Ihnen von Selah erzählt?«

Ich nickte, bekam aber keine weiteren Details zu hören, während er mich schlicht beobachtete – Spekulation und Neugier waren deutlich zu sehen in seinen blattgrünen Augen. Em drehte sich zu mir um und sagte: »Sutton hat erzählt, er habe in der Stadt, als er seine Tochter abgeholt hat, die Leute darüber reden hören, dass die Park-Ranger vor einigen Wochen eine Leiche aus dem Fluss gefischt haben sollen.«

Ich sah Sutton an, der die Achseln zuckte. »Ich bin mit Daye zum Big Horn gefahren, einem der wenigen Restaurants in Sheridan, und während wir zu Abend gegessen haben, sind nicht weniger als fünf Leute an den Tisch gekommen, um zu fragen, ob ich von dem Leichnam gehört hätte. Die Ranch liegt so weit von der Stadt entfernt, dass wir normalerweise alles Mögliche an Gerüchten und Gerede nicht mitbekommen, es sei denn, die Gäste erzählen uns was. Ich habe angenommen, es müsse sich um einen Wanderer handeln, der sich verirrt hat, oder einen Kajakfahrer, der in eine Stromschnelle geraten ist. Rodie Collins, der zufällig beim Sheriff gewesen war, hat erwähnt, dass in der Leiche Einschusslöcher gewesen seien.« Er brummte. »Kein angemessenes Gespräch für eine Fünfjährige, aber wir haben es hier normalerweise nicht mit Gewaltverbrechen zu tun. Ich denke, der Sheriff war ganz aufgeregt, dass er tatsächlich ein Verbrechen zu lösen hatte. Er hat gesagt, sie hätten den Mann nicht identifizieren können, würden aber daran arbeiten.«

Ich strich mir einige Haarsträhnen aus dem Gesicht und runzelte die Stirn. »Als Boss im Wald durchgegangen ist, sind wir auf eine riesige Pottfarm mitten zwischen den Bäumen gestoßen. Cy denkt, die Leute, die dort Marihuana angepflanzt haben, sind diejenigen, die versuchen, uns dazu zu bringen, in eine andere Richtung zu reiten. Es würde mich nicht überraschen, wenn der Leichnam und die versteckten Drogenfelder etwas miteinander zu tun haben.«

»Wahrscheinlich! Was bedeutet, dass Leute ferngehalten werden sollen und irgendjemand sich nicht scheut, Gewalt anzuwenden, um den Ort, an dem sie das Zeug anbauen, zu schützen. Wir müssen uns beeilen, damit ihr aus der Schusslinie kommt. Wir müssen irgendwohin, wo wir die Dinge besser unter Kontrolle haben.«

So ähnlich hatte es auch bei Cy geklungen, was bedeutete, dass der mittlere Warner-Bruder ebenfalls dachte, dass dies eine Situation war, die schnell außer Kontrolle geraten konnte.

Zitternd strich ich mir mit den Händen über die Arme und deutete mit dem Kopf auf das Zelt. »Cy war die ganze Nacht auf, geben Sie ihm noch eine Stunde Zeit zum Schlafen, und dann brechen wir auf. Wir sollten alle anderen zusammentrommeln, damit sie etwas essen und wir aufbrechen können, sobald Cy aufsteht.«

Endlich fiel der harte Ausdruck auf Suttons unfassbar gut aussehendem Gesicht von ihm ab. Seine Lippen verzogen sich zu einem breiten Grinsen, und ich hörte Em neben mir nach Luft schnappen. Es war schwer, den Warner-Männern zu widerstehen, wirklich.

Emrys und ich tranken unseren Kaffee aus und gingen dann durchs Lager, rüttelten an den Zelten und sorgten dafür, dass alle aufstanden und sich für den Tag bereit machten. Der Rest der Gruppe brummelte vor sich hin wegen der irrwitzig frühen Stunde, aber als Cy endlich auftauchte, zerknittert und offensichtlich immer noch müde, waren die Pferde bepackt und bereit zum Aufbruch. Einzig mein Zelt musste noch eingepackt werden. Lane drückte seinem Bruder einen Müsliriegel in die Hand, während sie darüber diskutierten, auf welchem Wege sie uns am besten alle zurück zur Ranch bringen konnten.

Em und ich beschäftigten uns damit, das Feuer zu löschen und ordentlich abzudecken, als es auf einmal knallte, wieder und wieder. Ich wusste erst gar nicht, was los war, aber ganz plötzlich flippten die Pferde aus, stiegen und wieherten laut, während sie an den Stricken zerrten, mit denen sie angebunden waren. Evan schrie und hielt sich die Arme über den Kopf, während ihre Mutter ihren Arm ergriff und sie zum nächstbesten Baum zog, abseits des offenen Uferstreifens, auf dem wir campiert hatten. Der Vater des Mädchens machte einen gewaltigen Satz und landete hinter meinem Zelt, während alle davoneilten, um sich irgendwie in Sicherheit zu bringen.

Sutton sprang über die Feuergrube und stieß Em zu Boden. Sie rollten durch seinen Schwung ein kleines Stück weiter, und er sorgte dafür, sie so gut wie möglich zu bedecken, während laute Schüsse die Luft erfüllten und Erdbrocken und Rindenstücke durch die Luft schossen. Kugeln flogen überall um uns herum. Cy griff nach meinem Arm und zog mich mit sich, rannte ebenfalls auf die Baumlinie zu. Lane war uns direkt auf den Fersen und schob Evans kleinen Bruder vor sich her. Als der Junge stolperte, blieb Lane stehen und zog Ethan hoch.

Die beiden Männer standen mitten im Lager, und Sutton brüllte ihnen zu, sich in Deckung zu bringen. Der Ältere ignorierte ihn, während der Jüngere zu seinem Pferd flitzte. Er mühte sich, etwas aus der Satteltasche zu zerren, die an der Seite hing, während das Pferd versuchte, sich in seiner Panik loszureißen. Der ältere Mann schien die dichte Baumlinie zu betrachten, auf der Suche danach, woher die Schüsse kamen. Die Kugeln, die an ihm vorbeizischten, machte ihm offensichtlich keine Sorgen. Es wurde immer noch auf das Lager geschossen, aber ich war erschrockener über die Tatsache, dass etwas Warmes und Klebriges an Cys Arm hinabrann und über meine Finger, wo ich ihn festhielt. Er hielt mich an den Baumstamm einer großen Kiefer gepresst und schützte mich mit seinem Körper.

»Was zum Teufel tut dieser Idiot?« Die Worte wurden in mein Ohr geknurrt, während er sich dichter gegen mich drängte. Ich reckte den Hals, so weit ich konnte, um zu sehen, worüber Cy schimpfte.

Webb und Grady standen beide in der Mitte des Lagers. Sie waren jetzt bewaffnet und erwiderten das Feuer der unsichtbaren Angreifer. Der Klang von Schüssen war ohrenbetäubend, weil er von den Felsen zurückgeworfen wurde. Ich presste die Augen fest zusammen und drückte mich so gut wie möglich an Cy. Ich versuchte, mir keine allzu großen Sorgen wegen des Blutes zu machen, das über meine Finger tropfte, da er nicht übermäßig beunruhigt deswegen zu sein schien. Mir wurde erschreckend bewusst, dass dieser Mann zwar unverwüstlich schien, aber nicht kugelsicher war.

Kapitel 13

Nicht gerade leicht, da rauszukommen

Beide Männer waren erschreckend versiert im Umgang mit den Waffen in ihren Händen, als sie das Feuer erwiderten, daher verwandelte sich der Lagerplatz schnell in etwas, das einer Kriegszone ähnelte. Die Schüsse von den gesichtslosen Angreifern wirbelten weiter Steine und Sand auf. Die ursprünglichen Schüsse waren wahrscheinlich als Warnung gedacht gewesen – eine weitere Taktik, uns Angst zu machen. Es war klar, dass wer immer all das tat, wollte, dass wir weiterzogen. Meine erste Vermutung war, dass sie uns so weit wie möglich von dem versteckten Marihuanafeld weglocken wollten. Sobald aber Grady und Webb zurückgeschossen hatten, war es keine bloße Drohung mehr gewesen. Ein Stück Rinde direkt über der Stelle, wo Cy mich mit seinem eigenen Körper schützte, wurde weggesprengt, und ich hörte ihn fluchen, als das hölzerne Ding seine Kopfhaut aufriss. Ein leuchtend roter Blutstropfen rann ihm über die Mitte der Stirn und über den Nasenrücken, bevor er das Blut mit seinem verletzten Arm wegwischte.

Ich gab einen tiefen, kehligen Laut von mir und fragte ihn, ob er irgendwo bei sich ein Taschenmesser hätte. Da er zunehmend bewies, dass er mehr Cowboy war, als ich ihm zugetraut hatte, holte er ein winziges Klappmesser aus seiner Brusttasche. Ich zog den Kopf ein, schuf genug Platz zwischen uns beiden, sodass ich einen Streifen am Saum meiner Bluse abschneiden und den improvisierten Verband um seinen blutenden Oberarm wickeln konnte. Ich wusste, dass es wehtun musste, denn er protestierte nicht gegen die lautlose Versorgung oder sagte mir, ich solle es lassen. Ich riss ein weiteres Stück von meiner Bluse ab, um die Wunde an seinem Kopf abzutupfen, die nicht allzu schlimm aussah, obwohl sie höllisch stark blutete.

»Was sollen wir tun?« Ich hasste es, dass meine Stimme zitterte, aber ich hatte Angst, und es hörte sich nicht so an, als würde irgendjemand in absehbarer Zeit aufhören zu schießen.

Cy brummte und zog mich weiter hinter den Baum, als ein Ast von einem Baum neben uns getroffen wurde und abbrach.

»Ich wünschte, ich hätte eine Antwort auf diese Frage, Sonnenschein. Im Moment können wir nichts anderes tun, als in Deckung zu gehen und abzuwarten, was passiert, wenn ihnen die Munition ausgeht.«

»Das ist schlimm.« Ich schob den Kopf unter sein Kinn und betete, dass es Em gut ging. Ich konnte hinter Cys Brust nicht viel erkennen und zwischen den Bäumen, die uns umgaben, auch nicht.

Er schnaubte, und seine Hände umfassten meine Hüften fester. »Ich bin mir verdammt sicher, dass es nichts Gutes bedeutet. Mir war klar, dass diese beiden seltsamen Käuze nicht die waren, für die sie sich ausgegeben haben.«

Ich nickte, und mein Haar streifte die Bartstoppeln auf seinem Gesicht. »Warum haben sie Pistolen und Munition auf einem Ritt mitten im Nirgendwo dabei?«

»Das ist eine gute Frage. Eine, von der ich hoffe, dass ich eine Gelegenheit dazu bekomme, sie zu stellen.«

»Hurensohn!« Der Schrei kam von dem jüngeren der beiden Männer und führte dazu, dass Cy vorsichtig um den Stamm des Baumes herumlugte. Bevor ich fragen konnte, ob der Mann verletzt war, hörte das Knallen und Ploppen der Kugeln auf.

»Bist du verletzt, Webb?« Das war der ältere Mann, der die Frage brüllte, gerade als Cy sich von mir löste und einen Schritt zur Seite trat. Ich wollte ihn zurück hinter den Baum ziehen, nur für den Fall, dass sich immer noch jemand im Wald versteckte und bereit war, auf ihn zu zielen. Ich legte beide Hände auf seinen unverletzten Arm und sah ihn mit flehenden Augen an. »Warte!«

Ich war mir nicht sicher, worauf er warten sollte, aber ich wollte nicht, dass er eine leichte Zielscheibe abgab.

»Ich muss nach allen sehen. Du bleibst hier, bis ich zurückkomme und dich hole.« Er legte seine Hände auf meine und musste meine Finger fast mit Gewalt lösen. Ich wollte ihn nicht gehen lassen.

»Sie könnten erneut anfangen zu schießen.« Ich flüsterte die Worte, während er mit den Rückseiten seiner Finger über meine Wange strich. Er machte sich Sorgen um alle anderen, daher beschloss ich, es sei in Ordnung, wenn ich mir Sorgen um ihn machte.

»Wir müssen alle zusammentrommeln und von hier verschwinden. Ich will nach den Pferden sehen, um mich davon zu überzeugen, dass es ihnen gut genug geht, um geritten zu werden, und ich muss nach meinen Brüdern schauen. Bleib in Deckung, falls die Schüsse wieder einsetzen.«

Er schlüpfte an mir vorbei, und ich ließ mich zu Boden sinken. Die Rinde des Baums zerkratzte mir den Rücken, als meine Bluse hochrutschte. Ich spähte um den Stamm herum und beobachtete mit besorgten Augen, wie Cy in die Mitte des Lagers ging, wo Grady sich über den anderen Mann beugte. Webb. Sie sprachen mit gedämpften Stimmen, und es war offensichtlich, dass Webb eine Menge Blut verlor.

Als Sutton Cy bemerkte, sprang er von der anderen Seite der Feuergrube auf, nachdem er Emrys befohlen hatte, den Kopf unten zu halten.

»Du bist getroffen worden.« Sutton klang eher angewidert als verängstigt, aber selbst aus dieser Entfernung konnte ich die Sorge in seinen Zügen sehen.

»Es ist eine Fleischwunde. Die kann warten, bis wir alle in Sicherheit gebracht haben. Ich dachte, wir könnten am Fluss entlangreiten, aber das hier war ein Hinterhalt, und ich will nicht noch weitere Unschuldige in Gefahr bringen, indem wir auf ein anderes Lager oder eine Gruppentour stoßen.« Er ging zu den zwei bewaffneten Männern, die sich als ein Duo voller Überraschungen entpuppten. »Wie schwer sind Sie verletzt?«

Webb, der sich die Schulter hielt, während rote Flüssigkeit durch seine Finger sickerte und sein Hemd befleckte, verzog das Gesicht. »Ein Durchschuss. Nicht gut, aber mir ist schon Schlimmeres passiert.«

Cy grunzte. »Ich nehme nicht an, dass Sie beide erklären wollen, warum Sie bis an die Zähne bewaffnet waren, als wären Sie darauf gefasst gewesen, dass es mitten im Wald zu einer Schießerei kommen würde?«

Lane erschien eilig aus dem Wald und sprudelte hektisch hervor: »Das ist eine Geschichte, die ich ebenfalls hören will, aber ich denke nicht, dass jetzt der richtige Zeitpunkt dafür ist. Wir müssen hier weg. Ich weiß nicht, warum sie aufgehört haben zu schießen, aber sie hatten genug Munition und genug Zeit, um uns alle zu erledigen. Wir müssen weg, solange das noch geht.«

Sutton nickte und fuhr sich mit einer Hand übers Gesicht. »Lane hat recht. Wir haben keine Zeit für Fragen. Ich hab 'ne Zwölfer, Lane hat eine .357 Magnum.« Er deutete auf die Stelle, wo Grady sich immer noch besorgt über Webb beugte. »Und diese Jungs haben halb automatische Pistolen, mit denen sie gerade herumgeballert haben. Angenommen, sie haben nach dieser Schießerei noch Munition, halte ich es für das Beste, wenn wir die Gruppe teilen. Jeder von uns übernimmt einige der Teilnehmer, und wir reiten auf unterschiedlichen Wegen zurück zur Ranch. Wenn wir alle zusammen unterwegs sind, geben wir eine zu große Zielscheibe ab.«

Lane runzelte die Stirn. »Wenn wir uns aufteilen, können wir aber nicht miteinander in Kontakt bleiben, falls jemand in Schwierigkeiten kommt. Diese Männer wollen uns vom Berg weghaben.«

Sutton zuckte die Achseln und sah seinen älteren Bruder an, um sich bestätigen zu lassen, dass seine Idee die beste Möglichkeit war. »Wir kommen schneller voran, wenn wir uns aufteilen.«

Cy schaute zu den Bäumen hinüber und den Fluss entlang, als versuchte er festzustellen, ob die Gefahr immer noch vorhanden war. Nach einer Weile nickte er und sah die beiden Männer an, die so offensichtlich nicht das waren, wofür sie sich ausgegeben hatten.

»Ich habe das Gefühl, dass Sie mehr darüber wissen, was hier los ist, als irgendjemand sonst. Ich will eine Kurzfassung hören, warum Sie diesen Ritt mitgemacht haben, und wenn ich Ihnen abkaufe, dass Sie nicht in schlimmer Scheiße stecken, werden Sie beide mit mir reiten.« Er deutete auf Webb, der sich jetzt krümmte und sichtlich Mühe hatte, ruhig zu atmen. »Außerdem werden wir mit meinem verletzten Arm und seiner angeschossenen Schulter am langsamsten sein.«

Grady schaute zwischen seinem verletzten Freund und Cy hin und her. Er wog offensichtlich seine Optionen ab und entschied, wie viel er preisgeben konnte. Cy zeigte ungeduldig auf Webbs Schulter, aus der von Sekunde zu Sekunde mehr Blut sickerte. »Ihre Uhr tickt, Kumpel. Ticktack.«

Mit einem Seufzen rieb sich der Ex-Soldat das Gesicht und fuhr sich dann mit der Hand übers Kinn. »Langer Rede kurzer Sinn ist, dass wir jemanden kennen, der in diesen Teil von Wyoming gegangen und dort verschwunden ist. Er ist kein Mann, der ohne Grund die Kommunikation abbricht. Ich hätte ihn ziemlich in Gefahr gebracht, wenn irgendjemand herausgefunden hätte, dass er Leute hatte, die nach ihm Ausschau hielten. Wir haben diesen Trip gebucht, um möglichst nah an ihn heranzukommen, aber nicht so nah, dass jeder andere, der nach ihm suchte, es bemerken könnte.«

Sutton verlagerte sein Gewicht von einem Fuß auf den anderen und verschränkte die Arme vor der Brust. »Sind Sie die Guten oder die Bösen?«

Grady stöhnte, und Webb stieß ein brüchiges Lachen aus, das bitter war vor Schmerz. »Wir sind beides.«

Cy stieß ein Brummen aus und tauschte Blicke mit seinen Brüdern, mit denen sie offensichtlich aushandelten, wie viel Vertrauen sie in diese beiden Männer setzen konnten. Unterm Strich war es wichtiger, *alle* ihre Schutzbefohlenen zu beschützen, auch wenn ein Verdacht oder Zweifel bestand. Er drehte sich zu Sutton um, und seine Stimme war furchteinflößend, als er seinem mittleren Bruder sagte: »Du nimmst die Frauen. Du beschützt sie mit deinem Leben, hörst du mich, Sutton?«

Er bekam zur Antwort ein knappes Nicken. »Du weißt, dass ich das tun werde.«

Cy ging zu seinem jüngsten Bruder und klopfte ihm auf die Schulter. »Du reitest mit der Familie. Behalte die Kinder ganz besonders im Auge, und wenn der Vater sich absichtlich zurückfallen lässt, sagst du ihm, dass du ihn im Wald zurücklassen wirst. Er hat seine Familie genug drangsaliert, lass nicht zu, dass er der Grund ist, warum sie in etwas verwickelt werden, aus dem wir sie nicht befreien können.« Lane nickte zur Antwort, und seine Entschlossenheit war die gleiche wie die seiner älteren Geschwister.

Cy hob eine Hand und strich sich damit durchs Haar. »Wir müssen unter den Bäumen bleiben und die entlegeneren Pfade benutzen. Versuchen, alle Wege zu meiden, die breit genug für motorisierte Gefährte sind, und wir müssen ein Auge auf den Boden halten. Wenn Leute hier draußen sind, meidet Stellen, wo viel los ist. Beeilt euch und versucht, so unauffällig wie möglich zu sein. Ich werde mit dem Satellitentelefon Brynn anrufen und dafür sorgen, dass sie Bescheid weiß, was los ist, damit sie die Ranger und den Sheriff verständigen und sie über den Hinterhalt informieren kann. Wenn ihr einem Uniformierten über den Weg lauft, schickt ihn in die Richtung des Anbaufeldes und lasst ihn wissen, dass er es in der Gegend mit bewaffneten Individuen zu tun hat, die keine Angst haben zu schießen.«

»Das sollten Sie vielleicht lieber bleiben lassen.« Das war von Grady gekommen, und Webb blaffte zum Zeichen seines Protestes dessen Namen.

Grady schüttelte über seinen verletzten Freund den Kopf und richtete seinen Blick auf Cy. »Die letzte offizielle Person, die hier oben war und nach diesem Drogenfeld und den Pflanzern dahinter gesucht hat, ist als Vermisster geendet. Er ist unser Freund, und wir suchen nach ihm. Die Männer, die Operationen wie diese leiten, sind keine unschuldigen Farmer oder Geschäftsleute, die versuchen, ein paar Dollar zusätzlich zu verdienen. Die meisten stehen auf der Lohnliste eines Kartells. Ihnen ist scheißegal, ob ein paar Touristen ihr Leben lassen, weil sie ihnen zu nah gekommen sind.«

Sutton ächzte und bemerkte tonlos: »Vielleicht handelt es sich dabei nicht mehr um einen Vermissten. Als ich in der Stadt war, hat der Sheriff versucht, die Identität eines Leichnams zu ermitteln, den sie aus dem Fluss gezogen haben.«

Webb sprang taumelnd auf, und sowohl Cy als auch Grady griffen nach ihm, um zu verhindern, dass er der Länge nach hinschlug. »Nein … nein … nein.« Er sackte in sich zusammen, während der ältere Mann versuchte, ihn aufrechtzuhalten.

»Komm schon, Webb. Wir wissen nicht, ob es Wyatt ist.« Ich hörte ein Geräusch und musste in den Kreis der Männer blinzeln, um zu begreifen, dass der Verletzte ein Schluchzen unterdrückte.

»Wer sollte es sonst sein, Grady? Ich habe dir gesagt, dass ich meinen Bruder kenne, als wir mit diesem Plan hergekommen sind. Er würde niemals so lange fortbleiben, ohne sich bei seiner Partnerin oder seiner Familie zu melden. Hurensöhne!« Der Kraftausdruck hallte von der Umgebung wider, und die Warner-Brüder tauschten einen Blick.

»Wir müssen los. Wir haben im Moment keine Zeit dafür. Wer weiß, warum sie aufgehört haben zu schießen, aber ich will weg sein, bevor sie wieder damit anfangen.« Cys Stimme war barsch und ließ seine jüngeren Geschwister jäh aktiv werden.

Grady warf Cy einen harten Blick zu. »Sie haben aufgehört zu schießen, weil sie nicht den Befehl hatten, uns zu töten. Anderenfalls wären wir jetzt alle tot. Sie wollen uns von dem Berg verscheuchen, weg von ihren Setzlingen.«

Cy drehte sich um und ging auf die Pferde zu. »Nun, wir sollten lieber von hier verschwinden, bevor sie andere Befehle erhalten. Ich habe in einem meiner Bündel einen Verbandskasten. Wir können Ihnen also die Schulter bandagieren, aber es wird keine Wunder wirken. Sie sind in keiner guten Verfassung, Junge.«

Da ich zu dem Schluss kam, dass ich weder länger den Kopf unten noch den Mund geschlossen halten konnte, krabbelte ich auf Händen und Knien um den Baum herum, darauf vorbereitet, mich auf den Bauch fallen zu lassen, falls neuerlich Kugeln über meinen Kopf hinwegschossen. Ich krabbelte zu Cy hinüber, der versuchte, die nervösen Pferde zu beruhigen.

»Ich habe dir gesagt, du sollst dortbleiben.« Er knurrte mich praktisch an und sah besonders grimmig aus wegen des verschmierten Blutes von seiner Kopfwunde, das seine Stirn sprenkelte.

»Ich habe nicht auf dich gehört.« Ich erhob mich und streckte die Hand aus, um Boss den Hals zu streicheln. Er war verschwitzt, und ich spürte, wie nervös das große Tier war. »Ich will nicht mit Sutton gehen, Cy. Ich will bei dir bleiben.«

Er seufzte. »Sutton wird nicht zulassen, dass dir etwas passiert, Leo. Mein Arm ist verletzt, der junge Mann hat einen Durchschuss in der Schulter, und er hat bereits viel Blut verloren. Du musst in sicheren Händen sein, und ich muss mich auf die gegenwärtige Aufgabe konzentrieren, nicht auf dich. Das ist der beste Plan. Vertrau mir!«

Ich rümpfte die Nase über die nicht allzu subtile Erinnerung daran, dass er mich für eine Ablenkung hielt. »Irgendjemand muss sich um dich kümmern.« Die Worte waren leise, aber ich war mir sicher, dass er mich laut und deutlich gehört hatte.

Seine grafitfarbenen Augen leuchteten auf, und dieses Lächeln, das immer häufiger auftauchte, lag einen flüchtigen Moment auf seinen Lippen.

»Ich will dich wiedersehen, bevor ich nach Hause fahre, Cyrus Warner.« Und das wollte ich nicht nur, weil ich mir ein richtiges Lebewohl wünschte. Ich hatte das Gefühl, dass ich noch nicht genug von ihm gehabt hatte, um damit für den Rest meines Lebens auszukommen.

»Wir sehen uns auf der Ranch, Leo. Versprochen!« Bisher hatte der Mann immer Wort gehalten, daher war ich geneigt, ihm zu glauben.

Ich überließ ihn seiner Arbeit und machte mich auf die Suche nach Em, die zitterte und geschockt wirkte. Jetzt war ich an der Reihe, sie zu trösten, also nahm ich sie in die Arme und zog sie an mich.

»Hey, es wird schon alles gut gehen. Diese Jungs werden sich darum kümmern.« Ich konnte ihre Zähne klappern hören und spürte das Beben in ihren Händen, als sie meine umklammerte.

»Es hat noch nie jemand auf mich geschossen. Ich dachte, wir würden sterben.« Sie blinzelte mit großen Augen, und ihre Unterlippe bebte. »Ich will nicht sterben, Leo.«

Ich zog sie noch fester an mich und tätschelte ihr den Rücken. »Niemand wird sterben.« Nun, niemand sonst. Es hörte sich so an, als würde der Leichnam, den Sutton uns gegenüber erwähnt hatte, vielleicht mit den beiden Männern und ihrem geheimen Plan zusammenhängen.

»Das weißt du nicht. Ich bin hierhergekommen, um zu angeln und zu campen. Ich hätte dich nie überredet, mich zu begleiten, wenn ich gewusst hätte, wie gefährlich es sein würde. Das alles ist so schrecklich.«

Ich trat einen kleinen Schritt zurück und umfasste mit beiden Händen ihre Wangen. Ich konnte erkennen, dass sie drauf und dran war, in Tränen auszubrechen, und es war erschreckend, wie blass sie unter ihrem gebräunten Teint war.

»Em, diese Reise war genau das, was ich gebraucht habe. Ich brauchte das Wachrütteln und den Tapetenwechsel. Ich brauchte die Herausforderung, etwas außerhalb meiner Komfortzone zu tun. Sicher, im Moment ist es gefährlich, aber das war nicht Teil des Plans, und wir werden es durchstehen, okay?« Ich klang so sicher, dass die Dinge sich zu unseren Gunsten entwickeln würden, und es überraschte mich, dass der Grund für meine Zuversicht darin lag, dass ich wirklich davon überzeugt war, dass alles gut werden würde. Ich hatte nicht nur Vertrauen in Cy und seine Brüder, ich hatte auch Vertrauen in mich selbst und in sie. Wir würden uns etwas überlegen, und sobald wir wieder auf der Ranch waren und dann schließlich nach Hause zurückkehrten, würden wir eine unglaubliche Geschichte zu erzählen haben.

Sie rückte ein Stückchen weg, und der Ausdruck auf ihrem Gesicht wechselte von traumatisiert zu sehnsüchtig. »Hast du gesehen, wie Sutton über die Feuergrube gesprungen ist, um mich zu beschützen? Sie erziehen ihre Söhne hier oben wirklich mit erstaunlichem Erfolg, nicht wahr?«

Ich konnte nur zustimmend nicken. Sie erzogen sie verdammt toll hier draußen im Wilden Westen. Nicht-ganz-Cowboys nahmen die Stelle von den Cowboys meiner Fantasie aufs Beste ein.

Sutton und Lane arbeiteten daran, den Rest zusammenzupacken, während Cy und Grady zu beiden Seiten des Lagers Wache hielten und konzentriert die Bäume beobachteten – beide mit geladenen Waffen. Ich verband Webb so gut wie möglich, aber die Verletzung an seiner Schulter war viel schlimmer als die Wunde an Cys Arm. Die Blutung schien nicht aufzuhören, und wann immer er den Arm bewegte, lief er grün an und gab Würgelaute von sich, als müsse er sich übergeben. Er sah nicht besonders gut aus, und als Sutton uns allen befahl aufzusitzen, mussten Emrys und ich zu beiden Seiten des Mannes stehen, um ihm auf die Füße zu helfen. Die grüne Schattierung unter seiner Haut verwandelte sich in ein wächsernes Grau, er sackte nach vorn und zog uns beide beinahe mit sich zu Boden.

Cy kam zu uns und stützte Webb an seiner unversehrten Schulter ab, sein Gesichtsausdruck verkrampft und besorgt. »Werden Sie in der Lage sein, mit dieser Schulter zu reiten, Junge?«

Webb versuchte, sich aufzurichten und Emrys und mich abzuschütteln, aber sobald wir ihn losließen, taumelte er vorwärts. Das Einzige, das ihn aufrecht hielt, war Cys Hand auf seiner Brust.

»Sobald Sie mir in den Sattel geholfen haben, wird alles okay sein.« Seine Stimme war angespannt, und er blinzelte immer wieder, als würde es ihm schwerfallen, sich auf den Mann vor ihm zu konzentrieren.

»Ich kann Sie nicht auf eins meiner Pferde setzen, wenn Sie es nicht unter Kontrolle halten können. Das ist zu gefährlich für Sie und das Tier. Wir werden zu zweit reiten müssen.« Er klang grimmig.

Lane widersprach dem neuen Plan sofort. »Ihr könnt nicht zu zweit im Sattel sitzen und in hohem Tempo zur

Ranch zurückkehren. Das ist zu viel für dich und Edgar, was auch bedeutet, dass ihr langsam vorankommen werdet. Ihr werdet eine gute Zielscheibe abgeben, wenn diese Männer mit den Waffen beschließen, euch dauerhaft vom Berg fernzuhalten.«

Grady warf ein, dass er mit Webb reiten könne, aber auch er war ein großer Mann und nicht annähernd so geübt und geschickt auf einem Pferd wie Cy.

»Wir haben wohl keine andere Möglichkeit, Lane. Es ist unser Job, alle sicher nach Hause zu bringen, und wir können ihn nicht zurücklassen, nur weil er nicht reiten kann.« Lane öffnete den Mund zu einem weiteren Protest, aber dann klappte er ihn wieder zu, als ihm klar wurde, dass es tatsächlich so war.

Ich sah Em und dann Cy an. Bevor ich auch nur anfangen konnte zu sprechen, schüttelte er den Kopf und funkelte auf mich herab. Er wusste, dass ich alles geben würde, wenn es darum ging, ein Risiko auf mich zu nehmen. Es blieb keine Zeit, darüber nachzudenken, was alles schiefgehen konnte, denn das war die einzig sinnvolle Option. »Ich kann mit ihm reiten. Ich bin kein Riese wie du, daher wird es einfacher für das Pferd sein, und es bedeutet, dass du nicht so langsam vorankämst.« Ich war außerdem geübt genug, dass ich das Tier unter Kontrolle halten und verhindern konnte, dass Webb herunterfiel.

»Nein«, blaffte Cy im gleichen Moment wie Em, und beide funkelten mich an.

Ich zeigte auf Webbs fast weißes Gesicht und seine zitternden Hände. »Seht ihn euch an. Er braucht medizinische Versorgung, und wir alle müssen uns in Bewegung setzen. Wir haben keine Zeit, das Pro und Contra ausführlich zu diskutieren.«

»Ich kann dich nicht beschützen.« Cys Stimme wurde leiser, und der rohe Schmerz in seinen Worten ließ mein Herz stolpern.

Ich trat einen Schritt auf ihn zu und reckte mich, damit ich sein gut aussehendes Gesicht mit beiden Händen umfassen konnte. »Du wirst darauf vertrauen müssen, dass ich auf mich selbst aufpassen kann. Und auf dich, Cy. Wir haben keine Wahl. Setz diesen Mann aufs Pferd, und dann machen wir, dass wir hier wegkommen.« Ich konnte autoritär klingen, wenn es sein musste, und meine Entschlossenheit, das hier durchzuziehen, musste klar gewesen sein, denn Cyrus erhob keine Widerrede. Er nickte ruckartig, trat einen Schritt zurück und blaffte Lane an, dass er ihm helfen solle, Webb auf sein Pferd zu hieven.

Em zog an meinem Ellbogen und drängte mich, mich umzudrehen, bis ich sie ansah. Sie machte sich Sorgen, aber sie war auch stolz auf mich. Das entsprach so ziemlich meinen eigenen Gefühlen in dieser Angelegenheit, daher umarmte ich sie und sagte: »Wir sehen uns auf der Ranch.«

Sie trat zurück, aber es war offensichtlich, dass sie mich nicht gehen lassen wollte. »Versprochen?«

»Versprochen.« Das Wort war geflüstert und leicht zittrig, denn ich hatte ihr gegenüber noch nie ein Versprechen gebrochen, und ich hasste die Vorstellung, dass etwas so Wichtiges das erste Mal sein könnte.

Lane und Cy stemmten Webb in den Sattel, dann setzten sie mich vor ihn, wobei wir sehr viel sanfter vorgingen. Ich spürte das Beben im Arm des jüngeren Mannes, als er ihn mir um die Taille legte. Cy warf mir einen letzten harten Blick zu, dann schwang er sich in seinen eigenen Sattel. Wir hatten bereits genug Zeit verschwendet, daher gab es kein in die Länge gezogenes Lebewohl, als die Pferde sich in die verschiedenen Richtungen in Bewegung setzten. Die Warner-Brüder tauschten alle einen Blick, bevor sie ihrer Wege gingen.

Ich winkte Em verhalten zu, was sie mit einem traurigen Grinsen erwiderte.

Es war während der ersten Stunde ein stiller, harter Ritt. Wir kamen schneller voran, als uns das gelungen wäre, wenn Cy und Webb auf demselben Pferd gesessen hätten. Aber wir kamen nicht so schnell voran, wie Cy es sich wünschte. Sein Arm war steif, als er an den Zügeln zog und Edgar durch die dicht an dicht stehenden Bäume lotste. Ich konnte keine echten Wegmarkierungen sehen, vermutete aber, dass das gut so war, weil wir auf diese Weise verborgen blieben. Wenn er nicht das Pferd führen musste, hielt er den Arm an sich gedrückt und stützte ihn ab, wie ich es mit meinem Handgelenk gemacht hatte. Vermutlich hatte er schlimmere Schmerzen, als er zugab.

Auch Webb hielt nur gerade eben so durch. Mehr als einmal war sein loser Griff um meine Taille verrutscht, und ich musste anhalten, um ihm zu helfen, im Sattel neuen Halt zu finden, während er gefährlich auf die eine oder andere Seite schwankte. Er wurde immer bleicher, außerdem schwitzte er, als hätte er eine Grippe. Es war unbehaglich eng, aber wir ritten weiter. Er ließ mich nie ganz los, obwohl sehr klar war, dass er nichts lieber getan hätte, als die Augen zu schließen und in dem Schmerz und Unbehagen wegzudriften, die ihm das Gesicht verzerrten.

»Also, wollen Sie mir erzählen, was Sie beide wirklich hier oben machen und warum sie auf einem normalerweise ereignislosen Ausflug bis an die Zähne bewaffnet sind?« Cys raue Stimme brach das Schweigen, und Gradys schwerer Seufzer folgte.

»Mein richtiger Name ist Grady Miller, und mein Kollege ist Webb Bryant. Ich bin bei … *war* bei der amerikanischen Drogenbehörde.« Er schüttelte den Kopf und räusperte sich. »Wyatt Bryant, meinem Partner, ist vor einigen Monaten ein Fall hier oben zugeteilt worden. Er hat Nachforschungen angestellt über eine große Marihuana-Zucht, die Gerüchten zufolge vor längerer Zeit auf das Territorium von Wyoming umgezogen war. Als der ältere Agent bekam ich die Aufgabe, einen Schlamassel an der Grenze zu regeln. Daher hat unser Boss Wyatt allein hergeschickt, in der Annahme, es würde eine leichte Observation werden.« Webb umfasste meine Taille fester, und ich schnappte nach Luft.

»Ich habe Grady angerufen«, übernahm nun Webb das Berichten, »denn selbst wenn er undercover tätig war, hat Wyatt sich immer bei mir gemeldet und mich auf dem Laufenden gehalten. Wir sind alles, was der jeweils andere hatte. Als ich also von meinem Bruder nichts gehört hatte, habe ich mir Sorgen gemacht, dass etwas schiefgegangen sein könnte. Grady hat versucht, seinen Boss dazu zu bringen, ihn von dem Fall an der Grenze abzuziehen, nachdem er meinen Anruf erhalten hatte. Und als unsere Vorgesetzten nicht zustimmen wollten, hat er gekündigt und ist hierhergeflogen, um zu versuchen, meinen Bruder allein zu finden.« Webbs Stimme war schwach, aber die Sorge um seinen Bruder war in jedem Wort, das er hervorstieß, unüberhörbar.

»Sind Sie auch bei der Drogenbehörde?«

Er schnaubte bei meiner Frage, und mein Haar bewegte sich in seinem Atemzug.

Er blaffte ein entschiedenes »Verdammt, nein«, während Grady zur gleichen Zeit ein scharfes, ungläubiges Lachen ausstieß.

Grady übernahm wieder. »Webb und Wyatt Bryant hätten unterschiedlicher nicht sein können. Wyatt war jung, als er der Behörde beigetreten ist, Webb war noch jünger, als er seine erste Runde im Gefängnis gedreht hatte, aber die Jungs stehen sich sehr nah, und für mich sind sie wie eine Familie. Ich konnte Wyatt hier oben nirgendwo aufspüren, zu viel freies Gelände und zu viele Menschen, die einem Fremden nicht mal die Uhrzeit genannt hätten. Wir hatten immer noch nichts von Wyatt gehört und waren verzweifelt. Webb war derjenige, der auf die Idee gekommen ist, diese geführte Tour in die Berge zu machen und uns als Touristen auszugeben. Wir hatten gehofft, wir würden auf irgendetwas stoßen, etwas, das uns einen Hinweis darauf liefern könnte, wo Wyatt abgeblieben war. Es hätte ja auch sein können, dass wir hier draußen jemandem über den Weg laufen, der ihn gesehen hatte.« Er räusperte sich abermals und warf dem Mann, der hinter mir auf dem Pferd saß, einen Blick zu. »Wir wissen nicht, ob der Leichnam, der aus dem Fluss geborgen wurde, seiner war, Webb.

Ich werde es nicht glauben, bis ich es mit eigenen Augen gesehen habe. Dein Bruder ist ein verdammt guter Agent.«

Der Mann hinter mir gab einen leisen, kehligen Laut von sich und rutschte im Sattel hin und her. Er verbrannte innerlich und zitterte gleichzeitig. Seine Stimme war dünn vor Schmerz und schwach, als er sprach. »Ich habe ihm tausendmal gesagt, er müsse sich einen anderen Job suchen. Er war nie zu Hause, und wann immer er einen neuen Auftrag bekam, schien dieser noch gefährlicher als der vorangegangene zu sein.«

»Manche Menschen sind einfach dazu geschaffen, Helden zu sein, denke ich.« Ich war keiner dieser Menschen, aber ich war mir ziemlich sicher, dass der Mann, der uns durch den Wald führte, ohne ein Wort darüber zu verlieren, wie verletzt er war oder welche Sorgen er sich um seine Brüder machte, einer war.

»Wyatt war immer zu beschäftigt damit zu versuchen, den Rest der Welt zu retten, dass er vergessen hat, sich um jemanden zu sorgen, der *ihn* retten würde.« Webb hörte sich an, als sei er davon überzeugt, dass der Leichnam, von dem Sutton uns erzählt hatte, sein Bruder war.

»Also, Sie sind ein Ex-Knacki?« Cys Stimme klang zornig und spitz.

Ich konnte sein Gesicht nicht sehen, aber ich hatte keine Mühe, mir seine gewittrige Miene vorzustellen. Er war nicht der Typ Mann, der es leichtnahm, angelogen und getäuscht zu werden. Vor allem dann nicht, wenn diese Lügen gefährlich für die Menschen waren, die ihm etwas bedeuteten, und für das Geschäft, das er aus dem Nichts aufgebaut hatte.

Ich spürte, dass Webb hinter mir nickte. »Ich habe tatsächlich eine Weile gesessen, hauptsächlich als Jugendlicher, als ich nichts mit mir anzufangen wusste. Wyatt hat den Pfad der Tugend nie verlassen, war ein Einserschüler, hat Football gespielt und ist von mehreren hochkarätigen Colleges angenommen worden. Ich hatte nichts von alldem, daher habe ich rebelliert, bin in irgendeine blöde Scheiße hineingeraten, habe falsche Freunde gefunden und den Preis dafür gezahlt. Jetzt bin ich größtenteils ehrlich.«

Ich wollte lieber nicht darüber nachdenken, was er tat, wenn er nicht ehrlich war.

»Sie sollten verdammt noch mal aufrichtig sein, solange Sie so dicht bei meinem Mädchen sitzen.«

Ich war noch nie zuvor jemandes Mädchen gewesen, aber irgendwie fand ich die Idee herrlich, es jetzt zu sein.

»Ich will nur meinen Bruder finden, und wenn es sein Leichnam ist, der im Leichenschauhaus liegt, dann bleibt alles, was danach geschieht, am besten zwischen mir und den Bergen.«

Es war an mir, bei der tödlichen Absicht in seiner Stimme zu schaudern. Ich hatte nicht gewusst, wer er war, bevor die Wahrheit herausgekommen war, und irgendetwas sagte mir, dass ich die Person, die er war, nicht in solcher Nähe haben wollte. Er war auf eine gänzlich andere Art und Weise einschüchternd als Cy, jetzt, da ich ansatzweise wusste, wozu er fähig war.

»Du bist hitzköpfig und töricht. Das ist es, was dich wieder und wieder in Schwierigkeiten bringt, Webb. Manchmal zahlt es sich aus nachzudenken, bevor man handelt.«

Grady sagte die Worte mit einiger Erschöpfung, als wären sie ein Vortrag, den er dem jüngeren Mann schon viele Male gehalten hatte.

»Wenn diese Leute von der Drogenplantage und das Kartell meinen Bruder hier oben mitten im gottverdammten Nirgendwo getötet und seinen Leichnam wie Abfall in den Fluss geworfen haben, erwartest du da wirklich von mir, dass ich das auf sich beruhen lassen, Grady? Da kennst du mich besser.« Ein Aufkeuchen erklang, dann ein Stöhnen, bevor er seinen Arm noch fester um mich schlang.

Ich fluchte, weil wir beide im Sattel zur Seite rutschten, als er das Gleichgewicht beinahe verlor und sich abmühte, sitzen zu bleiben. Das Pferd unter uns wieherte bei der Verlagerung des Gewichts und warf nervös den Kopf hoch.

»Cy«, rief ich und warf ihm einen flehenden Blick zu, als er den Kopf drehte, um mich anzusehen. »Ich weiß nicht, wohin wir reiten, aber wir werden früher anhalten müssen, als du wahrscheinlich geplant hast. Ich muss mir Webbs Schulter ansehen, und er braucht Ruhe.«

Sein Blick glitt über mich hinweg und dann über den Mann hinter mir, der es kaum schaffte, sich im Sattel zu halten, selbst wenn ich ihm half.

»Einige Meilen weiter in dieser Richtung befindet sich ein Feuerwachturm. Es ist zwar nur eine einfache Schutzhütte für Ranger, wenn die Waldbrandgefahr hoch ist. Von dem Beobachtungsturm aus sollten wir aber immerhin in der Lage sein, einen Blick auf die Umgebung zu werfen. Möglicherweise befindet sich dort ein besserer Erste-Hilfe-Kasten als meiner, und es sollte dort ein Bett stehen, sodass Webb sich ein paar Stunden ausruhen kann, bevor wir weiterreiten. Ist das machbar?«

»Ich werde es schaffen.« Webb stieß die Worte mit zusammengebissenen Zähnen hervor, aber mir wurde klar, dass Cy mich angesehen hatte, als er die Frage gestellt hatte.

Ich schenkte ihm ein schiefes Grinsen und senkte den Kopf zu einem winzigen Nicken. »Ich klammere mich am Sattel fest, als ginge es um mein Leben.« Und ich hatte nicht die Absicht, in absehbarer Zeit loszulassen.

Kapitel 14

Keine Rast für die Müden

Als wir eine weitere Stunde geritten waren, zwischen den Bäumen hindurch und über einen Pfad, der direkt hügelaufwärts zu führen schien, verwandelte sich der Himmel von einem sonnigen Blau binnen Minuten in ein stürmisches Grau – als wäre unsere Lage nicht schon Herausforderung genug gewesen. Die ersten Regentropfen waren riesig und klatschten lautstark zu Boden. Sie waren jedoch nichts im Vergleich zu der Sintflut, die folgte, nachdem sich die Schleusen geöffnet hatten und der Weg ein reißender Bach in Richtung Fluss hinunter geworden war. Das Wasser, das von oben kam, war gnadenlos. Die Regentropfen schmerzten auf der Haut, wenn sie auftrafen, und sie verwandelten den Boden unter den Hufen der Pferde in schmierigen Matsch. Wir bewegten uns im Schneckentempo vorwärts, doch immerhin waren wir langsam, aber sicher weitergekommen. Der Regen zwang uns, fast vollkommen stehen zu bleiben, vor allem, da er Webbs Kampf darum, sich im Sattel zu halten, noch erschwerte.

Cy bestand immer wieder darauf, dass die Hütte nah sei, am Rand des Waldes, aber je länger wir zwischen den Bäumen hindurchtrotteten, umso sicherer war ich mir, dass der Wald niemals enden würde. Mir kam der Gedanke, dass Cy sich verirrt haben könnte, aber ich verwarf ihn schnell wieder. Cy war nicht der Typ, der ziellos umherreiten würde. Er hatte immer ein Ziel vor Augen und würde uns nicht in Gefahr bringen, indem er so tat, als kenne er den Weg, wenn das nicht wirklich der Fall war.

Eine Viertelstunde nach Einsetzen des Unwetters ließ er uns anhalten, als er eine Stelle fand, die wegen des Blätterdachs der Bäume teilweise trocken war. Er kramte seinen Regenponcho aus dem Bündel an Edgars Seite. Em und Sutton hatten die Maultiere übernommen und den größten Teil der Vorräte, da sie nur zu zweit waren und am schnellsten vorankommen würden. Er zwang mich, den Regenponcho anzuziehen, obwohl ich dagegen protestierte und erklärte, es gehe mir gut. Er blutete, und Webb war kurz davor, das Bewusstsein zu verlieren. Ich wollte keine Sonderbehandlung oder dass er mich verhätschelte. Er grunzte etwas Unverständliches auf meinen Einwand hin und zog mir den gummiartigen Stoff über den Kopf, was mich effektiv zum Schweigen brachte.

»Webb hat ohnehin schon Mühe, sich im Sattel zu halten. Wenn er dich nicht mehr festhalten kann und im Schlamm landet, bezweifle ich, dass wir ihn wieder auf ein Pferd bekommen werden. Das hier wird dafür sorgen, dass du halbwegs trocken bleibst, sodass er sich auch weiterhin an dir festhalten kann. Wir müssen nur noch ein klein wenig weiterreiten.«

Das sagte er seit Stunden. Ich fand nicht, dass seine Vorstellung von »ein klein wenig« mit meiner übereinstimmte.

Webb fummelte seine Hände unter den weiten Poncho und legte sie mir wieder auf meine feuchte Taille. Er drückte mich ein wenig, während ich beobachtete, wie Cyrus zu seinem Pferd zurückkehrte und sich in den Sattel zog. Die Bewegung war für seine Verhältnisse nicht so mühelos wie sonst, und das Zusammenzucken war nicht zu übersehen, das folgte, als er sich vorbeugte und nach den Zügeln griff.

»Cy erinnert mich an Wyatt. Mein ältester Bruder passt immer auf alle anderen auf. Genauso sollten gute Männer sein.« Je länger wir ritten, umso schwerer fiel es Webb zu sprechen. Seine Worte waren langsam und maßvoll, jedes einzelne ein offensichtlicher Kampf. Er zitterte hinter mir, und ich spürte, dass seine Hände auf meiner Taille wegrutschten.

Ich drehte den Kopf, damit ich ihm in die Augen sehen konnte. »Sie wissen nicht mit Bestimmtheit, was ihm zugestoßen ist. Alles, was in dieser Woche passiert ist, beweist, dass Voraussagen mit Vorsicht zu genießen sind. Vielleicht hat sich bei seinem Fall etwas Superwichtiges ergeben, und er konnte sich nicht mit Ihnen in Verbindung setzen. Sie müssen an ihn glauben und darauf vertrauen, dass er zurückzukehren wird.«

Webb gab einen Seufzer von sich und schüttelte den Kopf. »Ich habe Ihnen und Ihrer Freundin die ganze Woche zugehört. Sie haben nicht gerade viel Vertrauen in Menschen.«

Ich verzog leicht das Gesicht und konnte nur schwer begreifen, dass er auf mich geachtet hatte, während ich zu beschäftigt damit gewesen war, ihm Aufmerksamkeit zu schenken und zu versuchen, das Rätsel zu lösen, das ihn umgab. »Ich habe kein Vertrauen in Menschen, die ich nicht gut kenne, größtenteils, weil ich mein Leben lang versucht habe, Enttäuschungen aus dem Weg zu gehen.

Das ist unmöglich – eine Lektion, die ich vermutlich lernen musste. Diese Reise hat mich gelehrt, dass ich nicht weiter versuchen sollte, Mauern zwischen mir und den Menschen zu errichten, die ich kenne und denen ich vertraue. Es hört sich so an, als würden Sie und Ihr Bruder sich nahestehen, und es hört sich so an, als hätte er Sie nie aufgegeben, auch wenn Sie im Laufe der Zeit einige schlechte Entscheidungen getroffen haben.« Genauso, wie Em mich nie aufgeben hatte, und genauso, wie meine Großeltern sich ein Bein ausgerissen hatten, um mir so viel Liebe wie möglich zu geben, weil meine Mutter mich überhaupt nicht lieben konnte. »Sie sollten ihn auch nicht aufgeben.«

Er stieß einen weiteren Seufzer aus und schloss die Hände fester um meine Taille. »Ich gebe nicht auf. Wenn ihm etwas zugestoßen ist, werde ich den ganzen Wald einebnen, damit die Leute, die ihm etwas angetan haben, dafür bezahlen.«

Die Gewissheit in seinem Ton ließ mich schaudern, denn ich glaubte ihm.

Ich suchte nach einer angemessenen Antwort, als der Wald plötzlich lichter wurde, was den Regenguss nur umso fühlbarer machte. Ich sah Edgar ein wenig ausrutschen und Cy um Gleichgewicht ringen, als das Pferd im Schlamm unkontrolliert zur Seite tänzelte. Grady rief uns etwas zu, um sich davon zu überzeugen, dass es allen gut ging, und ich hätte beinahe Tränen der Erleichterung vergossen, als eine winzige, kärgliche Hütte in Sicht kam. Da war eine Lichtung, die gegenwärtig nicht aus mehr bestand als einem schlammigen Sumpf, aber die Hütte war da, genau wie Cy es versprochen hatte. Sie kam mir vor, wie einem Wüstenreisenden eine Oase erscheinen musste. Hinter der Hütte ging der Wald weiter, und ein Turm aus Stahl erhob sich hoch in den Himmel. Ich konnte nicht glauben, dass er mir bisher nicht aufgefallen war, denn er ragte wie eine Säule über die Bäume hinaus. Es zeigte, wie müde und ängstlich ich war, dass ich den Turm übersehen hatte. Wir alle mussten raus aus dem Regen, und die Verletzungen der Männer mussten versorgt werden.

»Cy, da sind Reifenabdrücke im Schlamm. Irgendjemand war vor nicht allzu langer Zeit hier.« Grady zeigte auf die offensichtlichen Spuren in der losen Erde, und wir alle tauschten nervöse Blicke.

»Könnten die Ranger gewesen sein. Das sieht aus wie Spuren von einem Allrad-Quad.« Cy schwang sich aus dem Sattel und tätschelte den Hals seines Pferdes. »Ihr müsst reingehen und gucken, ob ihr irgendetwas gebrauchen könnt, um Webbs Schulter in Ordnung zu bringen. Ich werde mich um die Pferde kümmern. Ich muss einen halbwegs trockenen Platz finden, um sie anzubinden.«

»Ich werde Ihnen bei den Pferden helfen, damit Sie nicht allein sind. Ich finde, ein Hinterhalt pro Tag ist genug für uns alle.« Grady klang genauso erschöpft, wie ich mich fühlte und wie Webb aussah. Es war offensichtlich, dass auch Cy langsam die Kraft ausging, denn er akzeptierte die Hilfe ohne Widerrede.

Webb humpelte und schlurfte zur Tür der Hütte, während ich seinen Arm stützte. Es überraschte mich, als sich die Tür unter meiner Hand mühelos öffnete, und anders als ich vermutet hatte, unterschied sich das Innere weit von dem kargen und auf Nützlichkeit bedachten Äußeren. Die Hütte war innen holzbeschlagen, aber sie hatte Gardinen, einen gewebten Teppich auf dem Boden, eine behaglich aussehende Decke auf dem Bett und eine Küche mit entzückenden Töpfen aus Blech. Außerdem gab es viele Vorräte, und es war unglaublich behaglich. Das Einzige was fehlte war ein Badezimmer, und genau dafür hätte ich im Moment gemordet. Aber ich wusste, dass man nicht wählerisch sein durfte, und ein Dach überm Kopf während eines Sturms war alles, was ich wirklich brauchte. Es war offensichtlich, dass die Ranger, die hier draußen während der Waldbrandsaison stationiert waren, sich ein Bein ausgerissen hatten, die Hütte so freundlich und einladend zu machen wie nur möglich. Ich hätte jeden Einzelnen von ihnen vor Dankbarkeit küssen können.

Ich schob Webb zum Bett hinüber und zog den Poncho aus, was sofort eine schmutzige Pfütze um meine Füße herum hinterließ, dann machte ich mich daran, die Hütte nach einem Erste-Hilfe-Kasten zu durchstöbern. Ich öffnete Schränke und Schubladen und zog alles heraus, das nützlich schien. In der Küche waren jede Menge Dosen mit Nahrungsmitteln verstaut, außerdem eine Leuchtpistole und eine gewöhnliche alte Flinte mitsamt Patronen. Als ich endlich den stabilen Aluminiumkasten mit der vertrauten blau-weißen Schrift darauf fand, stieß ich einen Siegesschrei aus und vollführte ein kleines Tänzchen. Dann drehte ich mich mit dem Erste-Hilfe-Kasten um, den ich hoch über meinen Kopf hielt.

Ich erwartete von Webb eine ähnliche Begeisterung über die Entdeckung, aber als ich nur Schweigen erntete, wusste ich, dass es wirklich schlimm um ihn stand. Er lag zusammengekrümmt auf dem Bett, hielt sich die Schulter und zitterte am ganzen Leib. Obwohl der Regen ihn vollkommen durchnässt hatte, war seine Haut klebrig und fühlte sich fiebrig an, als ich ihn auf den Rücken rollte.

»Ich habe das Gefühl, als würde mein ganzer Körper brennen.« Zwischen seinen Fingern sickerte dickflüssiges dunkelrotes Blut hervor.

Ich durchwühlte den Erste-Hilfe-Kasten und reichte ihm eine Handvoll Schmerztabletten. »Normalerweise würde ich Paracetamol und Ibuprofen nicht mischen, aber ich denke, dieser Fall schreit nach extremen Maßnahmen. Können Sie sich noch einmal aufsetzen? Wir müssen Ihnen Ihr Hemd ausziehen, damit ich etwas auf Ihre Schulter geben kann, um die Blutung so gut wie möglich zu stillen. Wenn Sie es aushalten, werde ich etwas von diesem Peroxid auf die Wunde streichen und sie dann mit einer antibiotischen Creme bedecken. Ich glaube, das Fieber könnte von einer Infektion verursacht worden sein, und ich will gar nicht daran denken, wie viel Blut Sie verloren haben. Hier drin ist nichts, um die Wunde zu verschließen, aber wir können Sie so gut säubern wie möglich und so fest verbinden, wie Sie es aushalten können.«

Er stöhnte laut und lange, während wir uns beide abmühten, um ihn in eine sitzende Position zu bringen, damit ich ihm sein Hemd ausziehen konnte. Es war heikel, denn der Stoff war vom Regen durchnässt und klebte an ihm. Ich bot an, das Kleidungsstück zu zerschneiden, um es ihm leichter zu machen, aber er schüttelte den Kopf und kämpfte wacker, bis ich es an seinen Armen hinabstreifen konnte.

Die Schussverletzung war heftig, rot und mit gerissenen Wundrändern. Die Haut darum herum war pink. Ich hatte noch nie etwas Derartiges aus der Nähe gesehen, daher musste ich mich darauf konzentrieren, dass mich der Anblick des Blutes nicht benommen machte, das teils getrocknet und teils noch feucht war. In der Küche fand ich ein Geschirrtuch, das unbenutzt aussah, und befeuchtete es. Sobald ich das Tuch auf Webbs Schulter drückte, färbte es sich rot. Ich musste es gegen ein anderes austauschen, bevor das Blutrinnsal sich derart verlangsamte, dass ein Verband überhaupt ausreichen würde.

Ich goss das Peroxid auf eine Kompresse und sah Webb an, bevor ich mit der Baumwolle seine Schulter berührte. »Das wird schlimm.«

Er riss die Augen auf und biss die Zähne zusammen. »Ich weiß, aber tun Sie es trotzdem.«

Wir hielten beide den Atem an, während ich die Kompresse zentimeterweise zu der offenen Wunde herunterklappte. Sobald ich die Verletzung erreichte, erschütterte die Hütte ein Schrei, der mir die Ohren klingeln ließ. Webb riss eine Hand hoch und schlang sie um mein unversehrtes Handgelenk. Er drückte so fest zu, dass ich wusste, dass ich dort blaue Flecken bekommen würde, aber er zuckte nicht weg, als die Flüssigkeit auf seiner Haut brannte und sein Blut den weißen Stoff rot färbte.

Ich wiederholte die Prozedur auf der Rückseite seiner Schulter und dachte eine Sekunde lang, er sei vor Schmerz ohnmächtig geworden. Seine Schultern sackten nach vorn, und sein Kopf hing schräg herab, während ich die Wunde mit einer fettigen Schicht antibiotischer Creme bedeckte.

Als ich seinen Namen sagte, murmelte er: »Es ist alles gut. Mir geht es gut.« Was beides nach einer dicken, fetten Lüge klang, aber da war nichts zu machen.

Ich klebte auf beide Seiten der Wunde Kompressen auf und umwickelte dann seinen ganzen Brustkorb mit einer elastischen Bandage – so fest, dass er sich kaum bewegen konnte. Ich schloss den Verband mit Metallclips, und genau in dem Moment wurde die Tür geöffnet, und Cy und Grady, beide klatschnass, kamen tropfend herein. Bevor Cy etwas sagen konnte, führte ich ihn zu einem der Klappstühle um den Kartentisch im Raum herum und ließ ihm die gleiche amateurhafte Behandlung zuteilwerden wie Webb.

Cy gab keinen Laut von sich. Ich wusste, dass das Peroxid und der Druck auf dem Streifschuss an seinem Arm höllisch wehtun mussten, aber trotzdem saß der Mann wie ein Stein da und beobachtete einfach, wie ich um ihn herumwuselte, als sei das gar nicht nötig. Ich hatte dennoch das Gefühl, dass meine Bemühungen ihn etwas besänftigten. Als er dann doch genug hatte und mich mit einem Seufzer auf seinen Schoß zog, bedankte er sich bei mir mit einem leichten Kuss. Er war nass und durchgefroren, aber sein Mund war warm. Ich staunte, dass er in der Lage war zu brennen, obwohl das Leben ihm alles Mögliche entgegenwarf, um sein Feuer zu löschen.

»Lass uns etwas kochen und uns trocknen, dann können wir ein kleines Weilchen ausruhen. Wir dürfen nicht allzu lange hierbleiben für den Fall, dass diese Reifenspuren doch nicht von den Rangern stammen. Wir wollen kein leichtes Ziel hier oben abgeben, und bis zur Ranch ist es nur noch ein weiterer Tagesritt, über den Berggipfel und auf der anderen Seite wieder hinunter. Hoffentlich kommt Sutton vor uns an und verständigt die Behörden.« Er klang müde und frustriert.

»Wenn die Ranger diese Hütte nutzen, um nach etwaigen Feuern Ausschau zu halten, hätten sie dann nicht ein Funkgerät oder so, um mit der Basis zu kommunizieren?« Jetzt, da er als Bundesagent geoutet war, traten Gradys Ausbildung und Intuition voll zutage.

Cy nickte im gleichen Moment, als ich den Kopf schüttelte. »Ich habe die ganze Hütte auf den Kopf gestellt, um nach dem Erste-Hilfe-Kasten zu suchen. Ich habe nichts gesehen, das aussah wie ein Telefon oder ein Funkgerät.«

»Es wird ein mobiles Gerät sein, das sie immer mitbringen. Wenn sich eins hier befände, würde es oben im Turm liegen. Wenn es für ein paar Minuten aufhört zu regnen, kann ich dort hinaufklettern und prüfen, ob sie eins dagelassen haben. Doch es spielt keine Rolle; wir können trotzdem nicht hierbleiben, selbst wenn die Ranger in der Nähe sind. Webb braucht einen Arzt.«

Der Mann auf dem Bett hob eine Hand und ließ sie schwach wieder an seine Seite fallen. »Ich komme schon klar. Leo hat gute Arbeit geleistet, als sie mich verbunden hat, und ich denke, die Medikamente gegen das Fieber wirken bereits.«

»Trotzdem werde ich es nicht riskieren. Ich will alle zurück auf der Ranch haben und genau wissen, wer wo ist«, entgegnete Cy. »Außerdem, je eher ich Sie zurückbringe, desto eher können Sie nach Sheridan fahren und herausfinden, ob es sich bei dem Leichnam um jemanden handelt, den Sie kennen.« Cy sprach wie ein Mann, der es gewohnt war, dass man seine Befehle befolgte.

Er ließ mich von seinem Schoß gleiten und stand auf. Ich half ihm, die Konservendosen zu sichten, die ich auf die Ecke des Tischs gestellt hatte, als ich nach Vorräten gesucht hatte. Ich sagte ihm, er solle mich versuchen lassen, sie mit dem Propangaskocher etwas aufzuwärmen. Ich hatte zwei funktionierende Hände, selbst wenn mein Handgelenk immer noch steif war und von meinem Sturz und dem Bemühen schmerzte, das Pferd den ganzen Nachmittag zu führen. Dass ich Webb gestützt hatte, machte es nicht besser. Ich ertrug den Schmerz, und ich war stolz auf mich. Es kam mir gar nicht in den Sinn, vor etwas wegzulaufen, das *tatsächlich* schmerzte. Cy gab ohne Widerrede nach und belohnte mich mit einem weiteren Kuss.

Ich kochte Bohnen und Dosenmais zum Abendessen. Es war kein Dreisternegericht, aber es schmeckte besser als jedes feine Dinner, an das ich mich erinnern konnte. Als ich alles gespült hatte, war Webb auf dem Bett eingeschlafen und Grady nach draußen gegangen, um Wache zu halten. Der Regenguss hatte sich in ein Nieseln verwandelt, daher ging Cy hinaus und kletterte den Turm hinauf, berichtete später jedoch, dass es dort ebenfalls kein Funkgerät gab. Er erwähnte auch, dass er den für die Plantage gerodeten Teil des Waldes nicht hatte sehen können. Das bedeutete, dass es wirklich gut möglich war, dass die Ranger und die Leute der Waldbehörde, die in der Gegend patrouillierten, keinen Schimmer hatten, was auf ihrem Territorium los war.

Cy sah grimmig aus, als er erwähnte, dass er nicht wisse, ob die Waldbehörde dafür ausgerüstet sei, mit den Betreibern der Plantage fertigzuwerden, falls sie ihnen über den Weg liefen. Insbesondere wenn sie ein Kartell mit genug Finanzkraft hinter sich hatten, um einen Abbruch der Lieferkette zu verhindern.

Ich stimmte ihm schweigend zu, und keiner von uns – auch nicht der ehemalige Bundesagent und der hart gesottene Ex-Sträfling – schien zu wissen, wie man in dieser Situation mit den Verbrechern verfahren sollte. Ich berührte mit der Rückseite meiner Finger Webbs Stirn und war erleichtert, dass er sich zwar immer noch warm anfühlte, aber nicht mehr wie die Innenwand eines Backofens. Cy trat hinter mich und legte seine Hand auf meine Schulter.

»Für einen Burschen aus der Stadt ist er ziemlich hart im Nehmen. Nicht viele Menschen hätten in seinem miserablen Zustand unter solchen Bedingungen diesen Ritt bewältigt.« Es lag widerstrebende Bewunderung in seinem Ton, die er gewöhnlich für seine Brüder reservierte – oder für mich, wenn ich etwas tat, das ihn überraschte und ihm gefiel. Er drückte meine Schulter, und ich musste auf einmal gähnen. »So sehr mir die Vorstellung gegen den Strich geht, du solltest dich neben ihn legen und dich ein wenig ausruhen. Du wirst auf dem Bett leichter schlafen als auf dem Boden.«

Ich zog die Schulter hoch, auf der seine Hand lag, und ließ sie wieder sinken. »Ich schlafe besser, wo immer *du* bist. Wenn du auf dem Boden campierst, dann tue ich das ebenfalls. Aber ich habe einige alte Armeepritschen in dem großen Schrank gesehen, in dem sich auch der Erste-Hilfe-Kasten befunden hat. Das wäre vielleicht mit deinem Arm besser als der Fußboden.«

»Ich klappe schon nicht zusammen, Leo. Ich weiß nicht, wie viel Vertrauen ich in Grady als Späher habe. Er ist nach wie vor ein Fremder, und die Geschichte, die die beiden erzählen, ist verrückt, selbst wenn sie wahr ist. Außerdem machen mich diese Reifenspuren nervös. Wir mussten wegen des Wetters und wegen Webb Rast machen, aber besonders gut ist die Idee dennoch nicht.«

Ich drehte mich um und legte ihm meine unversehrte Hand auf die Brust. Sein ganzer Körper war angespannt und vibrierte von unsichtbaren Wellen der Bereitschaft. Wenn er sich noch mehr verspannte, würde er zusammenbrechen, und dann wären wir alle im Eimer. Ich passte mich langsam an das an, was hier im Wald getan werden musste, aber ich war keine Abenteurerin und hatte keinen Schimmer, wie ich auf dem unwirtlichen Terrain zur Ranch zurückgelangen sollte.

»Du warst einen Großteil der letzten Nacht auf und hast Wache gestanden. Du bist stundenlang in dem peitschenden Regen geritten, und das mit einer gewaltigen Schnittwunde im Arm. Du magst aussehen, als seist du aus Stein gemeißelt, aber du bist genauso zerbrechlich wie alle Menschen, Cy. Nimm dir eine Stunde Zeit und leg dich mit mir hin. Halt mich im Arm und lass mich dich im Arm halten, damit ich so tun kann, als sei alles nicht so schlimm, wie es wirklich ist.« Ich strich mit den Händen über seine breiten Schultern und kuschelte mich an seine Brust, sodass ich dem stetigen Schlagen seines Herzens lauschen konnte. »Stiehl dir einen Moment für dich selbst. Du hast es dir verdient.«

Er atmete über meinem Kopf ein, und seine schweren Arme umschlossen mich und hielten mich fest. Wir wurden beide wirklich gut darin, uns gegenseitig zu halten, was bedeutete, dass es, wenn wir schließlich loslassen mussten, brutal sein würde. Es würde sich anfühlen, als entrisse man mir etwas für mein zukünftiges Glück Entscheidendes.

»Ich gebe uns eine Stunde, und dann werde ich Gradys Platz einnehmen und uns zum Aufbruch fertig machen.«

Es war nie genug Zeit. Ich war unersättlich und wollte immer mehr. Mehr Zeit und mehr von ihm.

Er ließ mich los und zerrte die Pritschen aus dem Schrank. Sie hatten schon bessere Tage gesehen, aber so brauchten wir zumindest nicht auf dem Boden zu liegen. Cy baute sie in der Mitte des Raums zusammen, nachdem er den Kartentisch weggeräumt hatte. Ich hatte ein Auge auf Webb, um mich davon zu überzeugen, dass all der Lärm, den Cy machte, ihn nicht weckte, aber der Mann schlief tief und fest. Am Ende des Bettes lagen einige gefaltete zusätzliche Decken, und ich schnappte sie mir und kroch auf eine der Pritschen neben Cy. Er streckte einen Arm aus und schlang ihn um mich, sodass er mich an seine Brust ziehen konnte, dann lagen wir Nasenspitze an Nasenspitze und atmeten einander ein.

Ich hob meine Hand und zeichnete mit den Fingern die flache Linie seiner Lippen nach, und ich erschauderte, als er mit der Zunge die Spitze meines Fingers ableckte. »Mir gefällt es gut, wenn du lächelst.« Er tat es nicht sehr oft, sodass es, wenn er es einmal tat, etwas ganz Besonderes war und ausgekostet werden wollte.

»Ich hatte nicht viel Grund dazu, bis du in mein Leben hereingeplatzt bist, Sonnenschein.« Die Worte klangen schroff und waren sehr leise, aber sie gehörten zu den süßesten Dingen, die mir je zu Ohren gekommen waren.

Ich kuschelte mich an ihn und ließ die Lider sinken. »Wenn all das hier vorbei und geregelt ist, hoffe ich, dass du genug glückliche Erinnerungen an unsere gemeinsame Zeit hast, um auch noch zu lächeln, wenn ich fort bin. Du solltest etwas so Besonderes nicht für dich behalten.«

Er umfasste mit einer Hand meinen Hinterkopf und fuhr mir mit den Fingern durch mein Haar, während er mich ganz festhielt. Er wollte mich in all dem Mist begleiten, genauso sehr, wie ich alles erleben wollte, das er zu bieten hatte.

»Diese Zeit mit dir ist unvergesslich, Leo. Sowohl das Gute als auch das Schlechte. Zweifellos wird es mir ein breites, törichtes Lächeln aufs Gesicht zaubern, wenn ich an dich denke. Ich bin noch nie jemandem wie dir begegnet. Die Situation um uns herum wird immer schlimmer, aber du hältst dich immer besser. Dich gehen zu lassen wird härter sein, als ich mir im Moment vor Augen führen möchte, solange ich dich noch in den Armen halte.«

Die Metallstange der Pritsche bohrte sich in meine Seite, als ich noch näher an ihn heranrutschte, damit ich mein Bein über seine legen konnte. Alles in mir schrie danach, ihm zu sagen, dass er mich nicht loszulassen brauchte, dass er mich so festhalten konnte, wie ich ihn festhalten wollte. Aber ich wusste, dass das nicht realistisch war. Sein Leben war hier, und es war kein Leben, das ich verstand oder in dem ich Platz gehabt hätte – ganz zu schweigen davon, dass mein eigenes Leben zu Hause auf mich wartete. Ich musste mich entscheiden, ob ich meinen Job riskieren und Chris' Frau erzählen sollte, was er hinter ihrem Rücken tat. Ich musste das klären, mir ein Herz fassen und es in San Francisco wieder in Ordnung bringen. Es war Zeit für mich, das Richtige zu tun, statt in Furcht vor den Konsequenzen zu leben. Sobald ich das getan hatte, konnte ich vielleicht ein noch größeres Risiko eingehen und versuchen, einen Weg zu finden, der diesen Mann und sein lebensveränderndes Lächeln in meiner Welt hielt.

»Noch brauchst du nicht loszulassen. Schlaf ein wenig, Cy, du musst die Batterien wieder aufladen.« Das galt für uns beide, daher war es keine Überraschung, dass sein Atem flach wurde, als ich aufhörte, mit ihm zu sprechen und er einnickte. Ich brauchte nicht lange, um ihm ins Vergessen zu folgen.

Traurigerweise währte die Ruhepause nicht sehr lang. Es fühlte sich an, als hätte ich nur fünf Minuten lang die Augen geschlossen, als der Lärm erhobener Stimmen und das Sirren eines Motors mich aus dem Schlaf rissen. Ich wollte Cys Namen flüstern, um festzustellen, ob er den Lärm ebenfalls gehört hatte, aber er war bereits hellwach. Ich beobachtete, wie er die Stirn in Falten legte, und sein Gesicht harte Linien der Konzentration annahm. Er legte mir einen Finger auf die Lippen, und ich nickte zum Zeichen, dass ich wusste, dass ich keinen Laut von mir geben durfte. Er neigte den Kopf zu dem jetzt leeren Bett, als die Stimmen draußen noch lauter wurden.

»Hände hoch! Zeigen Sie mir Ihren Ausweis.« Die Worte kamen von Grady, dann sagte Webb: »Ich entschuldige mich für die Waffen, aber wir hatten in den letzten paar Tagen etwas Ärger.«

Es war eine Frauenstimme, die antwortete, vorsichtig und bedächtig. »Sie befinden sich auf staatlichem Gelände, und dies hier ist ein Vorposten der Waldbehörde, meine Herren. Es kümmert mich nicht, wie viel Ärger Sie haben oder wie weit Sie sich von zu Hause weg befinden, es ist niemals angemessen, einem bewaffneten Gesetzeshüter mit gezückten Waffen entgegenzutreten. Also, legen Sie die Waffen beiseite und zeigen Sie mir irgendeinen gottverdammten Ausweis.«

Die Stimme der Frau zitterte oder brach nicht, was ich beeindruckend fand, wenn man bedachte, dass sie es mit zwei bewaffneten Männern zu tun und keinen Schimmer hatte, wozu die beiden fähig waren. Cy rollte sich von der Pritsche und schlich langsam zum Fenster neben der Tür der Hütte, darauf bedacht, den Kopf unten zu halten. Er spähte hinaus und musste gutheißen, was er sah, denn er öffnete die Tür und ging nach draußen, nachdem er mich angewiesen hatte, noch in der Hütte zu bleiben.

»Officer McKenna. Entschuldige, dass wir unangemeldet hier aufgetaucht sind, aber diese Männer übertreiben nicht, hier war ganz schön was los. Brynn hätte im Revier anrufen sollen, um mitzuteilen, was hier passiert ist.«

Weil Cy die Frau zu kennen schien, der die autoritäre Stimme gehörte, kauerte ich mich nicht mehr vor Furcht zusammen. Ich war neugierig geworden, ahmte Cys sorgfältige Bewegungen nach und ging zur Tür, bis ich rausgucken konnte, hoffentlich, ohne gesehen zu werden.

Die Frau trug eine kakifarbene Uniform und hatte eine

dunkle Baseballkappe auf dem Kopf, aber die triste Kleidung und die Ausrüstung, die sie trug, konnten weder ihr weißblondes Haar verbergen noch, wie großartig sie aussah. Sie war größer als Emrys und besaß mehr tolle Kurven als ein Bergpass. Alles in allem war sie atemberaubend und offensichtlich nicht begeistert darüber, dass der Lauf einer Flinte direkt auf sie gerichtet war. Sie ließ Webb keine Sekunde lang aus den Augen, der trotz ihrer offensichtlichen Bekanntschaft mit Cy die Waffe nicht sinken ließ.

»Ich habe keinen Anruf bekommen, dass ihr in Schwierigkeiten steckt, Warner. Ich habe einen Anruf bekommen, weil einer der Führer einer Wildwasser-Tourgruppe gemeldet hat, dass zwei Maultiere am Wasser frei herumlaufen. Sie waren für den Ausritt gepackt, aber es sind weder Reiter noch Ranger gekommen, um Anspruch auf sie zu erheben. Das Führpferd trug euer Logo. Cy, ich bin hier draußen auf der Suche nach eurer Reisegruppe, um festzustellen, was zum Teufel los ist.«

Bei der Bemerkung über die Maultiere versteifte Cy sich, und Grady fluchte leise. Ich konnte nicht mehr in meinem Versteck bleiben. Ich streckte den Kopf zur Tür heraus und fragte scharf: »Warum sind die Maultiere nicht mehr bei Emrys und Sutton?«

Die schöne Frau richtete den Blick auf mich und sah dann wieder Webb an, der endlich die Flinte hatte sinken lassen. Die Frau funkelte ihn an, und obwohl er immer noch Schmerzen haben musste, umspielte ein freches Grinsen seine Mundwinkel. Die stählerne Haltung und unerschütterliche Tapferkeit der Frau wusste er offensichtlich auf eine ganz andere Weise als ich zu schätzen.

»Wie gesagt, es wurden keine Reiter in der Nähe der Stelle gefunden, wo die Maultiere waren. Wir haben einige Ranger den Fluss auf und ab reiten lassen, aber niemand hat etwas gefunden. Es gab Berichte über Motorradspuren auf einem der entlegeneren Pfade, aber keine Spur von Pferden.«

»Scheiße.« Cy stieß das Wort aus und fuhr sich mit beiden Händen durchs Haar. »Wir waren zu einem Ritt mit acht Gästen unterwegs. Es war katastrophal. Jemand baut abseits der Pfade Marihuana an, und diese Leute versuchen, das Gebiet von Touristen freizuhalten. Sie sind mit Motorrädern auf uns zugefahren und haben uns aus dem Hinterhalt beschossen, weiter oben am Fluss. Meine Brüder und ich haben die Gruppe geteilt und wollten alle so schnell wie möglich zur Ranch zurückkehren. Sutton hatte die Maultiere und eine der jungen Frauen aus der Gruppe bei sich. Wenn sie die Maultiere gefunden haben und meinen Bruder nicht, ist das schlimm, wirklich schlimm.«

Die Frau blinzelte langsam, dann stemmte sie die Hände in die Hüften. »Du willst mir sagen, dass du denkst, die Leute, die hinter dem Marihuana stecken, haben sich deinen Bruder geschnappt? Sutton würde nirgendwohin kampflos gehen, erst recht nicht, wenn er Gäste bei sich hat. Ihr Warners seid einfach nicht so gemacht.«

Cy grunzte eine Antwort, als das Funkgerät, das an der Hüfte der Frau steckte, knisternd zum Leben erwachte.

»McKenna, wir haben eine Gruppe von Campern am Fluss entdeckt, die einen reiterlosen gefleckten Appaloosa gemeldet haben. Das Pferd ist verletzt, und sie berichten, dass auf dem Sattel Blut ist. Wie weit sind Sie von dem Standort entfernt?« Es folgten GPS-Koordinaten.

Die Frau seufzte und nahm ihr Funkgerät aus dem Gürtel, damit sie hineinsprechen konnte. »Wir haben ein Problem. Hat die Basis einen Anruf der Warner-Ranch gemeldet?« Es kam eine negative Antwort, aber die Stimme am anderen Ende des Funkgeräts erwähnte mehrere Ranger, die einen weiteren Leichnam im Fluss entdeckt hätten. Die Frau fluchte und erwiderte: »Die Brüder waren auf Exkursion und hatten Ärger. Sie wurden in eine Schießerei verwickelt. Ich fürchte, wir sind vielleicht darüber gestolpert, warum plötzlich in unserem Fluss Leichen auftauchen. Ich befinde mich bei Rangerstation fünfzehn. Lassen Sie mich das hier zu Ende bringen, dann mache ich mich auf den Weg flussabwärts und nehme die Aussage der Camper auf.«

»Verstanden. Seien Sie vorsichtig dort draußen.«

Sie steckte das Funkgerät wieder weg und musterte Cy mit schmalen Augen, der mit ruckartigen Schritten auf und ab ging.

»Erkläre mir, wo sich das Drogenfeld deiner Meinung nach befindet, dann mache ich mich auf den Weg dorthin. Ich habe ein zusätzliches Funkgerät auf meinem Quad. Ich werde es dir überlassen und mich melden, wenn ich irgendwelche Spuren von deinem Bruder finde.«

Cy stieß ein hässliches Lachen aus und schüttelte den Kopf. »Scheiße, nie und nimmer, Ten. Wenn sie meinen Bruder haben, dann wirst du das Feld nur erreichen, wenn ich dich hinführe.«

»Ten?« Die Frage kam von einem unverhohlen neugierigen Webb und wurde mit einem Augenverdrehen beantwortet.

»Tennyson McKenna. Für Sie Officer McKenna.« Ihr Tonfall hatte Biss, und Webb grinste, während Grady stöhnte.

»Nun, Officer McKenna, diese Männer haben mich angeschossen, und sie könnten durchaus meinen Bruder getötet haben. Ich bin auf Warners Seite. Wenn Sie dorthin wollen, wo die Verbrecher sind, dann kommen wir mit Ihnen.«

Sie stieß ein Schnauben aus und sah mich fragend an. Ich konnte nur die Achseln zucken und murmeln: »Ich gehe hin, wo immer er hingeht, und wenn sie Sutton mitgenommen haben, dann bedeutet das, dass sie wahrscheinlich auch meine beste Freundin in ihrer Gewalt haben. Ich kann nicht allein hierbleiben, und ich kann sie nicht dort lassen, wo immer sie ist. Wir kommen mit.« Es gab keine Zeit für Zweifel, keine Zeit, ein Versagen oder einen Fehler auch nur in Betracht zu ziehen. Ich konnte nur an die Tatsache denken, dass Em mich brauchte und ich nicht für sie da war. Ganz gleich, welche Gefahren mich auf dem Weg zu ihr erwarten mochten.

Cy legte einen Arm um mich und betrachtete die Frau gelassen. »Du könntest Leo zur Ranch zurückbringen, und ich kann anrufen, wenn ich das Feld erreicht habe. Die andere Möglichkeit ist, dass mein kleiner Löwe hier recht hat und wir alle zusammen reiten. Die Männer sind in der Überzahl, aber ich wette, sie sind nicht klüger als wir.«

Die Frau schwieg eine Weile, dann warf sie frustriert die Hände hoch. »Immer noch so halsstarrig und dickköpfig wie immer, Cy. Du kannst es einem nie leicht machen. Du bist unmöglich. Wenn ich nicht wüsste, dass ich ohne dich zu lange brauchen würde, um das Feld zu finden, würde ich dir Handschellen verpassen, damit ihr mir nicht alle in die Quere kommt. Es gefällt mir nicht, Zivilisten mit einzubeziehen, aber ich sehe nicht, wie ich dich daran hindern kann, deine Nase in Angelegenheiten zu stecken, in denen sie nichts zu suchen hat.«

»Ich bin kein Zivilist.« Das kam zur gleichen Zeit von Grady, als Cy schnaubte und sagte: »Zeig mir einen Mann, der hier draußen lebt und den du nicht in deinem Rücken haben willst, Ten. Du weißt, dass wir die Unseren beschützen.«

Sie hatte nichts zu erwidern.

Denn obwohl Cy meiner Vorstellung von einem Cowboy nicht entsprechen mochte, stand eines höllisch fest: Genauso hatte ich mir immer einen Helden vorgestellt.

Kapitel 15

Niemand wird zurückgelassen

Der Ritt zurück in die Richtung, aus der wir gekommen waren, vollzog sich ein wenig schneller, da Webb mit auf dem Quad der hübschen Parkrangerin fuhr. Sie sah nicht so aus, als wäre sie begeistert von der Idee, vor allem, als er sich weigerte, seine Waffe abzugeben. Aber seine Wunde blutete immer noch und er konnte den Arm mit dem Schulterdurchschuss nicht benutzen, daher blieb ihr in der Angelegenheit keine große Wahl. Es regnete inzwischen wieder heftiger, sodass die jetzt beladenen Pferde in dem Schlamm und dem losen Unterholz noch mehr ausrutschten. Cy hatte darauf bestanden, jede einzelne Waffe mitzunehmen und so viele von den Konserven, wie er in der Hütte der Rangers hatte finden können. Officer McKenna gefiel dieser Plan ebenfalls nicht, aber anscheinend kannte sie Cy gut genug, um zu wissen, dass es nutzlos war, mit ihm zu streiten, und nur Zeit verschwendete, die wir nicht hatten. Cy machte sich Sorgen um seinen Bruder. Webb machte sich Sorgen um seinen Bruder. Ich konnte mir nicht gestatten, darüber nachzudenken, was Emrys zugestoßen sein könnte, wenn sie in die falschen Hände gefallen war. Wenn ich mir erlaubte, darüber nachzudenken, würde ich nutzlos für diese sehr riskante Expedition sein. Ich war die Einzige, die keine Waffe bedienen konnte, die Einzige, die mehr als nur der Kälte wegen zitterte, und die

Einzige, die den Eindruck erweckte, als hätte sie Mühe, nicht zusammenzuklappen.

Statt also an Em zu denken und wie es ihr ergehen mochte, wandte ich mich der Tatsache zu, dass Cy und die Parkrangerin offensichtlich eine Geschichte hatten. Er hatte geliebt und verloren, und ihm fehlte immer noch ein Stück seines Herzens, aber das bedeutete nicht, dass der Mann in den vergangenen Jahren wie ein Heiliger gelebt hatte. Ich fragte mich, warum die atemberaubende Frau, die scheinbar perfekt für ihn und nun ein Teil unserer bunt zusammengewürfelten Gruppe war, noch nicht bei ihm hängen geblieben war.

Beinahe so, als könne er meine Gedanken hören, drehte Cy sich zu mir um und verlangsamte Edgars Tempo, sodass wir nebeneinander reiten konnten. Der Regen hatte sein eh schon dunkles Haar noch dunkler gemacht, was ihm gut stand. Er fühlte sich unbehaglich und in die Enge getrieben, zwei Dinge, die er zu verbergen versuchte, aber die Gefühle schimmerten trotzdem durch.

»Wie geht es dir, Sonnenschein?« Statt tröstlich zu sein, bereitete mir seine kratzige Stimme eine Gänsehaut.

»Es ging mir schon besser.« Mein Tonfall war kalt, genau wie mein Blick, als ich ihn einen Moment lang ansah. »Du und diese Blondine. Was war das?«

Irgendwie verabscheute ich es, dass ich mich dazu hinreißen ließ, diese Frage zu stellen, schließlich hatte ich keinen Anspruch auf ihn. Die Tatsache, dass ich es wissen wollte, machte mir klar, dass ich einen so großen Anspruch auf ihn haben *wollte* und dass ich meinte, diese Information einfordern zu dürfen. Es war töricht, aber ich konnte das Gefühl von Eifersucht nicht unterdrücken, was ihn betraf.

»Ten? Wir sind zusammen auf die Highschool gegangen. Ihrer Familie gehört die Ranch, die an unsere grenzt. Sie ist ungefähr zur selben Zeit wie ich fortgegangen, mit großen Plänen, sich dem FBI anzuschließen oder etwas in der Art. Ich weiß nicht, was sie nach Hause zurückgeführt hat. Sie redet nicht viel darüber.« Er zog die Brauen hoch und hob eine Hand, um sich das Wasser von der Stirn zu wischen. »Sie ist zu mir gekommen, nachdem meine Frau weggegangen war, und wir haben ein wenig Zeit miteinander verbracht und tun das immer noch, wenn einer von uns einsam und sonst keiner da ist. Sie verlangt nie viel und ist immer weg, bevor es Morgen wird.« Er zog eine Schulter hoch und sah mir fest und ohne Scham in die Augen. »Wir haben uns als Kinder wirklich gut verstanden, und ehrlich, wir haben außer im Schlafzimmer nicht viel miteinander zu tun. Aber wir haben beide etwas, was der andere gebrauchen kann, also ist es einfach.« Er verzog den Mund zu einem sardonischen Grinsen. »Es ist nicht so, als gäbe es hier eine endlose Menge an Frauen, unter denen man wählen kann. Ten ist genau das … eine Zehn … und sie bekommt alles, was ich ihr bieten kann, nämlich einige Stunden im Bett. Sie ist einverstanden damit, denn das ist auch alles, was sie zu bieten hat.«

Ich schürzte die Lippen und wandte den Blick von seinen intensiven Augen ab.

»Du hast mehr zu geben als deinen Schwanz, Cy.« Er war klug, ehrgeizig, ein guter Beschützer, und er forderte einen, bis man sich wünschte, die eine Person zu sein, die es an Leidenschaft und Stärke mit ihm aufnehmen konnte. Ganz zu schweigen davon, wie viel ihm seine Familie bedeutete, wie wichtig es ihm war, sich um alle zu kümmern, die er liebte. Er gab sein eigenes Leben auf und seine eigene Chance auf Liebe, um ein Vermächtnis zu bewahren, das er niemals gewollt hatte. Er opferte sein eigenes Glück und seine Zukunft, um sicherzustellen, dass seine Brüder etwas hatten, das für immer ihnen gehören würde. Er hatte alles aufgegeben, damit die harte Arbeit und das Gedenken an seinen Vater niemals in Vergessenheit gerieten. Im Moment riskierte er seinen eigenen Hals, weil er nicht wusste, was mit seinen Geschwistern geschah.

Es machte absolut Spaß mit ihm, wenn er nackt war und fordernd, aber er legte eine Million wichtigerer Dinge in die Waagschale als seinen beeindruckenden Schwanz. Jede Frau, die bereit war, sich mit ein paar nächtlichen Stunden zu begnügen, ohne all die anderen erstaunlichen Dinge zu würdigen, die Cy überlebensgroß machten, wurde weder sich selbst noch ihm gerecht.

»Das weiß ich, Leo, aber ich biete nicht irgendeiner Frau mehr an als das, was in meiner Hose ist. Ich bin wählerisch, denn es hat keine Frau gegeben, die mich hat vergessen lassen, was ich hatte, und mich träumen ließ, was ich haben könnte … bis du gekommen bist.«

Wie immer, wenn er solche Dinge sagte, fühlte ich es im ganzen Körper. Seine Worte hatten Macht.

Ich räusperte mich und hob geistesabwesend eine Hand, um meine empfindliche Schulter zu massieren. »Das mit uns hat keinen Sinn.«

Es tat weh, das auszusprechen, aber es war die Wahrheit.

Ich wollte, dass diese verzehrende, brennende, alles verschlingende Sache, die uns verband, eine vernünftige Grundlage hatte. Solche Gefühle und unkontrollierbaren Reaktionen sollten zwei Menschen vorbehalten sein, die wirklich etwas damit anfangen konnten. Eine solche Liebe verdiente es, Menschen zu gehören, die sich voll zu würdigen wussten, statt uns beiden, die wir so hart darum kämpften, sie in der wenigen Zeit auszubeuten, die wir miteinander hatten. Wir kosteten nicht, wir überschlugen uns und versuchten, alles in uns aufzunehmen, bevor das Feuer erlosch. Cy hatte mich durch und durch versengt, aber ich berührte ihn ebenfalls, und wenn das mit uns zu Ende ging, würde die Asche verwehen.

Er streckte die Hand aus und griff nach einer meiner Haarsträhnen, die sich wegen des Wetters wild lockte. Die Welle, an der er zog, sprang sofort zurück, als er sie losließ, und er grinste mich an. »Ich habe die Erfahrung gemacht, dass der Teufel, den du kennst, der ist, der die Hölle an deine Türschwelle bringt. Ich weiß nicht, warum du diejenige bist, die mir das Gefühl gibt, voll zu funktionieren, statt nur so zu tun als ob. Aber *du* bist es, Leo. Du lässt Einsamkeit hässlich aussehen und erheblich härter, als sie es während der vergangenen zwei Jahre gewesen ist.«

Mir fiel nichts ein, was ich darauf erwidern konnte, denn ich wollte ihm sagen, dass ich schreckliche Angst davor hatte, wie meine Einsamkeit aussehen würde, jetzt, da ich begriffen hatte, dass ich genau das die ganze Zeit über gewesen war. Mit hämmerndem Herzen und zitternd ob der Einsicht, wie leer meine Existenz werden würde, sobald ich nach Hause kam, wechselte ich das Thema und sprach an, was offensichtlich schwer auf seinem Gemüt lastete.

»Meinst du, die Männer, die auf uns geschossen haben, haben Emrys und Sutton in ihrer Gewalt?«

Er biss die Zähne zusammen, und ein Muskel zuckte in seiner Wange und ließ ihn grimmig und gefährlich aussehen. Dieser Beschützerinstinkt besänftigte irgendwie mein verlassenes Herz. Falls Cy mich jemals liebte, wusste ich, dass ihn nichts auf dieser Erde vertreiben würde. Seine Liebe war ein Band, das nicht zerrissen werden konnte oder würde, und das würde es weniger gefährlich machen, ihm mein Herz zu überlassen.

»Das weiß ich nicht, aber ich weiß, dass Sutton alles in seiner Macht Stehende tun wird, um deine Freundin zu beschützen, falls sie entführt worden sind.«

Genau davor hatte ich Angst. Emrys war die leichtere Zielscheibe, aber der mittlere Warner-Bruder würde seinen Gegner darauf aufmerksam machen, dass er es zuerst mit ihm zu tun bekommen würde. Das bedeutete nichts Gutes, für keinen von ihnen.

»Warum sollten sie sie entführen? Wenn sie wollten, dass wir den Berg verlassen, warum sie dann an den Ort zurückschleppen, den sie vor allen zu verbergen versuchen?« Ich hasste die Fragen, die ich stellte, aber mir missfielen die Antworten noch mehr, die er mir gab.

»Sie wollen vielleicht sicherstellen, dass sie niemandem erzählen, wo sich die Lichtung befindet, aber wenn sie sie mitgenommen haben, dann höchstwahrscheinlich deshalb, um sie als Geiseln zu benutzen, falls die Ranger auftauchen. Oder schlimmer noch, die Drogenbehörde.« Sein

Ton war düster vor Grauen, aber ich wusste die Tatsache zu schätzen, dass er nicht versuchte, mich zu beruhigen.

»Meinst du, sie haben sie als Geiseln mitgenommen?« Meine Stimme brach, und meine Hände krampften sich so fest um die Zügel, dass meine Knöchel weiß wurden.

»Könnte sein. Wir wissen momentan gar nichts, und es ist besser, keine Spekulationen anzustellen. Wenn wir damit anfangen, wird uns das dazu verleiten, planlos zu handeln. Das dürfen wir nicht. Im Moment planen wir so, als wären wir auf dem Weg, meinen Bruder und deine Freundin aus der Schusslinie zu holen.« Er drehte abermals den Kopf zur Seite, als der Regen heftiger wurde und seine Wimpern zusammenkleben ließ.

»Ich weiß nicht, wie du so ruhig bleiben kannst. Innerlich habe ich das Gefühl, als würden tausend summende Bienen versuchen, durch meine Haut zu stechen, und jedes Organ und jeder Muskel in mir fühlen sich an, als wären sie verkrampft. Es kostet mich jedes Fitzelchen Selbstbeherrschung, das ich habe, um nicht auszuflippen und zusammenzubrechen. Ich hatte noch nie im Leben solche Angst.«

Ich vermied es, drüber nachzudenken, wie mein Leben ohne Emrys aussehen würde. Sie erdete mich; ohne sie in meinem Leben würde ich endlos dahintreiben. Ich musste sie zurückbekommen. Das war die einzig akzeptable Lösung.

»Du bist hier, ganz gleich, was im Moment auf der Innenseite deiner Haut passiert, Sonnenschein. Deine Freundin wäre stolz auf dich, weil du tust, was du tun musst, obwohl du nicht weißt, in welcher Hinsicht es schiefgehen könnte, und obwohl du Angst hast. Das ist mutig und draufgängerisch.« Er klang ebenfalls stolz, sodass ich mich ein wenig gerader im Sattel aufrichtete.

»Hast du nicht auch ein klein wenig Angst, Cy?« Ich glaubte nicht, dass er es zugeben würde, wenn er Angst hatte, aber wie immer überraschte er mich.

Er drehte den Kopf, um mich anzusehen, und der silberne Schild, der seine Augen verschleierte, verrutschte, verdunkelte sich vor Furcht und Unsicherheit. »Ich bin vor Angst wie von Sinnen.«

Die Tatsache, dass er mir genug vertraute, um mir seine Verletzbarkeit zu zeigen, brachte mich dem Gefühl ein wenig näher, dass ich ihn, wenn die Umstände anders wären, für immer lieben könnte. Es gab nichts, das Cy vor mir verbergen wollte, und die Tatsache, dass er so offen mit seinen Stärken und Schwächen umging, vermittelte mir das Gefühl, als hätte ich ihn vom Anbeginn der Zeit gekannt.

Das Surren des Quads erstarb plötzlich, und die Stimme der Rangerin erreichte uns.

»Es wird bald dunkel, daher halte ich es für das Beste, wenn wir für die Nacht hier unser Lager aufschlagen und dann morgen den Rest des Weges zu Fuß gehen. Wenn wir das Quad nehmen, könnten sie uns kommen hören, da Geräusche sich hier draußen weit verbreiten.« Sie deutete mit einem Daumen auf Webb, der sich an ihr abstützte. »Unser Stadtjunge hier sagt, es seien nur ungefähr drei Meilen bis dorthin, wo ihr auf die Lichtung gestoßen seid.«

Cy schüttelte den Kopf. »Es sind eher fünf. Boss ist durchgegangen und einige Meilen in den Wald galoppiert.

Es wird ein langer Fußmarsch sein, wenn er immer noch Blut verliert.«

Webb ließ die hübsche Blondine los, nachdem sie ihm einen Blick zugeworfen hatte, der kalt genug war, um Frostbeulen zu hinterlassen. Er schenkte ihr ein schiefes Grinsen. »Ich komme schon zurecht, aber wenn ich aus irgendeinem Grund alle aufhalte, werde ich bei den Pferden und dem zusätzlichen Funkgerät bleiben, für den Fall, dass die Hölle losbricht und wir die Truppen herbeirufen müssen.«

Die blonde Frau verdrehte ihre sehr grünen Augen und machte sich daran, Dinge aus einem großen Baumwollrucksack zu holen, der zu ihrer trostlosen Uniform passte. »So weit draußen kann man keine Verstärkung bekommen, und die Hälfte des Personals sucht im Fluss nach Leichen.«

Menschen hatten wegen der Ereignisse tief in diesem Wald den Tod gefunden – sein Bruder war möglicherweise einer von ihnen –, und das war genug, um Webb zu ernüchtern und ihm das Lächeln vom Gesicht zu wischen. Zaghaft stieg er vom Quad und nahm den Schlafsack entgegen, den sie ihm in die Arme stieß. Er ächzte, da sie ein wenig zu rau mit seiner Verletzung umging. Dann erbleichte er merklich, und die Frau sah aus, als wäre sie drauf und dran, sich zu entschuldigen, aber sie unterdrückte die Worte schnell und drehte sich zu Cy um.

»Wir sollten uns einen Plan zurechtlegen, bevor wir morgen früh zu dem Gelände marschieren.«

Cy nickte, während der ältere Mann sich räusperte und eine Hand hob. »Ich will ja niemandem auf die Zehen treten, aber bis vor wenigen Wochen war ich ein hochdekorierter Agent bei der Drogenbehörde. Ich habe Such- und Vernichtungsoperationen überall auf der Welt organisiert. Wenn irgendjemandem ein Plan einfällt, die Burg zu stürmen, denke ich, sollte das ich sein.«

Cy tauschte einen Blick mit der Rangerin und zuckte dann die Achseln. »Mir soll's recht sein, solange bei dem Plan, den Sie aushecken, mein Bruder und Emrys unversehrt herausgeholt werden, falls sie überhaupt dort sind.«

»Ich war Bundesagent, Mr Warner. Es war mein Job, Menschen zu beschützen, nicht, sie in Gefahr zu bringen.« Der ältere Mann klang ein wenig verstimmt, und ich konnte ihm keinen Vorwurf machen. In Cys Zügen stand eine Menge Argwohn, und die hübsche Rangerin wirkte noch weniger beeindruckt von den Leistungen des Mannes.

»Was schlägst du vor, Grady? Ich hoffe da oben auf jemanden, der meine Fragen nach meinem Bruder beantwortet, und ich bezweifle, dass das passieren wird, wenn wir um uns herumballernd dort aufschlagen.« Webb ließ sich mühsam auf den Boden sinken, sodass er mit dem Rücken an dem schlammigen Rad des Quads lehnte – der nasse, durchweichte Boden schien ihm nicht das Geringste auszumachen.

»Um dich herumzuballern, ist dein Stil, nicht meiner, Webb. Ich denke, wir müssen für Ablenkung sorgen, dann müssen wir jemanden zu dem Unterschlupf der Leute schleusen, die die Plantage angelegt haben. Sobald jemand dort kundschaften kann, finden wir sicherlich heraus, ob Sutton und die junge Frau dort sind. Wenn sie unsere

Leute nicht haben, um sie als Geisel zu benutzen, dann besteht keine Notwendigkeit, dass wir unseren Hals riskieren. Tun sie es doch, dann müssen wir nach der anfänglichen Ablenkung eine zweite Ablenkung erzeugen, eine noch größere, damit wir die beiden in dem Chaos befreien können. Höchstwahrscheinlich werden Sutton und Emrys bewacht, falls sie sich tatsächlich in ihrer Gewalt befinden, aber wenn wir zwei Schlamassel erzeugen, denen sie auf den Grund gehen müssen, dann werden sie dafür alle Leute benötigen. Es ist keineswegs ein narrensicherer Plan, aber ich denke, es ist der erfolgversprechendste.«

Cy verschränkte die Arme vor der Brust und tauschte einen Blick mit der Rangerin, dann sah er mich an. »An was für ein Ablenkungsmanöver denken Sie?« Sein Gesichtsausdruck sagte deutlich, dass Grady sich besser etwas einfallen lassen sollte, bei dem ich nicht in Gefahr geriet. »Die Saat auf dem Feld ist noch nicht aufgegangen, daher können wir keine Pflanzen anzünden.«

Ich deutete mit dem Kopf auf Edgar, der mit dem Miniwaffenarsenal beladen war. »Zu den Dingen, die du aus der Hütte mitgenommen hast, gehört eine Leuchtpistole. Die könnte als anfängliches Ablenkungsmanöver herhalten, aber ich weiß nicht, was wir für das zweite Manöver in der Hand haben, vor allem, wenn es einen größeren Knall braucht.«

Webb ließ den Kopf nach vorn fallen, sodass er auf den Boden zwischen seinen Füßen schaute. Seine Stimme war immer noch ein wenig schwach, aber die Entschlossenheit darin war unüberhörbar und geriet auch nicht ins Wanken. »Die zweite Runde überlassen Sie mir.« Ein kämpferisches Lächeln verzerrte seine Züge.

»Du wirst keine Dummheit machen, Webb. Das lasse ich nicht zu.« Grady warf dem jüngeren Mann einen ernsten Blick zu, den Webb jedoch ignorierte.

»Wir sind weit über den Punkt hinaus, an dem du mir sagen kannst, was ich tun soll, Grady. Ich will wissen, wo mein Bruder ist und ob diese Arschlöcher etwas mit seinem Verschwinden zu tun haben. Wenn ich dabei an ein paar Käfigen rütteln muss … nun, das klingt einfach nach einer Menge Spaß.«

Ten schüttelte den Kopf, und Wasser spritzte von ihrer Baseballkappe. Sie deutete mit einem Finger auf Webb, was ihm ein Grinsen entlockte. Anscheinend gefiel es ihm, von der langbeinigen Blondine herumkommandiert zu werden. »Stadtjunge, Sie klingen ein wenig zu erpicht darauf, Ärger zu machen, wenn Sie mich fragen. Wenn Sie eine Belastung sind, werde ich Sie auf dem Quad in Handschellen legen und Sie wieder runterlassen, wenn dieses Desaster vorbei ist.«

Webb hob in gespielter Kapitulation die Hände. »Ich werde mich benehmen … fürs Erste. Aber es ist mir ernst, dass ich die zweite Welle übernehmen will. Das bedeutet, dass Cy und Grady auf das Gelände kommen können, sobald wir es gefunden haben, um nach Sutton und Emrys zu suchen. Leo kann aus sicherem Abstand das erste Ablenkungsmanöver inszenieren, und dann wird sie ihren süßen Arsch aus der Schusslinie halten, und Sie können allen Deckung geben.« Er wackelte mit den Augenbrauen. »Ihr Arsch ist ebenfalls ziemlich spektakulär. Ich will nicht, dass Sie denken, das wäre mir nicht aufgefallen.«

Die Rangerin schnaubte und ahmte Cys Haltung nach, indem sie die Arme vor der Brust verschränkte. »Vergessen

Sie es, dass ich Sie im Wagen ankette, ich werde Sie vielleicht einfach erschießen und den Berglöwen zum Fraß vorwerfen.«

Cy gab ein ärgerliches Knurren von sich und sah den verletzten Mann mit schmalen Augen an. »Wenn Sie Leos Hintern noch einmal erwähnen, werden Sie sich keine Sorgen darüber zu machen brauchen, was Ten für Sie in petto hat, denn ich werde Ihnen mit bloßen Händen ihren dämlichen Kopf abreißen.«

Ich legte ihm eine Hand auf den Arm, der sich unter meinen Fingerspitzen wie feuchter Stein anfühlte. »Ich denke, alle müssen in ihre getrennten Eckchen gehen und versuchen, ein wenig Schlaf zu bekommen. Wir werden morgen sehr früh aufbrechen, und keiner von uns hat während der letzten Tage viel Ruhe gefunden. Wir sind alle durchnässt und angespannt, aber es ist nicht gerade zielführend, wenn wir einander bedrohen.«

Wenn ich mich an Ort und Stelle auf den Boden hätte legen können, hätte ich es getan, aber ich war auch so schon durchnässt genug.

Cy entspannte sich etwas und legte einen Arm um mich. Als er mich an seine breite Brust zog, hatte ich das Gefühl, Wärme und Wohlbehagen würden mich umschlingen. Ich kuschelte mich nicht an ihn, wie ich es gern getan hätte, aber ich bettete trotzdem die Stirn an der Kuhle seines Halses. Ich konnte dem Drang nicht widerstehen, einen Regentropfen aufzulecken, der über seine Kehle und meine Lippen rann. Die kleine Berührung meiner Zunge mit kühler Haut ließ ihn schaudern, und er legte die Arme noch fester um mich.

»Ich muss ein Feuer machen, damit wir heute Nacht nicht erfrieren und um die Raubtiere fernzuhalten, die mir ehrlich gesagt Sorge bereiten.« Er versuchte, die Situation um meinetwillen normaler zu gestalten, und ich hätte ihn vor Dankbarkeit am liebsten von Kopf bis Fuß abgeknutscht. Seine Fürsorge ging tief und geriet nicht ins Wanken, auch wenn es einfach und vernünftig gewesen wäre, sie angesichts der Umstände aufzugeben. Ich ließ ihn los und drückte die Schultern durch, denn wenn er sich verbiegen konnte, ohne zu zerbrechen, dann konnte ich das auch. Und ich würde mich festhalten und dem Sturm entgegenstellen, vom Wetter geschlagen, aber immer noch aufrecht. Das war etwas, wovon ich noch vor wenigen Tagen nicht geglaubt hätte, dass ich dazu fähig war. Aber dieser Trip und die vielen Dinge, die nicht nach Plan verlaufen waren, hatten mir unweigerlich die Augen geöffnet.

Ich überließ es Cy, das Feuer anzufachen, und ging zu den Pferden hinüber, um festzustellen, ob ich irgendetwas tun konnte, damit sie es etwas behaglicher hatten. Die armen Tiere hatten sich genauso angestrengt wie wir und waren ganz sicher erschöpft und hatten die Nässe und die Kälte satt.

Während ich Edgar mit einer trockenen Decke abrubbelte, die ich gefunden hatte, hörte ich Schritte hinter mir, die zu leicht waren, als dass sie einem der Männer in unserer bunt zusammengewürfelten Truppe gehören könnten. Ich schaute über meine Schulter, als die blonde Frau näher kam, und versuchte, mich nicht zu versteifen oder meine automatischen Abwehrmaßnahmen zu ergreifen, als sie mir einen herablassenden Blick zuwarf.

»Sie sind für eine Kalifornierin ziemlich gut im Umgang mit Pferden.« Ihr Ton war trocken, und sie gab sich keine Mühe, den Sarkasmus darin zu verbergen.

Ich zog eine Braue hoch und sah in ihre Richtung. »Woher wissen Sie, dass ich aus Kalifornien komme?«

Sie zog eine Schulter hoch und ließ sie wieder sinken, und die ganze Zeit über beobachtete sie, was ich mit den Pferden machte. »Ich habe Cy gebeten, mir einen Überblick über alle Gäste zu geben, auch, woher sie kommen, falls wir einen offiziellen Suchtrupp hätten losschicken müssen.«

Ich nickte ihr zu und antwortete gelassen: »Ob Sie es glauben oder nicht, es gibt auch in Kalifornien Pferde.« Ich schleuderte ihr nicht ihren eigenen geringschätzigen Ton entgegen, sondern hielt meinen gleichmütig und nichtssagend. Sie brauchte mich nicht darauf hinzuweisen, dass sie viel besser zu dem Mann passte, der gerade versuchte, unter fast unmöglichen Bedingungen ein Feuer zu entfachen. Ich wusste, dass ich nicht die Frau war, die Cy brauchte, aber es ließ sich nicht verbergen, dass ich diejenige war, die er wollte.

Sie nahm ihre Kappe ab und schüttelte sie aus. Ich spürte, wie alle Luft aus meiner Lunge wich, als mir klar wurde, dass sie mehr als schön war, wenn man ihr Gesicht komplett betrachtete. Ich überlegte, ob hier draußen nicht irgendetwas im Wasser war, das die Männer und Frauen, die von hier stammten, so unverschämt attraktiv machte.

»Er ist nicht immer so, wissen Sie.« Sie stemmte die Hände in die Hüften und warf mir einen festen Blick zu. »Auch wenn ich niemanden schlechtreden will, aber ich kenne diese Warner-Jungs seit langer Zeit. Und sie alle haben gemeinsam, dass sie Zeit auf die falschen Frauen verschwenden. Ich bewundere es, dass Sie so unerschrocken agieren, obwohl Sie so offensichtlich nicht in Ihrem Element sind. Die meisten Frauen an Ihrer Stelle hätten verlangt, dass jemand sie zur Ranch zurückbringt, oder sich dafür entschieden, sich in der Hütte zu verstecken. Ich will nicht, dass Sie sich irgendwas über Cy zusammenfantasieren … dass Sie womöglich denken, die Sache zwischen Ihnen beiden würde über die Zeit hier in der Wildnis hinausreichen. Sobald Sie fort sind … sind Sie fort, und er wird zur nächsten Frau weiterziehen.«

Die Worte waren grausam, aber sie glaubte wirklich, mir einen Gefallen zu tun, indem sie mir reinen Wein einschenkte. Sie sagte mir, so wie ich es Chris' Frau hätte sagen sollen, dass er ein Mann war, bei dem ich mich selbst mehr und mehr verlieren würde. Sie machte sich keine Sorgen wegen meiner Reaktion, denn ihrer Meinung nach gab sie auf ihre eigene schroffe Art auf mich acht.

Ich richtete mich auf und raffte mein Haar mit beiden Händen zusammen, damit ich die feuchten Strähnen auswringen konnte. Es fühlte sich glitschig und kühl an. Es war so verfilzt, dass ich es vermutlich abschneiden musste. Ich gehörte eigentlich nicht hierher, und dies war nicht der Ort meiner Wahl, aber im Moment war ich hier, und es gab nichts, das mich davon hätte abbringen können … nicht einmal die unbequeme Wahrheit ihrer nicht allzu freundlichen Warnung.

Ich zog eine Schulter hoch und ließ sie wieder sinken. »Ich werde fort sein, aber nicht vergessen. Ich habe das mit Cy angefangen in dem Wissen, dass das genügen muss.«

Sie legte den Kopf ein wenig schräg, und ein schiefes Grinsen umspielte ihre Lippen. »Noch einmal, Sie sind sehr mutig. Die meisten Frauen, die er verschleißt, sind so geblendet von diesem Gesicht und diesem Körper, dass sie die Tatsache ignorieren, dass jede Flamme irgendwann erlischt. Sie sehen das Ausbrennen des Feuers direkt vor sich, und sie spielen trotzdem damit.«

Ich nickte leicht und grinste meinerseits. »Warum sollte ich das auch nicht tun? Ich hatte noch nie die Chance, etwas so Heißes in die Finger zu bekommen. Ich werde die Hitze genießen, solange ich kann.«

Sie stülpte sich ihre durchweichte Kappe wieder auf den Kopf und schenkte mir ein Lächeln, das vollkommen gerade weiße Zähne zeigte und ein entzückendes Grübchen offenbarte. Die Frau war körperlich der Hammer und wirklich so perfekt, wie ein Mensch nur sein konnte, was ihr hochnäsiges Auftreten wettmachte. »Ich mag Sie, Miss California, und es gefällt mir, dass Cy Sie mag. Es ist eine Schande, dass Sie nicht ein Weilchen länger hierbleiben können, denn ich denke, Sie würden dem Mann tatsächlich guttun. Er hätte heute fast gelächelt.«

Als sie sich umdrehte und sich von mir entfernte, sagte ich ihr nicht, dass ich ihn die ganze Zeit zum Lächeln brachte, wenn wir zusammen waren.

Kapitel 16

Nicht geplant

Wir verließen das improvisierte Lager, bevor das erste Licht der Morgendämmerung den Himmel erhellte. Niemand hatte auf dem nassen Boden sehr gut geschlafen, und alle waren in höchster Alarmbereitschaft, daher hatten die Anspannung und das Unbehagen Schlaf fast unmöglich gemacht.

Officer McKenna rief in ihrem Hauptquartier an und gab die ungefähre Richtung durch, in der wir unterwegs waren. Sie instruierte die Person am anderen Ende des Funkgeräts, jemanden zu unserer Lagerstelle zu schicken, nur für den Fall, dass wir es nicht zu den Pferden zurückschafften. Der Gedanke daran, die Tiere allein und unversorgt zurückzulassen, gefiel Cy nicht besonders. Aber es war die Vorstellung, dass niemand von uns es zurückschaffte, um sich um sie zu kümmern, bei der mir der Schweiß ausbrach, trotz der frostigen Kühle der Morgenluft.

Bevor wir uns zu Fuß auf den Weg durch den Wald machten, brachte Cy mir bei, wie man die langläufige Flinte lud und schoss. Das führte dazu, dass sie jetzt an meiner Schulter baumelte. Meine Hände zitterten, als ich die Patronen in die Waffe einlegte, aber ich war mir ziemlich sicher, dass ich damit zielen und schießen konnte, falls sich die Notwendigkeit dazu ergab.

Ich hatte mich nie so weit von meinem normalen Leben entfernt gefühlt wie in diesen Stunden. Ich trottete hinter den anderen her, konnte kaum etwas sehen, fror bis auf die Knochen und war bewaffnet bis an die Zähne – auf einer Rettungsmission, um meine beste Freundin vor Männern zu beschützen, die vielleicht zu einem Drogenkartell gehörten. Und das alles, während ich drauf und dran war, in eine Verliebtheit zu einem Mann hineinzuschlittern, der nicht für mich bestimmt war.

Das alles war mehr, als irgendeine ledige, normale Person in ihrem ganzen Leben durchmachen sollte. Ich kam mit dem Bombardement von neuem Wissen und dem Verarbeiten kaum hinterher. Es fühlte sich an, als würde ich durch den Fleischwolf gedreht, wenn ich auch nur den geringsten Fehler beging, und ich käme zerschunden und verloren auf der anderen Seite heraus. Solange ich den Kopf hochhielt und den Blick fest auf das Land vor mir richtete, bestand vielleicht eine reelle Chance, all das gesund und munter zu überstehen, mit einem Übermaß an neuen Erfahrungen im Rucksack. Erfahrungen, die all die leeren Stellen füllen würden, wenn ich in mein langweiliges Alltagsleben zurückkehrte. Erfahrungen, die mir in der Dunkelheit Gesellschaft leisten würden, während ich mich nach Cys Berührung verzehrte und nach dem rauen Klang seiner tiefen Stimme, die auf meiner Haut vibrierte.

Ich stieß einen Seufzer aus, von dem ich dachte, er sei leise gewesen, bei dem sich aber alle drei Männer nach mir umdrehten. Die Aufmerksamkeit trieb mir die Röte ins Gesicht, daher wedelte ich mit einer Hand und sagte ihnen:

»Achtet gar nicht auf mich. Das ist mehr sportliche Betätigung, als ich gewohnt bin. Ich glaube nicht, dass ich dazu geschaffen worden bin, beladen mit allen möglichen Dingen endlose Meilen durch den Wald zu stapfen.« Ich arbeitete in einem Hochhausbüro, um Gottes willen. Die Treppe nahm ich nur, wenn der Aufzug nicht funktionierte, und selbst dann beschwerte ich mich den ganzen Weg durch das Treppenhaus.

»Besteht San Francisco nicht nur aus Hügeln?« Webb stellte die Frage über seine verletzte Schulter hinweg, und es ärgerte mich, wie gelassen er klang. Er atmete mühelos, auch wenn seine verletzte Schulter sichtlich tiefer hing als seine unversehrte. Er war immer noch bleich und ein wenig zittrig, versteckte aber verdammt gut, welche Schmerzen er hatte. Er wollte keine Belastung sein, und das Gleiche galt für mich.

»Ja, aber ich verbringe meine Freizeit nicht damit, diese Hügel hinauf- und hinunterzumarschieren, mit einer Flinte bewaffnet und auf dem Weg in eine gefährliche Drogenhöhle, in der meine beste Freundin vielleicht gefangen gehalten wird.« Mein Ton war frostig, und der jüngere Mann hatte genug Verstand, zerknirscht zu wirken.

»Tut mir leid, Leo. Ich habe es nicht böse gemeint.« Bei seiner Entschuldigung seufzte ich von Neuem.

»Ich weiß, ich bin einfach angespannt. Ich mache mir Sorgen um Emrys und Sutton. Ich mache mir Sorgen, was geschehen wird, wenn wir in der Nähe der Lichtung ankommen. Ich bin nicht gut in Situationen, die ich nicht kontrollieren kann, und an dieser Sache, der wir uns nähern, lässt sich nichts kontrollieren … nichts ist sicher.« Ich ertrank in Ungewissheit, und ich fand es schrecklich.

Webbs Züge wurden ernsthaft und nachdenklich. Er zog die Mundwinkel herunter. »Kontrolle ist eine Illusion. Sie denken, Sie haben im Leben alle Fäden in der Hand, aber das stimmt nicht. Sie baumeln lediglich an ihrem Ende und bewegen sich in die Richtung, in die der Wind Sie zu wehen beschließt. Das Einzige, wofür Sie verantwortlich sind, ist Ihr eigenes Tun, also können Sie einfach dafür sorgen, dass diese Taten etwas bedeuten. Dass Sutton und Emrys über diese Arschlöcher gestolpert sind, war Pech und ein Beispiel dafür, dass man manchmal zur falschen Zeit am falschen Ort landet, nicht mehr, nicht weniger. Die Tatsache, dass Sie hier sind, dass Sie bereit sind zu tun, was immer notwendig ist, um Ihrer Freundin zu helfen, das liegt in Ihrer Macht und spricht Bände über Ihre Persönlichkeit.«

In seiner Stimme lag Respekt, als er mit mir sprach. Aus irgendeinem Grund bedeutete mir dieses Lob mehr als alle beiläufigen Komplimente, die ich von Männern in Anzügen bekommen hatte, wenn ich in meinem alltäglichen Leben eine Aufgabe gut gemeistert hatte. Dieser stoische Ex-Sträfling mit der verwegenen Einstellung, wenn es um Rache ging, half mir, mich besser zu fühlen. Auch im Hinblick auf meine Möglichkeiten, mich nach der Erfahrung mit Chris wieder zu sammeln.

Ich wollte mich bei ihm bedanken und ihn wissen lassen, dass seine scharfsichtige Beobachtung dringend benötigt worden war und dass ich sie zu schätzen wusste, gerade als ein trommelfellzerreißender Schrei die Luft zerriss. Das Geräusch kam offensichtlich von einer Frau und ebenso offensichtlich war, dass es von der Lichtung herüberschallte, zu der wir unterwegs waren. Meine Knie wurden schwach, als mir klar wurde, dass der Schrei von Emrys gekommen sein musste. Ich streckte die Hand aus und griff nach dem nächstbesten Ast, damit ich mich auf den Füßen halten konnte. Mir stockte der Atem, während unsere kleine Karawane erschrocken stehen blieb und wir alle finstere Blicke tauschten.

»Wir müssen weiter.« Cy murmelte die Worte sehr leise, während wir stumm beschleunigten und uns zielstrebig durch dichte Bäume und über raues Terrain schlängelten. Wir alle waren ziemlich in Panik. Ein zweiter Schrei folgte, dieser lauter und länger als der davor. Er wurde abrupt abgeschnitten. Der Schock des Schweigens trieb mir die Tränen in die Augen.

Emrys war dort irgendwo und wurde verletzt, und ich konnte nichts dagegen tun. Vor meinem inneren Auge sah ich Szenen wie aus dem grauenvollsten Horrorstreifen, der je existiert hatte. Die furchteinflößenden Visionen ließen mich stolpern und taumeln. Glücklicherweise war Cy da, um mir eine Hand auf den Arm zu legen und mich aufzufangen, bevor ich der Länge nach aufs Gesicht fiel. Er wischte mir die Tränen, die mir über die Wange liefen, mit dem Daumen weg.

Es dauerte länger, als ich mir erhofft hatte, eine Stelle zu erreichen, von der aus die Lichtung zwischen den Bäumen einsehbar war. Grady ließ uns alle so weit entfernt stehen bleiben, dass wir immer noch von dem dichten

Wald geschützt wurden, und fragte leise, wo unserer Meinung nach Sutton und Emrys am ehesten festgehalten wurden.

Als ich gefallen und auf dem Feld gelandet war, waren mir keinerlei Gebäude um mich herum aufgefallen. Cy erklärte dem ehemaligen Agenten, dass auch er nichts gesehen habe, sich aber nicht vorstellen könne, dass sie sich sehr weit von ihrer Plantage entfernen würden – für den Fall, dass Eindringlinge darüber stolperten.

Tennyson warf Webb das zusätzliche Funkgerät zu und machte sich an dem Gewehr zu schaffen, das sie dabeihatte. »Ich werde einen Bogen schlagen und auf den Hügel hinter dem Feld steigen, damit ich euch Rückendeckung geben kann. Vielleicht kann ich sehen, wo sie ihren Stützpunkt errichtet haben, sobald ich oben angekommen bin.« Die Männer nickten, dann richtete sie ihren Blick auf mich. »Sind Sie einer kleinen Wanderung gewachsen, Miss California? Sie kommen mit mir, damit Sie diese Leuchtrakete von hoch oben abfeuern können, wo niemand Sie übersehen kann. Wenn die Kugeln durch die Luft fliegen, brauche ich Sie als Späherin, während ich die bösen Buben dingfest mache.«

Ich schluckte, denn ich wollte weder Cy noch einen der anderen Männer zurücklassen, mit denen ich bis jetzt alles durchgestanden hatte. Aber ich war klug genug, um zu wissen, dass das Tens Art war, die Zivilistin und Unerfahrenste in der Gruppe so weit wie möglich aus der Schusslinie herauszuhalten. So konnte ich helfen, statt jemanden zu behindern, daher nickte ich. »Ich komme mit.«

Ich trat einen Schritt auf die Rangerin zu, wurde aber zurückgerissen und herumgewirbelt und fand mich vor Cy wieder. Die Linien der Anspannung und Sorge, die sich in sein hartes Gesicht gruben, ließen ihn viel älter erscheinen, als er tatsächlich war. Es war, als hätte ihn all das endlich genug altern lassen, dass die silbernen Fäden in seinem dunklen Haar und Bart zu ihm passten.

»Sei vorsichtig, Sonnenschein.« Das Brummen in seiner Stimme und der eiserne Griff, mit dem er mich festhielt, ließen mich schaudern.

»Nicht ich bin diejenige, die auf dem Weg in ein Lager voller bewaffneter Männer ist, die ein begründetes Interesse daran haben, dafür zu sorgen, dass keiner von uns es nach Hause schafft. Sei du vorsichtig. Hol meine Freundin und deinen Bruder raus!« Ich legte ihm eine Hand aufs Herz und zuckte ein wenig zusammen, als ich spürte, wie schnell es schlug. Er machte sich genauso große Sorgen wegen der unbekannten Faktoren wie ich, aber er ließ seine Taten für sich sprechen.

Er stieß einen langen Atemzug aus. Dann senkte er den Kopf und küsste mich. Es war ein Kuss, der dazu gedacht war, sich einzuprägen und für immer erhalten zu bleiben … wie lange das auch sein mochte. Ein Kuss, der dazu gedacht war, zu brandmarken und die Seele zu markieren, sodass Stücke von ihm ewig mit Stücken von mir verschmolzen sein würden.

Zungen umtanzten einander.

Lippen bewegten sich hungrig aufeinander.

Atem vermischte sich und wurde gestohlen und durch sanftes Seufzen sowie befriedigtes Murmeln verdrängt.

Seine Hände klammerten sich an mir fest, denn wenn dies endete, mussten wir schnell los, und der Kuss würde nur noch nachklingen.

Ich drückte ihn an mich und spürte, wie sein Herz einen Satz tat, als wollte es von mir berührt werden, und dann tat ich, was ich absolut nicht tun wollte. Ich ließ ihn los und trat zurück. Wir waren beide außer Atem und sahen ein wenig benommen aus, aber es blieb keine Zeit zu verarbeiten, was dieser Kuss und all die substanziellen, wichtigen Dinge darin für uns bedeuteten.

»Sorge dafür, dass du zu mir zurückkehrst, Leo. Ich bin noch nicht fertig damit, meine Zeit in der Sonne zu genießen.« Seine Worte waren nur für meine Ohren bestimmt, kaum hörbar, nur ein Atemzug, der mich traf wie eine Tonne Ziegelsteine. Niemand außer Cyrus Warner fand mich strahlend und glänzend, was ein Grund mehr war, warum mein Herz so bereitwillig schien, wild und unbekümmert in seine Hände zu springen.

»Wir sind noch lange nicht fertig, Cy. Wir werden unseren Weg zurück zueinander finden.« Meine Antwort war genauso leise, dann stellte ich mich auf die Zehenspitzen, damit ich ihm einen flüchtigen Kuss auf die Wange geben konnte, bevor ich tief durchatmete und mich wappnete. »Ich bin bereit.«

Tennyson nickte und machte sich ohne ein Wort auf den Weg, der parallel zu der in die Erde gehauenen Narbe verlief, die das Feld umrandete. Sie bewegte sich vorsichtig und achtete darauf, keine Zweige zu zerbrechen oder Steine ins Rollen zu bringen, was jemanden, der vielleicht in der Nähe herumlungerte, darauf aufmerksam machen würde, dass wir durch den Wald schlichen.

»Auf einer Anhöhe ungefähr zwanzig Minuten in diese Richtung befindet sich ein großer Felsvorsprung. Die Felsen sind groß genug, dass sie uns Deckung bieten werden, wenn man auf uns schießt, und sie sind weit genug entfernt, als dass niemand in der Lage sein wird, uns auf Anhieb zu finden, nachdem die erste Leuchtpistole losgegangen ist. Ich hoffe nur, die Sache wird sich in der Nähe abspielen, damit ich den Männern den Weg zum Lager durchgeben kann.« Sie flüsterte, aber selbst dieses Flüstern hallte laut in der gewaltigen Stille des Waldes um uns herum wider.

Ich hielt vor einem Kiefernzapfen inne, der herabgefallen war, als ich an einen Zweig gestoßen war, dann ging ich bewusst darum herum, sodass das brüchige kleine Ding nicht unter meinen Stiefeln knirschte. »Sie können nicht allzu weit entfernt sein. Wir hätten Em nicht schreien hören, wenn sie zu weit von dem Fels entfernt gewesen wären.«

Sie sah mich über ihre Schulter an und runzelte die Stirn. Dann nahm sie die Kappe ab und warf sie mir zu. »Setzen Sie das da auf. Mir war nicht klar, wie Ihr Haar leuchtet, sobald die Sonne hervorkommt. Es ist wie ein verdammter Laserstrahl, und es lässt sich nicht sagen, wie nah sie sind. Geräusche verbreiten sich meilenweit.«

Ich schnaubte ein wenig, während ich versuchte, so viel wie möglich von meinem Haar unter ihre hässliche Kappe zu stopfen, woraufhin sie fragend die Brauen hochzog. »Ich habe diese Lektion auf die harte Tour gelernt. Ich habe Cy und seine Brüder beschuldigt, nicht Cowboy genug zu sein für dieses Geschäft, als wir uns das erste Mal begegnet sind. Ich dachte, niemand könnte mich hören, und das war ein gewaltiger Irrtum.«

Sie verdrehte die Augen mit einem leisen Lachen und wandte sich dann wieder den Bäumen zu, die sich langsam lichteten, während das Terrain steiniger und unwirtlicher wurde. »Cy kann durch und durch Cowboy sein, wenn es sein muss, aber er hat dieses Etikett und das Stigma, wie das Leben auf einer Ranch aussehen *sollte*, immer gehasst. Ich werde es abstreiten, wenn Sie ihm jemals erzählen, dass ich das gesagt hätte, aber meiner Meinung nach rührt sein Widerstreben zuzugeben, ein Cowboy zu sein, vor allem daher, dass seine Mom nie richtig angekommen ist und nicht zu seinem Dad gestanden hat. Boyd Warner war Cowboy durch und durch. Ich hatte immer den Eindruck, Cy glaubte, wenn er so sein könnte, wie sein Dad nicht war, dann fände er vielleicht eine Frau, die ihn nicht verlassen würde.« Sie zuckte die Achseln und sah mich über ihre Schulter hinweg an. »Er hat versucht, jemand anderes zu sein, aber dieser Mann ist mit der Ranch und dem Westen im Blut zur Welt gekommen. Er konnte seinem Erbe nicht davonlaufen, und er hat eine Frau gefunden, die nicht damit umgehen konnte, wie tief seine Wurzeln gingen. Sie hat ihr Bestes gegeben, um sie zu durchtrennen, aber sie reichen zu tief. Er hatte am Ende eine Frau, die einen Cowboy nicht lieben konnte, genau wie seine erbärmliche Mutter. Die Starken überleben hier draußen, und die Zähen blühen und gedeihen. Stärker und tougher als Cy kann man nicht sein. Er braucht eine Frau, die das zu schätzen weiß.«

Ich konnte nicht verhindern, dass meine Hände sich an meiner Seite zu Fäusten ballten. Die vertraute und intime Weise, wie sie über den Mann sprach, den ich würde verlassen müssen, brannte wie Säure und Feuer. »Versuchen Sie, mir zu sagen, Sie seien die Frau, die diese Eigenschaften an ihm zu schätzen wisse?« Ich wollte nicht schnippisch und eifersüchtig klingen, aber es war so.

Sie schüttelte den Kopf und hob ihr helles Haar an, damit sie es in den Kragen ihrer Bluse schieben konnte. »Genau das sind die Eigenschaften, die es für uns zwei unmöglich machen, mehr als einige wenige Stunden zusammen zu verbringen, ohne dass einer den anderen erwürgen möchte. Cy ist ein Fels, oder vielleicht ist er eher ein gottverdammter Steinbrocken, da er so groß ist. Das bin ich auch. Ich bin genauso hart wie er und kann genauso unverrückbar sein. Wir knallen nur aneinander, bis einer von uns Kopfschmerzen kriegt. Außerhalb des Bettes macht das keinen Spaß und verschwendet nur unser beider Zeit.«

Mir war es gar nicht recht, dass sie eine solche Geschichte mit Cy verband, dass sie ihre Zeit mit ihm nicht schnell abtat.

»Wenn er ein Fels ist, was macht das dann aus mir?« Ich war nicht leicht und biegsam genug, um ein Fluss zu sein, der um die scharfkantigen Felsen herumfloss, die durch die Oberfläche brachen. Ich war nicht sanft genug, um die rauen Kanten des Steins in einem Leben behutsamen Drucks weicher zu machen.

Sie blieb so abrupt stehen, dass ich fast mit ihr zusammengeprallt wäre. Ich stolperte und streckte eine Hand aus, um nicht zu fallen, während sie sich zu mir umdrehte.

Sie musterte mich mit ihren jadefarbenen Augen von Kopf bis Fuß, und als sie mich endlich direkt ansah, stand ein Funke von Humor in den schillernden Tiefen.

»Nun, *Sonnenschein*«, sagte sie, und ihre Lippen zuckten, als sie den niedlichen Kosenamen benutzte, mit dem Cy mich bedachte. »Ich würde sagen, Sie sind das einzige Wesen auf Erden, das Stein aufwärmen kann. Sie sind die Sonne und der Glanz. Sie sind die Wärme, die die Kälte aus seinem Inneren vertreibt. Wenn ein Fels heiß genug wird, kann er bröckeln.«

Ich legte den Kopf schräg und stieß einen langen Atemzug aus. Ich wollte diese Frau nicht mögen, vor allem, weil sie was mit Cy am Laufen hatte. Aber ihre Aufrichtigkeit und ihre skurrile Art, die Dinge zu betrachten, sprach mich an und vermittelte mir das Gefühl, ihr vertrauen zu können. Sie schien absolut ungekünstelt zu sein, und ich hatte sogar den Eindruck, dass es ihr nicht im mindesten Sorgen bereitete, welchen Eindruck sie machte. Was man sah, war das, was man von Officer McKenna bekam. Und ich wusste zu schätzen, dass sie nicht interessiert an einem Battle wegen eines Mannes war, mit dem wir beide nackt Zeit verbracht hatten. »Sprechen Sie aus Erfahrung?«

Cy hatte gesagt, sie rede nicht darüber, was in der Fremde geschehen sei oder was sie nach Hause zurückgeführt hatte, daher überlegte ich, ob ihr sonniger Tag sich bewölkt hatte.

Ihre neckende Miene verschwand, und ihre Augen verloren das Glitzern. Ihr Mund, der ohne jeglichen Lippenstift die perfekte Schattierung von Nelkenrosa hatte, verzog sich zu einem Ausdruck, der ihr hübsches Gesicht in etwas Hartes und beinahe Hässliches verwandelte. »Selbst ein Felsen kann zerbrechen, wenn man seine Schwachstelle findet und sie hart genug attackiert. Es ist einfacher, Stücke wegzumeißeln, wenn man weiß, wo man ansetzen muss.«

Sie drehte sich wieder um zum Zeichen, dass das Gespräch beendet war. Vor einigen Tagen noch hatte ich keinerlei Schwäche zeigen wollen und mich geweigert, verletzbar und offen für jemanden zu sein, der einen Kampf im Leben zugab. Ich hatte meinen zerlöcherten Schild hochgezogen. Dieses unerwartete Abenteuer hatte mir gezeigt, dass es keine Schwäche war zu leiden oder andere Menschen wissen zu lassen, dass man litt.

Die zerklüftete Felsformation ragte plötzlich vor uns auf und wirkte bei Weitem höher und steiler, als ich es erwartet hatte. Meine instinktive Höhenangst ließ mich zurückschrecken, und mir brach der Schweiß aus. Meine Hände zitterten, als wir die Formation umrundeten. Ten griff hinauf und zog sich einen Meter vom Boden hoch.

»Treten Sie einfach an die gleichen Stellen wie ich, und zwar langsam. Es sind nur fünf Meter oder so bis nach oben, aber das ist weit genug vom Boden entfernt, um sich zu verletzen, wenn man abrutscht und abstürzt.«

Ich ließ meine steife Schulter kreisen und sandte ein stummes Gebet nach oben, dann folgte ich der Blondine die Felsen hinauf. Sie ließ es wie ein Kinderspiel aussehen, obwohl sie ein Gewehr über dem Rücken trug und immer noch ihren mit Vorräten beladenen Rucksack mit sich herumschleppte.

Es war nicht einfach.

Dies war kein gemächlicher, nachmittäglicher Trip zum Felsenklettern. Es gab keine Geschirre, keine Handschuhe, keine Helme. Es gab keinen Cy am Fuß des Felsens, der mich ermutigte und mir sagte, er würde mich sichern und nicht zulassen, dass mir etwas Schlimmes widerfahre. Der Fels schnitt mir in die Handflächen und zerkratzte meine Fingerspitzen. Ich riss mir die meisten meiner Fingernägel ein, bis sie bluteten, und meine verletzte Schulter protestierte lautstark, wann immer ich diesen Arm über den Kopf schwingen und an meinen Fingerspitzen baumeln musste, während ich mich mühte, Tritt zu fassen. Mein Herz pochte die ganze Zeit über wild in meiner Brust, und ich glaube nicht, dass ich während des gesamten zehnminütigen Aufstiegs auch nur ein einziges Mal atmete, während ich zentimeterweise zum Gipfel des Felsens kletterte. Als ich ihn erreichte, riss Ten mich sofort auf den Bauch hinunter, sodass ich mir die Knie auf der felsigen Oberfläche aufschürfte und meine Jeans Löcher bekamen. Ich schnaubte wie ein Asthmatiker, woraufhin Ten mir eine Hand auf den Mund schlug. Sie schaute zur Seite.

»Sie haben ihr Lager ein paar Hundert Meter nördlich der Lichtung errichtet. Sie haben zwischen den Bäumen aufgebaut, damit man die Zelte von oben nicht sehen kann. Sie müssen wissen, dass wir Luftaufnahmen bei Such- und Rettungseinsätzen machen und um bei Waldbrandgefahr Brandherde auszukundschaften. Auf keinen Fall würde irgendjemand das Lager von der Luft aus entdecken.« Sie hauchte mir die Worte so leise ins Ohr, dass ich mich konzentrieren musste, um sie zu verstehen. Sie fragte, ob es mir gut gehe, und ließ meinen Mund erst los, als ich nickte.

Sie rollte sich auf den Bauch, sodass wir Seite an Seite nebeneinander ausgestreckt lagen, dann hielt sie das Funkgerät an ihre Lippen.

»Wir haben Sichtkontakt zum Lager. Es befindet sich schätzungsweise zweihundert Meter nördlich von der Lichtung unter den Bäumen. Ich sehe mindestens vier große Militärzelte, und sie haben einen ganzen Haufen Geländewagen und Quads rund um das Lager stehen. Ich sehe niemanden und kann nicht erkennen, in welchem Zelt sie eure Leute vielleicht gefangen halten, aber das hier ist kein kleiner Einsatz.«

Ich blinzelte in die Richtung, in die sie schaute, und konnte ein Aufkeuchen nicht unterdrücken, als ich nicht nur die Minizeltstadt sah, die vor neugierigen Augen verborgen lag, sondern auch ein vertraut aussehendes Pferd, das neben einem der Zelte festgemacht war. Jetzt bestand kein Zweifel mehr daran, dass diese Leute Emrys und Sutton in ihrer Gewalt hatten.

»Da ist das Pferd, das Em geritten hat, als wir uns aufgeteilt haben.« Ich versuchte, leise zu sprechen, aber ich zitterte so heftig, dass es abgehackt und lauter herauskam, als meine Absicht gewesen war.

Ten warf mir einen Blick zu, dann sprach sie wieder in das Funkgerät. »Wir haben die Bestätigung, dass das Pferd der Frau, die mit Sutton Warner geritten ist, im Gelände festgemacht ist. Sag Cy, er soll zuerst in diesem Zelt nachsehen, vor dem die Pferde stehen, wenn er das Lager erreicht.«

»Roger, Rangerin.« Webbs Stimme knisterte durch den Apparat, angespannt und gepresst. »Geben Sie uns fünfzehn Minuten Zeit und zünden Sie dann die Leuchtpistolen. Wir müssen so viele von ihnen wie möglich aus den Zelten holen, wenn wir eine Chance haben wollen, unsere Leute da rauszubekommen.«

Ihr Gesichtsausdruck war hart vor Konzentration. »Wir werden tun, was wir von hier oben tun können.«

Wieder erwachte das Funkgerät zum Leben, und der neckische Humor in Webbs Ton war unüberhörbar, trotz des statischen Rauschens. »Seht einfach zu, dass ihr auf die bösen Männer zielt und nicht auf mich, wenn ich da reingehe und die Truppe aufmische.«

Sie fluchte leise, legte das Funkgerät beiseite und kramte die Leuchtpistole aus ihrem Rucksack heraus. Dann reichte sie sie mir und fragte: »War er während der ganzen Reise schon so?«

Ich zuckte verlegen die Achseln und versuchte, eine bequeme Stelle auf dem Fels zu finden, von der ich die Leuchtpistolen abfeuern konnte.

»Eigentlich nicht. Weder er noch Grady haben viel gesprochen, weil sie uns belogen haben, warum sie den Trip mitgemacht haben. Webb denkt, dass die Männer, die für die Plantage zuständig sind, vielleicht etwas mit dem Verschwinden seines älteren Bruders zu tun haben. Er ist ein wenig neben der Spur, seit sie uns aufgelauert und ihn angeschossen haben. Er ist nicht der Typ Mann, den ich im Nacken haben wollte, wenn er Rache im Sinn hat.« Und es hatte wenig damit zu tun, dass der junge Mann Zeit im Gefängnis verbracht hatte. Er hatte etwas an sich, etwas, das ein wenig labil und verwegen wirkte und mir sagte, dass er kein Mann war, der auch nur einen einzigen Gedanken auf Konsequenzen oder Risiken verschwendete.

»Er glaubt, dass eine der Leichen, die wir aus dem Fluss gezogen haben, sein Bruder sein könnte?« Sie klang benommen und ein wenig traurig, als sie die Frage stellte.

»Ja. Wir haben bis unmittelbar vor dem Hinterhalt nichts von der Leiche gewusst. Er hat Grady überredet, an der Tour teilzunehmen, weil er dachte, sein Bruder sei verschwunden. Man kann ihm nicht wirklich einen Vorwurf daraus machen, dass er etwas unberechenbar ist. Ganz zu schweigen von all dem Blut, das er während der vergangenen vierundzwanzig Stunden verloren hat.«

Sie gab einen leisen Laut von sich, legte ihr Gewehr auf den Boden und nestelte an dem Zielfernrohr herum. Sie wirkte unglaublich tough und gelassen, während ich dagegen das Gefühl hatte, als würde ich mich gleich übergeben oder ohnmächtig werden, während die Minuten verrannen. Ich war noch nie in meinem Leben so gestresst oder verängstigt gewesen. Das hier ließ all die schlimmen Dinge, um die ich mir immer Sorgen gemacht hatte, nichtig und dumm erscheinen. Ich verstand jetzt, wie eine echte Katastrophe aussah und dass keine Chance bestand, Chaos zu vermeiden. Die einzige Möglichkeit, ein Leben zu leben, das kontrolliert und sicher war, war die, überhaupt kein Leben zu haben … genau das, was ich gehabt hatte, bevor Cyrus Warner und sein Wilder Westen es in winzige Fetzen gesprengt hatten.

Ten tippte mit ihrem Ellbogen gegen meinen, und ich hörte sie leise ausatmen. »Ich habe Cy und den älteren

Mann im Visier. Sie sind auf der hinteren Seite des Waldes ungefähr zehn Meter von dem Zelt entfernt, wo das Pferd steht. Ich hoffe, dass das Pferd Cy nicht wittert und Lärm macht. Das ist eine todsichere Methode, ihren Standort zu verraten.« Sie legte den Zeigefinger um den Abzug des langen Gewehrs und atmete abermals aus. »Ich werde bis drei zählen. Bei drei beleuchten Sie den Himmel.«

Ich nickte schweigend und setzte mich neben sie. Ich brauchte nicht zu zielen oder mich gegen den Rückstoß zu wappnen. Ich brauchte nur mehrmals abzudrücken und die leuchtende Ladung in die Luft zu schießen, die in einem Strauß aus Feuerkugeln explodieren würde.

Wir beide hörten auf zu atmen, als sie flüsterte: »Eins.«

Ich schloss die Augen und sprach jedes Gebet, an das ich mich erinnern konnte, so wie einige, die ich erfand, während sie »Zwei« murmelte.

Ich öffnete die Lider wieder und konzentrierte mich auf das Lager, in dem meine beste Freundin Albträume durchlitt, während jeder einzelne Muskel in meinem Körper sich anspannte und auf die letzte Zahl wartete. Meine Nerven fühlten sich an, als seien sie elektrisch geladen von der Anspannung, die mich durchströmte.

Tens Lippen zuckten kaum merklich, als die Zahl drei mich mit einem Luftzug erreichte.

Ich drückte ab und steckte den Himmel vor uns in Brand. Da heller Tag war, waren die Feuerbälle nicht so grell, wie sie es hätten sein können, aber der Lärm des Schusses und des Knackens der explodierenden Ladung hallte laut von den Berghängen wider. Er rollte durch das

Tal, und das Donnern, das durch die Bäume fegte, war so laut, als würde die Erde beben.

Es dauerte nicht lange, bis das Getöse die gewünschte Wirkung erzielte. Schon bald drängten Menschen aus den Zelten. Männer in allen Gestalten und Größen eilten auf die Lichtung hinaus, die Blicke nach oben gerichtet, während sie versuchten, die unsichtbare Bedrohung zu lokalisieren. Sie alle waren bewaffnet, und sie alle wirkten maßlos zornig darüber, aus ihren alltäglichen Aktivitäten herausgerissen zu werden.

»Scheiße. Das sind aber eine Menge Männer.« Die Worte entschlüpften mir ungefiltert, aber die Art, wie Ten die Schultern anspannte, sagte mir, dass sie meiner Einschätzung zustimmte.

»Cy ist hinter dem Zelt. Es sieht aus, als würde er versuchen, den Stoff zu zerschneiden.«

Ich sah zu, wie die Männer umherliefen, den Blick auf den Himmel gerichtet, während sie auf eine weitere Explosion warteten. Sie waren rastlos und ängstlich, daher war es keine Überraschung, als mehrere willkürliche Schüsse auf nichts Bestimmtes abgegeben wurden und nicht einmal in die Nähe unseres Verstecks kamen.

»Verdammt. Es ist nicht das richtige Zelt. Sie gehen zum Nachbarzelt weiter. Ich hoffe, dass niemand sie bemerkt.«

Ich konnte mir nicht vorstellen, dass irgendjemand einen so großen Mann wie Cy übersehen würde, aber ich drückte die Daumen, dass er sich wie Rauch und Asche durch das Lager bewegte.

»Oh nein. Sie teilen sich auf, um die Gegend abzusuchen.« Ten schnappte sich das Funkgerät und rief Webb an.

»Ich weiß nicht, was für einen Ablenkungsplan Sie verfolgen, Stadtjunge, aber es muss sofort passieren. Die Verbrecher sind in Bewegung.«

»Verstanden. Ich werde gleich eine Menge Lärm machen.«

»Beeilen Sie sich. Cy und Ihr Agent sind in das zweite Zelt gegangen und noch nicht wieder herausgekommen.«

Ihre Worte überschlugen sich, und ich hasste es, dass ich nur neben ihr liegen konnte, außerstande, den Männern auf dem Boden zu helfen.

Ten versteifte sich neben mir, hob den Kopf und drückte das Auge dann wieder ans Visier. »Zwei der Männer steuern auf das Zelt zu, in das Cy gegangen ist. Ich werde anfangen müssen zu schießen, wenn Webb nicht in den nächsten Sekunden …«

Sie konnte ihren Satz nicht beenden, weil die Welt unter uns explodierte. Die Geländemotorräder und -wagen, die neben den Zelten parkten, gingen in Flammen auf, und Metallstücke flogen durch die Luft. Die Detonation ließ den Lärm und das Zischen der Leuchtpistolen aussehen wie winzige Wunderkerzen neben einem Feuerwerk zum Nationalfeiertag. Webb hatte sein Versprechen gehalten und ein hinreichend großes Ablenkungsmanöver geschaffen, das die Männer im Lager unmöglich ignorieren konnten. Bedauerlicherweise hatte er ihnen wirklich nahe kommen müssen, um es zu tun. Das führte dazu, dass Ten fluchte und plötzlich Schuss um Schuss abfeuerte, während die bewaffneten Männer sich dem Teil des Waldes zuwandten, in dem Webb sich befand.

Die Hölle brach los, die Luft wurde schwer von Blei. Ich drückte mir eine Hand auf den Mund, während ich beobachtete, wie sich das alles wie ein Actionfilm vor mir entfaltete, ein Actionfilm, der meinen Puls hämmern ließ. Der Lärm des Gewehrs neben meinem Ohr dämpfte alle Geräusche von unten, aber er konnte die Schreie nicht stoppen, die aus meiner Seele kamen, und das sprunghafte Stolpern meines Herzens, als ich Cy durch die Bäume huschen sah, eine schlaffe, dunkelhaarige Gestalt über der Schulter. Er hatte Em gefunden, aber weder von Grady noch von Sutton war etwas zu sehen. Das konnte nichts Gutes bedeuteten.

»Verdammt! Runter mit dem Kopf!« Tens Hand schnellte vor und schlug meinen Kopf mit dem Gesicht voraus gegen den Fels, während winzige Bröckchen plötzlich abbrachen und in unsere Richtung flogen. »Zurück. Lassen Sie sich auf der anderen Seite des Felsens hinunterrutschen. Die Typen wissen, dass ich von hier aus schieße und erwidern das Feuer.«

»Was ist mit Sutton? Sehen Sie ihn oder Grady irgendwo?« Ich ließ mich auf dem Hintern hinunterrutschen, wie sie es mir befohlen hatte, geriet aber in Panik, sobald ich nicht mehr sehen konnte, was unter uns passierte.

»Ich bin zu beschäftigt damit zu verhindern, dass dieser verdammte Städter von Kugeln durchsiebt wird. Sie haben ihn im Auge und gehen in seine Richtung. Er lockt sie bewusst vom Lager weg, aber der Preis ist eine große Zielscheibe auf seinem Rücken.«

»Das klingt nicht gut.«

Sie schnaubte. »Das ist eine Untertreibung, Miss California.«

Ich drehte mich wieder um, damit ich den Kopf über die Felskante heben konnte, um zu sehen, was los war, aber diese Chance bekam ich nicht. Bevor ich mich aufrichten konnte, ließ mich das Räuspern eines Mannes erstarren. Nervös schaute ich hinunter und fand mich von Angesicht zu Angesicht mit einer schwarzen Pistole wieder, die auf meine Nase zielte, und einem Mann, der von Kopf bis Fuß in Schwarz gekleidet war – komplett mit schwarz eingefärbtem Gesicht. Sein Finger lag auf dem Abzug.

Das war definitiv kein Teil des Plans.

Kapitel 17

Keine Kapitulation, kein Rückzug

Ich öffnete den Mund, um zu schreien, aber ich unterdrückte das panische Heulen, das in meiner Kehle aufstieg. Ich war erschrocken und verängstigt, aber ich wusste, wenn ich einen Laut von mir gab, würde Ten mit ihrem Gewehr über den Felsvorsprung lugen, und dieser Mann würde vielleicht zuerst schießen und später Fragen stellen. Er lächelte mich an, was furchteinflößend war, wenn man die Kriegsbemalung bedachte, die seine Züge verbarg. Alles, was ich sehen konnte, war ein weißer Blitz inmitten der Schwärze, was ihm das Aussehen einer beunruhigenden, zum Leben erwachten Halloweenmaske verlieh.

Er hob die Waffe an die Lippen, gab einen Laut von sich, der wie »Scht« klang, und bedeutete mir, dass ich den Felsen hinunterklettern sollte, und zwar so leise wie möglich. Instinktiv schüttelte ich den Kopf, um sein Ansinnen abzulehnen, woraufhin er finster die Stirn runzelte und die Waffe erneut auf mich richtete. Er zeigte mit einem Finger auf sich selbst, und ich schnappte nach Luft, weil ich wusste, dass ich keine Wahl hatte. Ich konnte mich wieder hochziehen, aber ich wollte Ten nicht daran hindern, sich auf das Geschehen rund ums Lager zu konzentrieren, während Cyrus Em und vielleicht Sutton in Sicherheit brachte. Außerdem war die andere Seite des Felsens ein steiler Abgrund ins Nichts, wenn der Mann mir also nach oben folgte, konnten Ten und ich nirgendwohin fliehen.

Bei der Erinnerung an Emrys' schauerliche Schreie, die mir in den Ohren widerhallten, kletterte ich langsam zentimeterweise die Felswand hinunter und versuchte, dabei so wenig Lärm wie möglich zu machen. Der Mann unten zielte mit dem Lauf seiner Waffe weiter direkt auf mich, was meinen Abstieg noch nervenaufreibender machte, als er es ohnehin gewesen wäre. Er beobachtete mich ohne einen Wimpernschlag, und dieses seltsame Grinsen auf seinem Gesicht verblasste keinen Moment lang.

Als ich ungefähr auf halbem Wege nach unten war, meine Handflächen brennend und aufgeschürft, traf ich eine Entscheidung.

Ich beschloss, dass ich etwas tun musste … irgendetwas. Ich konnte mich dieser unbekannten Bedrohung nicht überlassen nach allem, was alle anderen getan hatten, um Em und Sutton in Sicherheit zu bringen. Ich würde nicht der Grund sein, warum diese Mission um zwanzig Schritte zurückfiel, und es kümmerte mich nicht, was das für mich bedeutete, solange alle anderen es sicher nach Hause schafften. Ich war nicht ansatzweise eine Heldin, aber heute und für die Menschen, die mir am Herzen lagen, konnte ich so tun, als sei ich eine.

Wenn ich losließ und mich in einer Drehung fallen ließ, würde ich genau auf dem Mann unten landen. Dieses Vorhaben bedeutete zu vergessen, was für eine Höhenangst ich hatte. Es bedeutete, die Frau, die vor allem davonlief, das ihr Angst machte, ein und für alle Mal zu verbannen.

Es gab keine Garantie dafür, dass der Mann mit der Pistole nicht abdrückte, sobald ich den Felsen losließ. Er konnte mir eine Kugel in die Brust schießen, bevor ich mit ihm in Berührung kam, aber dann würde Ten zumindest eine gewisse Warnung bekommen, was hier unten geschah. Ich wollte den Mann überrumpeln. Ich wollte ihn in einem unbedachten Moment erwischen und ihn vielleicht niederreißen, sodass er die Waffe fallen lassen würde. Ich wollte etwas in unsere Waagschale werfen, und ehrlich, ich wollte ihm, so fest ich konnte, ein Knie in die Eier rammen, weil er mir solche Angst gemacht hatte und weil er eine Waffe direkt auf mich richtete. Ich war darüber hinweg, auf Zehenspitzen um das herumzuschleichen, was ich bedrohlich und einschüchternd fand.

Ich nahm mir eine Sekunde Zeit, um einzuatmen. Ich sog die Bergluft ein, horchte auf das Geräusch von Kugeln, die von Felsen und Bäumen abprallten, und sagte mir, dass alles an dieser Reise sich darum gedreht hatte, Augenblicke zu erschaffen, die zählten. Und dieser Augenblick zählte. Er würde entweder helfen, die Mission zu retten, oder in einer Tragödie von epischen Ausmaßen enden. Es war nicht mehr möglich, auf Nummer sicher zu gehen und alles eine Armlänge von sich fernzuhalten. Es war an der Zeit, mit den Füßen voraus ins Feuer zu springen und all die alte Angst und das Zögern verbrennen zu lassen. Es war an der Zeit, der Phönix zu sein, der sich aus der Asche erhob. Es war an der Zeit zu fliegen, denn ich hatte es satt im Dreck zu versinken.

Also schluckte ich den Schrei herunter, der mir in der Kehle steckte, und stieß mich mit Händen und Füßen von dem Felsen ab. Ich flog durch die Luft, und der Boden und der verblüffte Mann mit der schwarzen Gesichtsbemalung rauschten mir entgegen. Ich hörte ihn rufen: »Was zum Teuf-«, aber es war zu spät. Ich flog, fiel, schoss direkt auf ihn zu, und er hatte nicht genug Zeit, um mir aus dem Weg zu gehen oder abzudrücken.

Er hatte die Worte so laut geblafft, dass ich wusste, dass Ten sie auf jeden Fall hören würde. Aber zu meiner großen Überraschung ließ er, als ich auf ihn zuschoss, die Waffe an seiner Seite zu Boden fallen und hob die Hände. Er benahm sich, als wollte er mich auffangen und meinen wilden, freien Fall stoppen.

Als ich auf ihn traf, war es so, als sei ich gegen eine Ziegelsteinwand geprallt, die mit Beton verstärkt war. Der Aufprall war so heftig, dass er mir die Kappe vom Kopf riss. Mein Gegner war ein kräftiger Mann, nicht so kräftig oder so groß wie Cy, aber breiter und stämmiger. Er fing die Wucht meines Falls ab, ohne den Halt zu verlieren. Dann schlang er die Arme um mich, während ich wild um mich schlug, sobald ich mich orientiert hatte. Meine abgebrochenen Nägel gruben sich in jede empfindliche Stelle, die ich erreichen konnte, und ich versuchte, nach ihm zu treten, aber die Mühe war verschwendet, da die Spitzen meiner Stiefel auf hartes Leder trafen. Der Mann trug eine militärische Kluft, bei der es sich genauso gut um eine Ritterrüstung hätte handeln können.

Er zog mich mit festem Griff an sich, und etwas von meinem Adrenalin verebbte, als mir klar wurde, dass es nutzlos war, gegen ihn zu kämpfen. Einer seiner kräftigen Arme presste sich um meine, und er benutzte seine freie

Hand, um mein dickes Haar mit der Faust zu packen, sodass ich ihm weder einen Kopfstoß versetzen noch ihn beißen konnte. Er brauchte sich nicht besonders ins Zeug zu legen, um mich in eine unterwürfige Position zu zwingen.

»Hör zu, Feuerball, das hier könnte Spaß machen, wenn wir beide nackt wären, aber wir sind es nicht, und diese Irin in dir muss mal Pause machen. Beruhig dich und atme kurz durch, dann werde ich dich loslassen.«

Ich funkelte zu ihm empor und versuchte, ein Bein in die Position zu bringen, um ihm ein Knie zwischen die Beine zu rammen. Er blockte die Bewegung ab und knurrte mich an, ich solle diesen Scheiß lassen. »Ich will Ihnen nicht wehtun, aber ich werde es tun müssen. Ich weiß nicht, wer Sie sind oder was für ein Höllenfeuer Sie auf diesen Berg mitgebracht haben, aber es wird gleich eine von der Regierung angeordnete Razzia auf diesem Gelände geben, und zwar in weniger als drei Minuten, und Ihr süßer Hintern ist der Angelegenheit in die Quere gekommen. Sie müssen verschwinden, bevor die Guten Sie für eine von den Bösen halten.«

Ich erschlaffte in seinen Armen und hing da wie eine Stoffpuppe. Er hielt mich fest, damit ich nicht zu Boden fiel.

Er grunzte etwas und schüttelte mich ein wenig, dann fragte er: »Hey, alles klar bei Ihnen?«

Ich schüttelte langsam den Kopf und schob seine Hände weg.

»Was soll das heißen, es wird eine Razzia durchgeführt?« Ich wusste, was die Worte bedeuteten, aber sie klangen wie eine Fremdsprache.

»Ich würde mein Abzeichen hervorholen und es Ihnen zeigen, aber diese Arschlöcher im Lager haben mich vor einer Woche oder so dabei erwischt, wie ich herumgeschnüffelt habe. Sie haben mich überwältigt, mir eine Kugel in die Brust geschossen und mich in den Fluss geworfen. Die Idioten haben mich nicht auf eine schusssichere Weste untersucht. Ich war ziemlich übel zugerichtet und wirklich verdammt verloren. Es hat mich eine Woche gekostet, den Weg zu einem Telefon zu finden, und einige weitere Tage, um meinen Boss davon zu überzeugen, eine Truppe herzuschicken. Für gewöhnlich sind diese versteckten Plantagen keine große Sache, aber diese hier …«, er schüttelte den Kopf und rieb sich sein mit Tarnfarbe bedecktes Kinn, »hat Verbindungen zu den großen Jungs in Mexiko, und die haben keine Angst davor, eine bereits außer Kontrolle geratene Zahl von Toten noch zu vergrößern. Sie müssen hier weg, bevor die Blendgranaten hochgehen und auf dem Berg Chaos ausbricht.«

Als ich wieder auf den Füßen stand, stolperte ich weg von ihm, beugte mich vor und legte die Hände auf die Knie. »Sie sind nicht zufällig Wyatt Bryant, oder?« Es schien weit hergeholt zu sein, aber seine Art zu reden und die Tatsache, dass seine Sorge mir galt und nicht dem Umstand, dass ich versucht hatte, ihn mit einem Fall vom Felsen außer Gefecht zu setzen, brachten mich auf die Idee.

Ich sah, wie er bei meiner Frage die Augen aufriss und die Zähne zusammenbiss. »Warum fragen Sie mich das?«

Ich ließ den Kopf nach vorn fallen und war bemüht, mich wieder unter Kontrolle zu bekommen. »Weil ich die letzte Woche mit Ihrem Bruder und Ihrem Partner verbracht habe, die diesen Wald nach einer Spur von Ihnen durchsucht haben. Sie wissen, dass im Fluss Leichen aufgetaucht sind, und Webb ist davon überzeugt, dass eine davon Sie sind. Grady musste seinen Job kündigen, um nach Ihnen Ausschau zu halten. Sie waren ganz krank vor Sorge, weil Sie sich nicht gemeldet haben. Das Chaos hat sich auf diesem Berg bereits ausgebreitet, und Sie, Sir, stehen im gottverdammten Zentrum davon.«

Webbs Bruder sah mich für einen Moment lang an, dann warf er die Hände hoch und begann vor mir auf und ab zu gehen. »Der verdammte Webb. Der verflixte Junge wird es nie lernen. Impulsiv und unaufhaltbar, wenn er sich etwas in den Kopf setzt. Ich kann nicht glauben, dass Grady bei seinem Schwachsinn mitgemacht hat.«

»Sein *Schwachsinn* hat gerade meiner besten Freundin das Leben gerettet. Diese Männer im Lager haben sie und einen einheimischen Rancher als Geiseln genommen.« Ich zog die Brauen hoch. »Ihr Partner und der Bruder des Ranchers sind in das Lager gegangen, um sie rauszuholen. Ich wette, Sie wissen, was mit ihnen geschehen wäre, wenn sie bei Ihrer Razzia dort gewesen wären. Ihr Bruder ist verwegen, aber manchmal muss irgendjemand das sein.«

Er fluchte abermals und ging weiter auf und ab. »Ich bin derjenige, der die Leichen ins Wasser geworfen hat. Der Plantagenboss hat einige Handlanger geschickt, um mich in den Fluss zu schmeißen. Ich habe mich totgestellt, bis wir das Ufer erreichten, und dann habe ich versucht, sie auf meine Seite zu ziehen. Habe Ihnen Immunität und Greencards versprochen, wenn sie mich zu den Leuten führen würden, die die Operation leiten. Sie ist zu gut finanziert, um irgendwelchen kleinen Dealern zu gehören. Sie hatten entweder zu große Angst oder waren zu loyal, um zu reden. Sie wollten nicht, und bedauerlicherweise haben sie versucht, ihre Arbeit zu beenden, die sie im Lager begonnen hatten. Es hieß, ich oder sie, und ich entscheide mich immer für mich selbst.«

Ich schnaubte. »Also entscheiden sich Ihr Bruder und anscheinend auch Ihr Partner … ebenfalls für Sie.«

Er öffnete den Mund zu einer Antwort, aber dann fluchte er nur und sprang einen Schritt zurück, als Erde direkt zu seinen Füßen aufspritzte. Die Sprengung schleuderte Dreck in meine Richtung, daher trat ich einen Schritt zurück zu dem Felsen. Webbs Bruder stürzte sich auf die Pistole, die er fallen gelassen hatte, um mir zuvorzukommen, und fluchte ausgiebig und laut, als eine Kugel sich Zentimeter von seinen Fingerspitzen entfernt in den Boden bohrte.

Ich schaute zu dem Felsen hoch und sah Ten oben stehen, ihre Waffe auf den Mann gerichtet, der jetzt zu meinen Füßen lag. Sie sah aus wie eine Kriegerkönigin alter Zeiten, bereit, ihr Territorium zu verteidigen und den Eindringling zu bestrafen.

Ich rief zu ihr hinauf: »Er gehört zur Drogenbehörde, daher sollten Sie wahrscheinlich aufhören, auf ihn zu schießen.« Sie verzog das Gesicht, und ich zuckte die Achseln. »Er ist Webbs Bruder. Anscheinend hat er einfach einen wirklich miesen Orientierungssinn und hat sich hier draußen verlaufen, aber jetzt sind die Truppen unterwegs hierher.« An den Schwarzgekleideten gewandt fuhr ich fort: »Ich hoffe, sie kommen rechtzeitig, um Ihren Bruder zu retten, Special Agent Bryant. Denn er hat so ziemlich alles aufgegeben, um Sie zu retten, obwohl er nicht einmal wusste, ob Sie noch atmen.«

»Webb ist in Sicherheit. Ihm waren ein paar Männer auf den Fersen, als er in die Bäume zurückgeflitzt ist, aber die meisten der Verbrecher haben sich umgedreht, um das Feuer zu erwidern, als ich angefangen habe zu schießen. Diese Stelle hier ist aufgeflogen, daher sollten wir machen, dass wir wegkommen.«

Wyatts bemalte Augenbrauen zogen sich angesichts von Tens herrischem Tonfall in die Höhe, und sein verzerrtes Lächeln blitzte durch die Gesichtsfarbe, die seine Züge bedeckte. Ten schaute mit einer scharfen Falte zwischen den Brauen zwischen uns hin und her. »Von dem älteren Mann und Sutton war immer noch keine Spur zu entdecken. Das sind schlechte Neuigkeiten, denn Cy wird seinen Bruder nie und nimmer mitten in diesem Inferno im Stich lassen. Wir müssen Ihre Freundin finden und sicherstellen, dass unser Held nicht am falschen Platz ist, wenn die Aktion startet.«

Webbs Bruder stieß einen leisen Pfiff aus und machte sich daran, seine Waffe aufzuheben. »Tja, eine tollkühne Blondine mit meilenlangen Beinen? Die kann ich an meiner Seite brauchen.« Er zwinkerte Ten zu, worauf sie finster dreinblickte.

Ich verdrehte die Augen. »Das liegt anscheinend in der Familie.« Ich stieß einen Atemzug aus. »Wollen Sie Ihre Agentenkollegen nicht wissen lassen, dass Ihr Partner sich im Lager befindet und dass er bewaffnet ist?«

Ten warf mir einen Blick zu, der mir mit strahlenden Augen zustimmte, aber der Glanz wurde diamanthart, als

Wyatt den Kopf schüttelte. »Das ist eine schnelle Razzia, und es ist unmöglich, sie auf die Tatsache hinzuweisen, dass Grady sich dort befindet. Sie werden vorrücken und ihn mit dem Rest der Drogenzüchter einkassieren. Das Team agiert schnell und leise, keine Funkgeräte, also keine Möglichkeit, eine Planänderung zu signalisieren. Wir müssen uns beeilen, wenn wir sie abfangen wollen, bevor sie Ihre Freunde irrtümlich für Feinde halten und wir es mit tödlichem Feuer zu tun bekommen.« Sein Grinsen wurde ein wenig kläglich, und er schaute zum Himmel empor, als würde das gewaltige Blau Antworten auf Fragen enthalten, die er sich schon ein Leben lang gestellt hatte. »Ich werde nie verstehen, wie mein idiotischer Bruder es schafft, jede schlimme Situation, in die er hineinstolpert, noch übler zu machen. Es sieht so aus, als wäre das seine Superkraft.«

Ten stieß ein Schnauben aus und bewegte ruckartig den Kopf zur Seite, zum Zeichen, dass wir ihr um die Felsformation und zurück zu den Bäumen folgen sollten. Sie sagte, wir könnten einen Bogen schlagen, um auf die gegenüberliegende Seite des Lagers zu gelangen. Dorthin, wo Cy mit Emrys verschwunden war, aber ihr Tonfall war angespannt, und ihre Worte klangen gepresst und scharf. Sie drehte dem furchteinflößenden Special Agent den Rücken zu, aber nicht, bevor sie ihm gesagt hatte: »Dieser Idiot hat gerade einen Kugelhagel und ein ganzes Banditennest auf sich gelenkt, weil er entschlossen war, Sie zu finden – tot oder lebendig. Ich denke, brüderliche Liebe ist wahrscheinlich seine Superkraft und sein Treibstoff.«

Solchermaßen gründlich getadelt, klappte Wyatt den Mund zu, straffte seine breiten Schultern und starrte ihr nach. Sie gingen schnell vor mir her, aber er machte sich trotz der ernsthaften Bedrohung, die um uns herum lauerte, nicht die Mühe zu verbergen, dass sein Blick auf Tens lange Beine gerichtet war und weniger auf seine Umgebung. Ich hätte es witzig gefunden, wenn ich nicht damit beschäftigt gewesen wäre, nach Emrys Ausschau zu halten. Und damit zu beten, dass Cy sie nicht irgendwo zurückgelassen hatte, wo er sie in Sicherheit wähnte, damit er zu dem Lager zurücklaufen konnte, das in Kürze Ziel einer Razzia werden würde.

Ten hatte recht. Nie und nimmer würde Cy Sutton in dem Lager zurücklassen, ganz gleich, in welchem Zustand er sich befand. Ich wollte nicht über die Gründe nachdenken, warum die Männer Emrys so schnell aus dem Zelt gezogen hatten, während der mittlere Warner-Bruder seinem Schicksal überlassen worden war. Es ließ Schlimmes ahnen, und ich verkrampfte mich innerlich vor Angst und Sorge um Cy.

Wir erreichten die Baumlinie, und wieder einmal wich ich Dornen und Zweigen aus, die an meinen Kleidern zerrten und sich in meinem Haar verfingen. Es dauerte nicht lange, bis ich hinter den beiden vor mir zurückgefallen war, die praktisch über das unebene Terrain joggten. Sie waren für so etwas ausgebildet, und ich war es nicht. Doch durch ihre Geschwindigkeit übersahen die beiden ein kaum wahrnehmbares X, das in die Borke einer der Millionen Kiefern geschnitzt worden war, an denen wir vorbeirannten. Ich blieb stolpernd stehen und legte eine Hand auf die raue Borke direkt unter dem Mal, um zu Atem zu kommen. Verzweifelt hielt ich Ausschau nach einem anderen Hinweis darauf, dass Cy oder Emrys in diesem Teil des Waldes gewesen waren, aber ich konnte nichts Offensichtliches sehen.

Ten und Wyatt verschwanden schnell außer Sichtweite, während sie durch die Bäume eilten, ohne mitzubekommen, dass ich stehen geblieben war. Ich schnappte immer wieder nach Luft und bereitete mich darauf vor loszurennen, um sie einzuholen, als ich ein leises Geräusch irgendwo über meinem Kopf hörte. Ich sagte mir, dass ich mir keine allzu großen Hoffnungen machen dürfe und dass es wahrscheinlich nur ein Eichhörnchen war, aber als ich aufschaute, sah ich zu meiner Verblüffung eine quadratische metallene Plattform, die hoch oben auf dem Baum eingeklemmt war. Sie war locker über zehn Meter hoch in der Luft, und das Stöhnen einer Frau war unverkennbar.

Ich trat einige Schritte zurück und legte den Kopf in den Nacken, sodass ich halb flüsternd fragen konnte: »Em, bist du das?« Ich wusste, dass ich in Schwierigkeiten geraten würde, wenn jemand anderer den Kopf über den Rand der Plattform streckte, aber tief im Bauch hatte ich das Gefühl, dass dies der sicherste Ort war, den Cy hatte finden können, um meine beste Freundin zu verstecken. Als ihr dunkler Schopf über den Rand lugte, musste ich mich zusammenreißen, damit meine Miene Erleichterung zeigte und nicht Grauen.

Ihr Gesicht war mit Blut verschmiert, und ein improvisierter Verband, der die Hälfte davon bedeckte, war voller leuchtender dunkelroter Flecken. Ihr schwarzes Haar war eine wirre Masse um ihren Kopf herum, und ich konnte selbst aus dieser Entfernung erkennen, dass ihr normalerweise goldener Teint schockierend bleich und fahl war. Sie sah nicht sehr gut aus, ehrlich gesagt hätte sie nicht viel schlimmer aussehen können. So dankbar ich dafür war, dass Cy sie lebend aus dem Lager herausbekommen hatte, war ich doch zornig, dass er sie in ihrem gegenwärtigen Zustand allein und unerreichbar zurückgelassen hatte.

»Em, ich werde herausfinden, wie ich zu dir nach oben komme, damit ich dir helfen kann, okay?« Ich umkreiste den Baum und konnte einfach nicht herausfinden, wie es Cy gelungen war, mit Em in den Armen den ganzen Weg dort hinaufzuklettern. In den Baum waren keine Stufen genagelt, es gab weder ein Seil noch Äste, an denen ich hinaufklettern konnte, und Em konnte nichts ausrichten. Sie stöhnte abermals, und ich beobachtete, wie sie auf der winzigen Plattform zusammensackte.

»Emrys!« Diesmal machte ich mir nicht die Mühe zu flüstern, als ich ihren Namen rief. Ehrlich, es kümmerte mich nicht, ob eine Armee von Drogenhändlern mit gezückten Waffen zwischen den Bäumen hervorgestürzt kam. Ich war verzweifelt wegen meiner Freundin und fest entschlossen, zu ihr zu gelangen. »Em, du musst mir sagen, wie du dort oben gelandet bist. Wie hat Cy dich auf den Baum gebracht?«

Ich bekam keine Antwort und geriet in Panik, weil ich dachte, sie könnte ohnmächtig geworden sein. Ich konnte das Ausmaß ihrer Verletzungen nicht erkennen, aber sie hatte leise gewimmert, und auf ihrem Gesicht war genug Blut gewesen, um alarmiert zu sein. Ich überlegte, ob ich den Baum mit Armen und Beinen umarmen und mich hochziehen konnte wie ein Affe, als etwas über mir raschelte, das wie Ketten klang.

»Geh zur Seite, Leo.« Ihre Stimme war rau, und ihre Worte klangen gebrochen. Ich sprang zurück, als eine Strickleiter mit schmalen Sprossen herabsegelte. Das Ding war kaum klappernd vor mir auf dem Boden gelandet, als ich auch schon anfing, mich nach oben emporzuarbeiten. Em verschwand mit einem leisen Stöhnen wieder außer Sicht, und meine Sorge um sie ließ meine Handflächen schwitzen und meine Knie zittern. Ich musste einige Male tief durchatmen, um mich zu beruhigen, damit ich nicht abrutschte.

»Ich komme, Em. Halt einfach noch ein kleines Weilchen länger durch.« Es kam keine Antwort, und die tödliche Stille ließ mich prompt danebengreifen. Ich hatte Visionen, wie ich rückwärts durch die Luft flog und mein Schädel unten auf dem Boden zerschmetterte. Aber nicht einmal das konnte mich bremsen, ich fing mich und stieg hastig weiter zum Rand der Plattform, die offenbar ein Hochsitz für die Jagd war. Ich schluckte heftig und robbte auf die Plattform, wo Em mit dem Gesicht nach unten und in Fötusposition zusammengerollt lag. Aus dieser Perspektive konnte ich gerade eben noch Tens blonden Kopf erkennen, der wippend immer tiefer im Wald verschwand. Wyatt mit seiner furchteinflößenden Kriegsbemalung und seiner Tarnkluft war viel schwerer zu erkennen, als er wie ein großer Schatten hinter ihr herging. Sie waren nicht stehen geblieben oder hatten sich die Mühe gemacht, auf mich zu warten. Beide bewegten sich nur mit ihrer Mission vor Augen.

So behutsam ich konnte, schob ich Emrys das Haar aus dem Gesicht und schnappte so heftig nach Luft, dass meine Lunge schmerzte. Sie blutete überall, nicht nur unter dem Verband, der hastig um die Seite ihres Gesichtes gewickelt worden war. Dunkelrote Rinnsale flossen aus beiden Nasenlöchern und aus einem Ohr. Sie hatte hässliche, dunkle Prellungen rund um das Auge herum und sowohl ihre Ober- als auch ihre Unterlippe waren aufgeplatzt, und langsam sickerte Blut heraus.

»Oh, Schätzchen. Was haben sie dir angetan?« Ich nahm ihren Kopf auf den Schoß und versuchte vergebens, mit dem Saum meines T-Shirts ihr Gesicht zu säubern.

Ich wusste, dass die Betreiber der Plantage keine guten Menschen waren, aber als ich Ems Gesicht sah und wie sie schlaff und leblos auf der Plattform lag, überkam mich echtes Entsetzen. Der Gedanke daran, was sie Cy und den anderen antun würden, schnürte mir die Kehle zu. Das Atmen fiel mir schwer und klares Denken erst recht, aber ich tat mein Bestes, mich zusammenzureißen. Emrys brauchte mich, und ich würde jetzt nicht versagen.

Ihr geschwollenes Auge öffnete sich flackernd, und ihre geschwollenen, zerrissenen Lippen zuckten. Die winzigen Bewegungen taten ihr offensichtlich sehr weh, denn ein Krampf schüttelte sie am ganzen Körper, als sie sich bemühte, sich auf mein Gesicht zu konzentrieren. Kristallklare Flüssigkeit tropfte von ihren Wimpern und vermischte sich mit dem getrockneten Blut auf ihrer Wange, das ich nicht wegwischen konnte.

»Sie haben mir wehgetan, Leo, und sie haben auf Sutton geschossen.« Sie zitterte jetzt unkontrollierbar, und ich geriet beinahe in Panik bei dem Gedanken, dass sie in einen Schockzustand geraten könnte. Schwach schob sie meine umklammernden Hände weg, denn ich hielt sie so fest, dass es ihrer bereits beschädigten Haut wehtat. Sie weinte jetzt noch heftiger, und ich konnte nicht verhindern, dass meine eigenen Tränen sich zu ihren gesellten. »Die beiden Männer, die uns bewachen sollten ...« Ihre Stimme verlor sich, und sie schluchzte in meinen Schoß. »Sie ... sie haben mich festgehalten und ... Dinge mit mir gemacht.«

Meine Hände ballten sich auf ihren Armen zu Fäusten, und ich zitterte genauso heftig wie sie.

»Sie wollten mich vergewaltigen, Leo. Sie haben mich ausgezogen und überall begrapscht. Sutton hat sie aufgehalten. Er ist durchgedreht. Seine Hände waren gefesselt, aber er hat sie trotzdem aufgehalten.« Sie bekam einen leisen Schluckauf, und ihr Auge schloss sich langsam, als sie sich in mir vergrub. »Der Mann, der das Kommando hatte, kam herein, um festzustellen, was es mit dem Aufruhr auf sich hatte. Er war sauer, als er mein Gesicht sah, und noch wütender, als er gesehen hat, das Sutton seine Männer verletzt hatte.« Em rollte sich wieder zu einem Ball zusammen und zuckte vor mir zurück, als ich ihr eine Hand auf die Schulter legen wollte.

»Er hat auf Sutton geschossen, Leo. Mitten in die Brust. Da war so viel Blut.« Die Stimme versagte ihr, und sie gab einen Laut von sich, der wie ein gebrochenes Herz klang. »Er ist zu Boden gefallen und wollte die Augen nicht wieder öffnen. Er hat eine kleine Tochter.« Sie zitterte so heftig, dass ihre Zähne klapperten. »Sie haben ihn blutend auf dem Boden liegen lassen. Ich habe Cy gesagt, er solle ihn zuerst herausholen, aber er hat nicht auf mich gehört.«

Ich schüttelte den Kopf und strich ihr sanft übers Haar.

»Echte Cowboys retten die Frauen immer zuerst, Em. Auf keinen Fall hätte dich Cy dort zurückgelassen, so, wie du aussiehst. Er ist wieder in das Lager gegangen, um seinen Bruder zu holen, nicht wahr?«

Sie nickte ruckartig. »Er hat mir geholfen, mein Gesicht zu verbinden.« Sie zeigte mit einem zitternden Finger auf den blutdurchtränkten Verband. »Einer der Männer hat mich angebrüllt, ich würde nicht mehr denken, dass ich zu schade für ihn sei, wenn er erst mit mir fertig sei. Ich habe gegen ihn gekämpft, als er versuchte, mir meinen Slip auszuziehen. Er hat mir mit einem schmutzigen Taschenmesser die Wange aufgeschnitten. Es tut weh, und die Wunde will einfach nicht aufhören zu bluten.«

Ich schauderte und zog sie enger an mich, obwohl sie sich sträubte. »Em, es tut mir so leid, aber du musst stark bleiben und weiterkämpfen. Wir werden dir Hilfe beschaffen, sobald ich herausgefunden habe, wie wir beide von hier runterkommen, ohne uns das Genick zu brechen.« Ich besaß nicht Cys animalische Stärke, um sie hochzuheben und diese prekäre Hängeleiter hinunterzutragen.

»Für das, was in den letzten Tagen passiert ist, gibt es keine Hilfe.«

Sie klang so mutlos und besiegt, dass es mir in der Seele wehtat. Sie war bereit aufzugeben, und sie musste kämpfen.

»Es ist unmöglich, das hier irgendwie besser werden zu lassen«, hauchte sie.

»Das ist nicht wahr, und das weißt du auch. Du hast mir nie erlaubt, klein beizugeben und mich in meinem Unglück zu suhlen, obwohl ich davon überzeugt war, genau das zu wollen. Und ich werde sicher nicht zulassen, dass du aufgibst.« Ich beugte mich über den Vorsprung des Hochsitzes und zuckte zurück, als ich sah, wie weit entfernt der Boden war. Ich brauchte eine brillante Idee, und ich brauchte sie eher gestern als heute.

Plötzlich hörte ich einen lauten Pfiff, der kreischend die Stille des Waldes um uns herum durchschnitt.

Vorsichtig schob ich den Kopf über den Rand der Plattform und riss die Augen auf, als ich Webb unten stehen sah. Er hielt sich mit einer Hand seine verletzte Schulter, aber davon abgesehen, schien ihm nicht mehr passiert zu sein. »Ich bin um das Lager herumgegangen und auf Cy gestoßen, als er auf dem Weg zurück ins Lager war. Er hat mir gesagt, wo er Emrys versteckt hat. Ich bin hier, um ihr zu helfen.«

Eine Sekunde lang blinzelte ich ihn verwirrt an. Ich war erleichtert, ihn lebendig und an einem Stück zu sehen. Für einen Sekundenbruchteil vergaß ich, dass andere Menschen, die mir ans Herz gewachsen waren, sich immer noch in unmittelbarer Gefahr befanden, und dass die Drogenbehörde nur Sekunden davon entfernt war, das Feuer auf jeden zu eröffnen, der hier herumlief.

»Ich habe Ihren Bruder gesehen, Webb. Er lebt und ist zusammen mit Ten auf dem Weg ins Lager.« Ich wollte ihn anlächeln, aber mein Mund weigerte sich. Er war zu einer angespannten Linie geformt, während ich zwischen Webb und Emrys hin- und hersah. »Er hat gesagt, dass eine Truppe der Drogenbehörde auf dem Weg sei, eine Razzia in dem Lager zu machen. Er hatte keine Möglichkeit, Ihnen mitzuteilen, dass Cy und Grady dort sind und versuchen, Sutton herauszuholen.« Ich schluckte hörbar und wandte den Blick von Ems zerbrechlicher Gestalt ab. »Cys Bruder ist schwer verletzt. Auf keinen Fall wird er ihn dort zurücklassen.«

Webb betrachtete die baumelnde Leiter, dann sah er wieder mich an und runzelte finster die Stirn. Er ließ seine Schulter los und schüttelte den Arm aus. »Einige von Wyatts Truppen sind mir im Wald über den Weg gelaufen, als ich die Schützen von dem Lager weggelockt habe. Sie haben mich mit ihren Waffen bedroht, aber ziemlich schnell begriffen, dass ich vor den Verbrechern davonlief und nicht selbst einer von ihnen bin. Sie haben mich festgehalten, als Ten das Feuer erwidert hat, aber sobald keine Kugeln mehr durch die Luft geflogen sind, haben sie mich gehen lassen. Ich denke, sie wollten mich einfach aus dem Weg haben. Sie haben mir gesagt, Wyatt hätte ihnen die Informationen über das Lager gegeben und dass er derjenige gewesen sei, der die Leichen in den Fluss geworfen habe. Ich habe ihnen mitgeteilt, dass sich im Lager Zivilisten aufhalten. Glücklicherweise hat einer der Männer, die mich ergriffen hatten, in der Vergangenheit mit Grady zusammengearbeitet, daher wusste er genau, von wem ich sprach. Wir müssen einen Weg finden, Ihre Freundin herunterzuholen und ins Lager zurückzubringen. Die Agententruppe hat einen Helikopter angefordert, der sie ausfliegen kann.« Er zeigte auf seinen Arm. »Ich denke, sie haben ihn für mich gerufen, aber es hört sich so an, als würden ihre Freundin und Warner die Evakuierung noch dringender brauchen als ich.«

Ich stieß einen frustrierten Atemzug aus und setzte mich

so, dass meine Beine über den Rand des Hochsitzes baumelten. »Ich weiß nicht, wie Cy sie hier heraufgeschleppt hat, aber ich sehe keinen Weg, sie nach unten zu bekommen. Sie ist ziemlich angeschlagen, und die Hälfte ihres Gesichts wird von nicht mehr zusammengehalten als einem improvisierten Verband. Ich habe Angst, sie zu bewegen.«

Er fluchte, stemmte die Hände in die Hüften und sah aus wie ein Räuber. Ich konnte ihn mir mühelos vorstellen, wie er die Reichen ausraubte und ihren Besitz den Armen gab, während er mit einer fröhlichen Bande von Außenseitern umherstreifte.

»Ich denke nicht, dass mein kaputter Flügel es schafft, sowohl mein Gewicht als auch ihres die Leiter hinunterzubekommen, selbst wenn sie lange genug hält, dass ich dort überhaupt hinaufsteigen kann.«

Genau das hatte ich befürchtet. Wir würden nicht nach unten kommen, es sei denn, Em riss sich zusammen und half mir, sich selbst zu helfen.

Ich kroch zu ihr zurück und legte die Rückseiten meiner Finger auf ihre unverdeckte Wange. Sie zuckte bei der Berührung zusammen, als würden meine Finger Flammen sprühen und sie verbrennen.

»Em, du musst aufstehen. Ich werde dich die Leiter hinunterbugsieren und dir Hilfe beschaffen, aber du musst dich bewegen. Du kannst nicht hierbleiben.«

Sie hob eine Hand und ließ sie wieder fallen. »Geh einfach ohne mich.« Sie klang jämmerlich und verloren.

»Wir wissen beide, dass ich das auf gar keinen Fall tue. Wenn du bleibst, bleibe ich auch. Aber wenn sie mit diesem Hubschrauber auf dich warten, könntest du es verzögern, dass Sutton medizinische Hilfe bekommt.« Das war gemein von mir, aber ich war langsam verzweifelt und brauchte irgendetwas, das ihre Mutlosigkeit durchdringen würde.

»Es gibt keine Hilfe. Er ist tot, Leo. Sie haben ihm ein Loch mitten in die Brust geschossen und ihn ewig bluten lassen. Sutton lebt nicht mehr.« Sie öffnete ihr Auge und sah mich direkt an. »Er ist gestorben, als er versucht hat, mich zu retten.«

»Hey, Süße!« Webbs tiefe Stimme drang bis zu uns nach oben vor, und ich sah Ems Augenbraue zucken. »Wenn einem jemand etwas bedeutet, gibt man ihn nicht auf, was auch geschieht. Dieser Tote im Leichenschauhaus des Sheriffs hätte sehr gut mein Bruder sein können … aber er ist es nicht. Der Cowboy hat für Sie gekämpft, und Sie müssen das Gleiche für ihn tun. Erlauben Sie Leo, Ihnen hier herunterzuhelfen, und lassen Sie uns sehen, dass wir davonkommen. Ich finde, wir haben alle genug Abenteuer für ein ganzes Leben gehabt.«

In ihrem Auge stiegen abermals Tränen auf, und neue Spuren zogen sich durch das Blut auf ihrem zerschundenen Gesicht. »Ich kann nicht.«

Ich schluckte meine Ungeduld herunter und versuchte, so sanft wie möglich mit ihr umzugehen. »Em, du musst. Ich werde dich dazu bringen. Ich werde dich retten, genauso, wie du mich immer rettest.«

Es dauerte länger, als mir lieb war, aber schließlich richtete sie sich auf. Jede Bewegung war langsam und konzentriert. Der in ihre Züge eingegrabene Schmerz war klar und quälend, als sie mir erlaubte, sie zu führen und zur Leiter zu bringen. Ich kletterte als Erste hinunter. Ich gestattete mir keinen Gedanken an Furcht, als sie im Schneckentempo über mir Sprosse um Sprosse herunterkroch. Ihr Griff war schwach, und einige Male dachte ich, sie würde einfach loslassen, sodass wir beide zu Boden stürzten, aber einen qualvollen Schritt nach dem anderen schafften wir es nach unten.

Sobald ihre Füße den Boden berührten, brach sie zusammen, und Webb stürzte sich wild auf sie. Er verhinderte, dass sie sich die Knie aufschlug, und drückte sie an sich, als sei sie ein verletztes Tier. Mein Herz brach für meine beste Freundin, und ich wollte in das Lager der Kriminellen stürmen und alles und jeden vernichten, die ihr so wehgetan hatten.

Ich wollte Webb gerade fragen, wie wir sie ins Lager bringen konnten, als das vertraute Surren eines Allrad-Quads durch die Bäume erklang und er Em zur Seite schob, um nach seiner Waffe zu greifen. Er befahl mir, mich hinter ihn zu stellen, aber ich war nicht mehr die Frau, die sich hinter irgendjemandem versteckte. Ich stand direkt neben ihm und hatte ein Auge auf Emrys, als das Quad sich durch den dichten Wald vor uns schlängelte.

Es gab keine Worte, um zu beschreiben, wie sehr ich mir wünschte, der Fahrer möge Cy sein.

Er war es nicht. Es war Wyatt mit dieser furchterregenden schwarzen Gesichtsbemalung, der unleugbar dem Mann ähnelte, neben dem ich stand. »Gut, dass du nicht alle Fahrzeuge in die Luft gejagt hast, Bruder. Dieses hier war sehr nützlich, als der große Bursche sich hinreichend beruhigt hatte, um uns zu erzählen, wo er die Frau versteckt hat. Er war nicht glücklich darüber, als unsere Jungs ihn von seinem Bruder weggezogen haben.«

Sein wildes Grinsen erstarb, als er einen Blick auf Emrys' zerschundenen Körper in den Armen seines jüngeren Bruders erhaschte, und er wurde sehr schnell sachlich. »Gib mir die Frau. Der Hubschrauber braucht noch etwa zwanzig Minuten, und sie werden nicht warten, sobald sie landen. Der Mann mit der Kugel in der Brust hat keine einzige Sekunde zu verlieren. In Billings steht schon ein medizinisches Notfallteam bereit und wartet auf ihn.«

Er rieb sich mit einer Hand das Gesicht und verschmierte die abscheuliche Farbe, was ihn noch grimmiger aussehen ließ. »Die Razzia ist problemlos über die Bühne gegangen. Sie haben die meisten der angeheuerten Banditen zusammengetrieben, und einige von ihnen schienen bereit zu reden. Sie haben die Zelte geräumt, und Grady hatte tatsächlich den Mann überwältigt, von dem sie denken, dass er das Kommando über dieses spezielle Lager hat. Eine nachrückende Truppe wird die nächsten paar Tage versuchen, sämtliche Männer aufzuspüren, die der Razzia entkommen sind, und sie werden dafür sorgen, dass das Feld vernichtet wird. Abgesehen von den verletzten Zivilisten war das eine ziemlich lehrbuchmäßige Veranstaltung.«

Bei der Neuigkeit, dass Sutton noch immer durchhielt, merkte Emrys auf und ließ sich in die Obhut des Special Agents geben. Sie murmelte immer wieder mantraartig: »Ich kann nicht glauben, dass er noch lebt.«

Wyatt sagte ihr, dass er nicht mehr lange leben würde, wenn sie nicht einen Zahn zulegten. Ich wollte sie nicht aus den Augen lassen, aber ich wusste, dass es ein Wettrennen gegen die Zeit war. Die beiden davonfahren zu sehen war wahrscheinlich das Härteste, das mir je im Leben passiert war.

Ich schaute Webb an, und er sah auf mich herab. Wir seufzten einstimmig, und ich lehnte mich an ihn, als er mir einen Arm um die Schultern schlang. Die Kameradschaft und die Bande, die wir mitten im Blutvergießen und Kugelhagel geschmiedet hatten, waren etwas Besonderes. Ich vertraute niemandem … niemals. Aber angesichts all der Dinge, die wir in den letzten Tagen überlebt hatten, würde ich an diesem Mann, diesem verlogenen Ex-Knacki, nie wieder zweifeln. Bis in alle Ewigkeit nicht.

Die Erfahrung, die ich jetzt auf dem Buckel hatte, zwang mich, die Frau zu sein, die zu sein mir von Anfang an bestimmt gewesen war. Und ich wusste, dass es kein Zurück gab. Nicht dass ich es gewollt hätte. Aber ich hatte auch Angst vorwärtszugehen, denn direkt vor mir lag ein Leben ohne Cy und mit einer gebrochenen besten Freundin.

Ich wusste, dass ich einen Weg würde finden müssen, um diese beiden Dinge zu ändern, wenn ich auch nur die geringste Chance haben wollte, endlich irgendeine Art von Glück zu finden.

Kapitel 18

Nicht, solange ich wache

Wir brauchten fast zwei volle Tage, bis wir wieder an der Stelle waren, wo wir die Pferde einsammeln und dann zur Ranch zurückkehren konnten. Sobald wir dort waren, hatten wir kaum Zeit, uns zu orientieren und zu duschen, bevor Ten uns in ein Flugzeug nach Billings verfrachtete. Die hübsche Frau trieb sowohl Webb als auch mich hart an und machte kaum Halt, um Webbs verletzte Schulter zu desinfizieren und neu zu verbinden, damit sie sich nicht entzündete. Es war offensichtlich, dass sie sich um den mittleren Warner-Bruder sorgte, obwohl sie nichts sagte. Ich wusste auch, dass sie sich darum sorgte, wie es Cyrus aufnehmen würde, wenn er noch jemanden verlor, den er liebte.

Es war ein schweigsamer Flug nach Montana, nachdem wir alle endlich einige ruhige Momente gehabt hatten, um zu verarbeiten, was wir im Lauf der letzten Woche gesehen und durchgemacht hatten. Es war ein Adrenalincrash. Ich hatte noch nie etwas Derartiges erlebt und war mir der stummen Tränen nicht bewusst, die mir über die Wangen rannen, während ich die gewaltige, wilde Landschaft betrachtete, die unter den Flügeln des winzigen Flugzeugs dahinraste. Als Webb sich über den engen Raum zwischen uns beugte und mit dem Daumen die Feuchtigkeit auf meinem Gesicht wegwischte, zuckte ich zusammen.

»Das ist nicht nötig. Es sind alle mit dem Leben davongekommen, und das ist das bestmögliche Resultat. Ganz gleich, wie tief die Verletzung geht, sie kann heilen.« Er lehnte sich wieder auf seinem Sitz zurück, ohne den neugierigen Blick zu bemerken, den Ten ihm zuwarf.

Ich schniefte ein wenig und wischte mir mit dem Handrücken den Rest des Beweises ab, der offenbarte, dass meine chaotischen Gefühle sich nicht mehr in Schach halten ließen.

»Einige Verletzungen sind fatal, Webb. Du hast den Ausdruck auf Ems Gesicht nicht gesehen, als sie gesagt hat, dass diese Männer ihr wehgetan hätten. Sie könnte durchaus auf ewig aus solchen Wunden bluten, und ich weiß nicht, was ich tun kann, um es zu verhindern.«

Er zog eine Augenbraue hoch und sah mich an, seine Augen zeigten wie fest er an das glaubte, was er mir sagte. »Du übst Druck aus, Leo, und du hörst sicher nicht auf damit. Du stillst den Blutfluss für sie, bis er verebbt. Das ist alles, was du tun kannst.«

Darauf hatte ich keine Antwort, da ich immer noch plante, mich dauerhaft an Emrys zu hängen, bis das Licht in ihre Augen zurückkehrte. Sie war leer und geistesabwesend, nicht dass ich ihr einen Vorwurf daraus hätte machen können, dass sie sich zurückzog. Ich würde nicht zulassen, dass sie verschwand. Sie war mein Anker, und ich hatte kein Problem damit zu begreifen, dass es für mich an der Zeit war, sie hochzuziehen und neu aufzurichten.

Als das Flugzeug landete, wartete ein Wagen auf uns, um uns in das Krankenhaus in Billings zu bringen. Der Wagen fuhr reibungslos durch die verschlafenen Straßen, die sich nicht ansatzweise mit dem Chaos von San Francisco vergleichen ließen. Trotzdem gab es hier mehr Menschen, als ich seit Tagen gesehen hatte. Der Lärm und der Aufruhr wirkten überwältigend auf mich, und ich überlegte, wie lange es dauern würde, meine Sinne dazu zu bringen, sich wieder an die Zivilisation zu gewöhnen. Mit einem Schaudern begriff ich, dass ich mich nach der Stille sehnte. Ich wollte hören können, was gesprochen wurde, und wissen, dass die Worte etwas bedeuteten. Ich wollte nicht zurückkehren an einen Ort, an dem das Leben so voll von anderen Dingen war, dass man leicht das übersah, was wichtig war. Ich wollte nicht, dass die Momente, die zählten, sich im Lärm verloren.

Als wir das Krankenhaus erreichten, führte man uns sofort auf die Intensivstation. Es überraschte mich, das winzige Wartezimmer voller vertrauter Gesichter zu sehen. Lane lehnte an einer Wand, seinen Cowboyhut aus Stroh tief in die Stirn gezogen. Brynns unverkennbares rotes Haar fiel über seinen Arm, während er die hochgewachsene Frau an sich gedrückt hielt. Ihre Schultern zitterten, was darauf hindeutete, dass sie wahrscheinlich weinte, aber das Zittern war schwach und kaum merklich. Wyatt saß auf einem Stuhl neben Cyrus, Grady auf dessen anderer Seite. Beide Männer trugen teuer aussehende Anzüge mit scharfen Bügelfalten, und nichts deutete darauf hin, dass sie wochenlang im Wald umhergeirrt waren. Sie hielten Papiere in den Händen, und an ihren Gürteln waren Abzeichen und Waffen befestigt. Beide Männer schienen Cy Fragen zu stellen. Ohne die tarnende Gesichtsfarbe war Wyatts Ähnlichkeit mit seinem jüngeren Bruder verblüffend. Sie hätten als Zwillinge durchgehen können. Bis auf die Härte in Webb, eine Widerstandskraft, die ihn durch die Wildnis getragen hatte, verletzt und schwach, aber ohne Zögern. Wyatt schaute grinsend zu uns auf, während Cy unsere kleine Gruppe musterte und in seinen Augen etwas zum Leben erwachte, das machtvoll und wichtiger war als irgendetwas, das ich je zuvor in den Augen eines anderen Menschen gesehen hatte.

Irritation.

Erleichterung.

Stolz.

Leidenschaft.

Besitzstreben.

Bedauern.

Es war alles da und blitzte zwischen seinen dunklen Wimpern auf, als er sich erhob und auf mich zukam. Unsere ganze kurze, tragische und triumphale Beziehung leuchtete aus seinen Augen, als er mich in eine Umarmung zog, die stark genug war, um Rippen zu brechen. Ich legte ihm meinerseits die Arme um die Taille und erwiderte seine Geste mit der gleichen Festigkeit. Dann ließ ich den Kopf in die Mitte seiner Brust sinken, lauschte auf das stetige Schlagen seines Herzens und kam zu dem Schluss, dass es das beste Geräusch war, das ich je gehört hatte. Ich tat einen Atemzug, der sich wie der allererste anfühlte, den ich seit Jahrzehnten in meine Lunge gesogen hatte. Er war genauso robust, genauso sicher und unbezwingbar, wie er mir bei unserer allerersten Begegnung erschienen war, nur das jetzt Risse in dem Mörtel waren, der ihn zusammenhielt. Und ich spürte, wie seine Gefühle aus ihnen herausströmten. Ich spürte auch die Berührung seiner Lippen auf meinem Kopf, die dazu gedacht war, uns beide zu beruhigen. Der Kuss ließ mir die Knie weich werden, und mir stiegen erneut Tränen in die Augen.

Ich musste mich zweimal räuspern, bevor ich ihn fragen konnte, in welchem Zimmer Emrys lag.

Cy brauchte einen Moment, bevor es ihm gelang, seine schroffe, kratzig klingende Stimme wiederzufinden. Als ich ihn endlich mit klaren Augen betrachtete, erkannte ich, dass er aussah, als hätte er seit einer Woche nicht geschlafen. Er hatte dunkle Ringe unter den Augen, und die Linien um seinen Mund und seine Augen herum schienen sich noch tiefer eingegraben zu haben. Ich wusste, dass es wahrscheinlich ein Streich war, den mir die schlechte Beleuchtung im Krankenhaus spielte, aber ich hätte auch schwören können, dass die silbernen Strähnen in seinem Haar sich verdoppelt hatten und bis weit in seinen Haaransatz hineingekrochen waren. Er sah mitgenommen und besorgt aus, älter als eine Woche zuvor.

»Em ist bei Sutton im Zimmer. Es ist schlimm, Leo. Wirklich schlimm. Im Moment erhalten ihn im Wesentlichen Apparate am Leben. Er hat die Augen nicht geöffnet oder auf irgendetwas reagiert, seit er in den Hubschrauber getragen wurde. Sein Blutdruck ist zweimal in den Keller gesackt, und der Chirurg hat sich dafür entschieden, eine zweite Operation hinauszuzögern, weil sein Zustand so instabil ist. Sie machen sich wirklich Sorgen wegen einer möglichen Infektion. Es darf immer nur einer von uns bei ihm sein, und wir dürfen den Raum erst betreten, wenn wir Kittel und Handschuhe angezogen haben.« Er schüttelte den Kopf und zog mich näher an sich, damit er das Kinn auf meinem Haar betten konnte. Sein Seufzer ließ es tanzen und drückte seine Brust an meine. »Em geht es ebenfalls sehr schlecht. Sie ist nicht ganz bei sich, und ihre Worte haben nicht viel Sinn ergeben, als die Drogenbehörde mit ihr geredet hat. Sie ist hysterisch geworden, und die Ärzte mussten ihr Medikamente verabreichen, um sie zu beruhigen.«

Ich spürte, wie seine Finger sich fester um meine Taille spannten, während ich den Kloß in meiner Kehle herunterschluckte, den seine Worte heraufbeschworen hatten.

»Sie ist gestern mitten in der Nacht verschwunden. Die Krankenschwester wollte nach ihr sehen und konnte sie nicht finden. Sie waren drauf und dran, die Cops zu rufen und sämtliche Stockwerke zu durchkämmen, als jemand so schlau war, in Suttons Zimmer nachzusehen. Deine Freundin hatte sich in dem Stuhl neben seinem Bett zusammengerollt und hat mit ihm geredet. Wer weiß, ob er sie hören kann, aber sie hat einfach weitergeredet. Es hat ihr geholfen, bei meinem Bruder zu sein.«

Wenn das nicht herzzerreißend war, wusste ich nicht, was sonst. »Sie hat sich große Sorgen um ihn gemacht. Sie war davon überzeugt, dass er sein Leben für sie gegeben hat. Sie wird ihn nicht kampflos aufgeben.«

Er schnaubte. »Ganz offensichtlich. Wir haben uns alle in seinem Zimmer abgewechselt, als die Krankenschwestern sie weggeholt haben. Suttons Ex hat es sogar geschafft, sich so weit zusammenzureißen, um Daye herzubringen, damit sie ihn sehen konnte. Es war verdammt hart. Wie soll man einer Fünfjährigen erklären, dass Daddy ihr nicht

Hallo sagen kann, und ihr versichern, dass er sie in den Arm nehmen würde, wenn er könnte, das jetzt aber gerade nicht geht? Es war so gottverdammt schwer. Er ist der einzige verlässliche Elternteil, den dieses kleine Mädchen hat. Wenn er nicht durchkommt, hat sie keine Chance.«

»Er wird durchkommen.« Ich flüsterte die Worte in seine Brust.

»Glaubst du das wirklich?« Ich nickte und mein Kopf stieß gegen sein Kinn. »Ich weiß es.« Gott, ich hoffte es. Wenn Sutton das Einzige war, was Emrys im Moment aufrecht hielt, dann musste er einfach durchkommen. Er war ein guter Mann, und gute Männer verdienten mehr als solch ein Ende. »Und du wirst nicht zulassen, dass diesem kleinen Mädchen etwas Schlimmes widerfährt. Sie gehört zu deiner Familie, und du beschützt deine Familie, Cy. Du wirst sie nicht aus den Augen verlieren, ganz gleich, was mit Sutton geschieht.«

Er umarmte mich abermals und trat schließlich einen Schritt zurück, ließ mich aber nicht ganz los. Seine Finger schlossen sich um meine, und er zog mich fest an seine Seite. Ich war keine Frau, die so stark war, dass jemand anders sich auf sie hätte stützen können. Mein Fundament war schwach, und der Boden, auf dem ich stand, war voller Spalten, die sich tief und dunkel in meine Seele schnitten. Für diesen Mann konnte ich eine Säule sein. Er hatte es mir beigebracht. Er hatte mir gezeigt, dass ich aus eigener Kraft stehen konnte und nicht hinfallen würde, selbst wenn jemand anders sein beträchtliches Gewicht Halt suchend auf mich stützte. Ich konnte genauso unverrückbar und stark sein wie er. Ich konnte ihn mühelos aufrecht halten, denn ich wusste, dass er das Gleiche für mich tun würde – und mir war klar, dass er nur vorübergehend jemanden brauchte, der ihn stützte. Er trug die Last der Verantwortung für alles und jeden, und das die ganze Zeit über, während sein kleiner Bruder mit dem Tod rang.

»Die Drogenbehörde und das FBI haben uns in den letzten Tagen keine Ruhe gelassen. Endlose Fragen, endloser Papierkram. Es will mir nicht in den Kopf gehen, dass sie all das so erscheinen lassen, als sei es nicht mehr als eine alltägliche Angelegenheit.« Die Tatsache schien ihn zu irritieren, und wie um seine Bemerkung zu beweisen, erhoben sich sowohl Wyatt als auch Grady, als wir näher kamen.

Beide Männer hielten mir die Hand hin, und ich ließ den Blick auf das glänzende Abzeichen des älteren Mannes sinken, als ich ihm die Hand schüttelte. »Sie sind wieder eingestellt worden?«

Er lachte leise und rieb sich den Nacken. »Ja. Im Prinzip bin ich auf Bewährung, aber dieser Fahndungserfolg wird zu größeren Fischen führen. Und da Wyatt die Sache leitet und sich geweigert hat, ohne mich an dem Fall zu arbeiten, ist ihnen nichts anderes übrig geblieben, als mir mein Abzeichen zurückzugeben.« Er zuckte die Achseln. »Aber dieses Abzeichen ist mit einer Aufgabe verbunden, die ich erledigen *muss*. Sie werden uns einige Stunden Zeit widmen müssen, um alles durchzugehen, Ms Connor.«

Die förmliche Anrede verblüffte mich und entlockte Cy ein warnendes Knurren. Schließlich war es Webb gewesen, der uns zu Hilfe geeilt war. Für einen Mann, der Zeit hinter Gittern verbracht hatte, war er tatsächlich ziemlich gut darin, den Helden zu spielen.

»Grady, entspann dich. Wir mussten verängstigte Pferde zur Ranch zurückschaffen. Keiner von uns hat auch nur innegehalten, um durchzuatmen, bevor wir unsere Ärsche hierher verfrachtet haben. Du hattest Glück, dass wir uns die Zeit genommen haben zu duschen. Leo geht nirgendwohin, solange ihre Freundin an dem Cowboy klebt. Du kannst sie später in die Mangel nehmen.«

Cy nickte. »Viel später.« Er senkte den Blick auf mich herab, und sein jetzt mit einem dichten Bart bedecktes Gesicht verzog sich zu einem grimmigen Ausdruck. Der Bart stand ihm gut, und er wirkte mehr wie ein echter Cowboy. Aber ich war mir ziemlich sicher, dass ich bis in alle Ewigkeit denken würde, dass er gut aussah, ganz gleich, ob mit oder ohne Bart. »Du hast seit zwei Wochen nicht in einem richtigen Bett geschlafen.« Es war eine Feststellung, keine Frage.

»Nein. Ten ist eine noch unerbittlichere Reiseführerin als du, aber sie hat alle, ob Mensch oder Tier, unversehrt zur Ranch zurückgebracht. Und sie hat sich um Webb gekümmert, so gut, dass ihm nicht der Arm abgefallen ist.«

Alle richteten den Blick auf den jüngeren Mann, der unwillkürlich seine verletzte Schulter vorzeigte. »Ich sollte das wohl einmal untersuchen lassen, da ich ohnehin in einem Krankenhaus bin.«

Ten schnaubte und verdrehte die Augen. »Finden Sie, Stadtjunge?« Unter dem Sarkasmus lag Sorge verborgen, und das Glitzern in Webbs Augen verriet mir, dass es ihm nicht entgangen war.

Cys kräftige Hände auf meinen Schultern drehten mich entschlossen um. Mit seinen schieferfarbenen Augen sah er mich durchdringend an, und ich wollte ihn einfach nur umschlingen und nicht mehr loslassen.

»Wir haben in dem Hotel nebenan einen Haufen Zimmer reserviert. Ich bringe dich für ein Weilchen zu deiner Freundin, dann begleite ich dich rüber, und du kannst ein wenig schlafen … in einem echten Bett. Und Suttons Zustand hat sich während der letzten Stunden nicht geändert, daher besteht kein Grund, dass du es unbequem hast, während du mit uns wartest.« Er versuchte, nett zu sein. Er musste überhört haben, dass ich hier war, um ihm zu helfen, die ganze Welt zu schultern.

Ich strich mir einige Haarsträhnen aus dem Gesicht und schenkte ihm ein sanftes Lächeln. »Cy, ich gehe nirgendwohin, bis wir mit Bestimmtheit wissen, dass dein Bruder wieder gesund wird. Ich will Em sehen, aber solange du hier bist, bin ich auch hier.«

Er öffnete den Mund, um zu widersprechen, aber ich konnte die Anerkennung in seinen Augen deutlich sehen. Cy trat für jeden ein und verdiente es, dass jemand für ihn eintrat und zu ihm hielt … selbst, wenn ich das nur jetzt tun konnte.

Er senkte den Kopf, und seine Lippen berührten meine so behutsam, dass ich den Kuss vielleicht gar nicht bemerkt hätte, wäre da nicht das Kratzen seiner Barstoppeln auf meinem Gesicht gewesen.

»Ich hatte noch nie jemanden, auf den ich mich stützen konnte, Sonnenschein.«

Ich erwiderte seinen Kuss leidenschaftlicher, damit er ihm auf keinen Fall entgehen konnte. »Stütz dich nur auf mich, Cy.« Er nickte schwach, dann führte er mich zu dem

Stuhl, neben dem Lane an der Wand lehnte. Brynn drehte den Kopf und schenkte uns ein wässriges Lächeln, bevor sie das Gesicht wieder in Lanes Halsbeuge vergrub. Seine Arme schlossen sich sichtlich fester um die langbeinige Rothaarige.

Das Wartezimmer fühlte sich hundertmal größer an, als Ten und Webb mit Grady und Wyatt den Raum verließen, um ins Hotel zu gehen und sich von den Agenten befragen zu lassen, bevor sie ein wenig richtigen Schlaf finden konnten. Webbs Schulter war jetzt wie eine Mumie eingewickelt, er trug eine schicke Schlinge und hatte ein Fläschchen Schmerztabletten in der Hand, das darauf schließen ließ, dass seine Verletzung noch weit davon entfernt war, verheilt zu sein. Der Schmerz meißelte tiefe Linien um seine Mundwinkel herum, die sich nur geringfügig in die Höhe zogen, als sein Bruder versprach, ihm während der nächsten Stunden nicht allzu sehr zuzusetzen. Die überwältigende Erleichterung der Reisegefährten, dass der jeweils andere noch lebte und wohlauf war, war mit Händen zu greifen, aber das Gleiche galt für die beiden Brüder in Anzug und zerlumpten Jeans. Sie versprachen, eine richtige Mahlzeit mitzubringen, wenn sie zurückkamen, und sie nahmen uns das Versprechen ab, sie über Suttons Zustand auf dem Laufenden zu halten.

Ich rollte mich auf dem harten Plastikstuhl zusammen und bettete den Kopf an Cys Schulter. Dann ließ ich meine Finger mit seinen spielen, während er vollkommen reglos und stumm war und die Zähne zusammenbiss. Ein heftiges Zucken lief durch seine Wange.

Wir saßen stundenlang auf diese Weise da und standen nur auf, um widerwärtigen Kaffee aus einem Apparat zu holen oder zur Toilette zu gehen. Ich wollte Em sehen, aber sie weigerte sich, von Suttons Seite zu weichen, und sie wollten niemanden sonst in den Raum lassen, solange sie dort war.

Schließlich, nach einer gefühlten Ewigkeit, kam eine der Krankenschwestern heraus und sagte uns, dass man sie jetzt in ihr eigenes Zimmer zurückbringen würde, damit ihre Verbände gewechselt werden konnten.

Cy stand auf, damit er die lange Prozedur beginnen konnte, sich zu desinfizieren, um sich zu seinem jüngeren Bruder zu setzen.

Ich wusste nicht, was mich erwartete, als ich in das Krankenzimmer trat, aber Emrys' Gesicht war mit mehr winzigen, schwarzen Nähten überzogen, als ich zählen konnte, und ihr Oberkörper schien mit Meilen weißer Gaze und Verbänden bedeckt zu sein. All das genügte, um mich einen Schritt zurückweichen zu lassen. Ich hatte die Verletzungen, die ihr zugefügt worden waren, nicht richtig sehen können, als ich versucht hatte, sie von diesem Baum herunterzuholen. Aber jetzt, da das Gemetzel, das meiner besten Freundin angetan worden war, deutlich vor mir lag, drehte es mir den Magen um, und ich ballte die Hände zu Fäusten.

Ihre Augen wollten sich nicht auf mich fokussieren, und ich konnte nicht erkennen, ob das an dem Trauma lag oder an den Schmerzmitteln, die man ihr verabreicht hatte. Der Krankenschwester zufolge hätte man sie eigentlich bereits entlassen können. Sie behielten sie lediglich wegen ihres sprunghaften Benehmens im Auge und wegen ihrer mangelnden Bereitschaft, Sutton länger als einige Minuten allein zu lassen. Die Krankenschwester berichtete, dass alle Ärzte sich einig seien, dass Em und Sutton einander guttaten. Die Art, wie Patienten in einem kleineren Krankenhaus behandelt wurden, hatte etwas für sich. Wenn Em sich zu Hause so aufgeführt hätte, hätten die Ärzte sie unter Medikamente gesetzt und einkassiert, ganz gleich, ob sie in einem körperlich stabilen Zustand war oder nicht.

Nachdem die Schwester gegangen war, rollte Em sich auf dem Bett zusammen und wandte mir den Rücken zu. Sie weigerte sich, mit mir zu reden oder in meine Richtung zu schauen. Ich fragte sie, wie sie sich fühle, und sagte ihr, dass ich ihr mit Freuden alles holen würde, was sie brauchte. Aber als Antwort bekam ich nur versteinertes Schweigen. Sie sperrte mich aus und versank in ihrem Schmerz und ihrem Leiden. Nie und nimmer würde ich ihr das durchgehen lassen, daher zog ich mir nach einigen Minuten, in denen ich mit ihrem Rücken gesprochen hatte, die Schuhe aus, strich mir das Haar aus dem Gesicht und stieg zu ihr in das schmale Bett. Sie zuckte zusammen, als ich sie auf eine Weise umarmte, die sich nicht lösen lassen würde, aber sie stieß mich nicht weg.

Übe Druck aus.

Webbs Worte klangen laut und deutlich in meinen Ohren, während ich sie noch fester umfasste und sie in meinen Armen zu zittern begann.

»Irgendwann wirst du mir alles erzählen, was du durchgemacht hast, Em. Wir werden zusammen gegen den Albtraum ankämpfen.«

Ich hatte die Worte in ihr dunkles Haar geflüstert, und ich war verblüfft, als sie antwortete: »Du siehst mein Gesicht, Leo, und unter diesen Verbänden sind Stellen, die noch schlimmer aussehen. Der Albtraum ist in meine Haut geritzt, und manche Stellen fühlen sich an, als würden die Schnitte mir bis auf die Knochen gehen. Ich werde sie jeden Tag meines Lebens sehen, daher wird es niemals weggehen. Ganz gleich, wer da ist und versucht, mir da hindurchzuhelfen.«

»Ich gehe nirgendwohin, Em.« Es war das Gleiche, was ich Cyrus gesagt hatte, nur dass der zeitliche Rahmen bei Emrys nicht begrenzt war. Ich hasste es. Ich wollte diejenige sein, auf die auch er sich für immer stützte konnte, aber das war uns nicht bestimmt, zumindest noch nicht.

Sie verfiel wieder in Schweigen, doch etwas von der Anspannung in ihrem langen, schlanken Körper lockerte sich, als ich durch ihr Haar fuhr und ihr jedes sanfte Wort zuflüsterte, das mir einfiel. Es fühlte sich an, als würde man ein wildes Pferd beruhigen, das sich losgerissen hatte. Sie war offensichtlich schreckhaft und ängstlich, aber sie brauchte die Berührung und die Beteuerung, dass sie nicht allein war, dass jemand da war, um sie zu beschützen. Ich verdrehte die Augen, denn Cy hatte mich dazu gebracht, Frauen mit Pferden zu vergleichen. Im Stillen amüsierte ich mich darüber, dass er recht hatte und dass beide Geschöpfe sich in vielen Dingen ähnelten.

Ich verlor jedes Zeitgefühl, als ich neben ihr lag. Das Licht im Raum verblasste von hellem Nachmittagssonnenschein zu fahlen, nächtlichen Schatten. Ich glaubte nicht, dass sie auch nur einen Moment lang geschlafen hatte, aber sie reagierte auf nichts, was ich sagte, während wir in der hereinbrechenden Dunkelheit dalagen. Die Krankenschwester kam wieder herein und fragte Em, ob sie etwas zu Abend essen wolle, aber alles, was diese zur Antwort bekam, war ein ablehnendes Kopfschütteln. Bei der Erwähnung von Essen knurrte mir der Magen, und endlich entrang sich Emrys' geschürzten Lippen eine normale Reaktion. Sie stieß ein ersticktes kleines Kichern aus und sagte mir, dass sie zurechtkommen würde, während ich mir etwas zu essen besorgte. Ich wertete es als Entlassung und kletterte aus ihrem Bett. Es überraschte mich nicht, als sie meinem Beispiel folgte und mir sagte, dass sie in Suttons Zimmer zurückkehren wolle. Sie bestand darauf, dass er die Nacht nicht allein verbringen sollte, da sie der Grund sei, warum er mit einem Loch in der Brust auf der Intensivstation lag.

Ich machte mir nicht die Mühe, ihr zu sagen, dass es nicht ihre Schuld sei. Ich wusste, dass sie nicht in der Lage war zuzuhören … genauso wie ich nicht hatte zuhören können, als sie mich davor gerettet hatte, in meinem eigenen Ozean aus Schuldgefühlen und Bedauern zu ertrinken. Irgendwann würde sie bereit sein, sich an etwas festzuhalten, um nicht ganz unterzugehen. Aber heute war nicht dieser Tag, und ich bezweifelte auch, dass dieser Tag morgen kommen würde.

Ich folgte meiner Freundin durch den Flur und beobachtete, wie sie vorsichtig auftrat und sich die Seite hielt. Em war immer eine Person gewesen, die sich mit Eleganz und Anmut bewegt hatte, aber jetzt konnte sie kaum durch den Gang schlurfen. Der Schaden, den ihre Peiniger ihr zugefügt hatten, war mehr als nur die äußeren Male, die in ihre Haut geritzt und wieder zusammengenäht worden waren. Dieses Erlebnis hatte die Art verändert, wie meine Freundin sich hielt. Es brach mir das Herz und ließ mein Gehirn hektisch nach irgendeiner Lösung suchen, um ihr ihre normale, tendenziell dominante und verwegene Natur zurückzugeben.

Während ich darüber nachsann, brach plötzlich bei dem medizinischen Personal um uns herum hektische Aktivität aus. Es war, als hätte jemand einen Alarm ausgelöst, den nur die Ärzte und Krankenschwestern hören konnten. Sie alle kamen aus Türen und hinter Schreibtischen hervorgestürzt und eilten wie Wahnsinnige auf einen bestimmten Raum der Intensivstation zu.

Emrys stolperte ein wenig vor mir, daher streckte ich eine Hand aus, um ihr Halt zu geben. Sie stieß mich weg und warf mir einen panischen Blick über ihre Schulter zu. »Das ist Suttons Zimmer.«

Ihr Gang war immer noch unbeholfen und nicht so fließend wie sonst, aber ihre Schritte waren entschlossen, als sie ihr Tempo beschleunigte und sich dem Raum näherte, in dem jetzt die Hälfte des medizinischen Personals der Intensivstation zu wirken schien. Gerade als wir die Tür erreichten, kam Lane aus dem Raum gestolpert und zog seine Gesichtsmaske mit offensichtlichen Tränen in den Augen herunter.

Sein Atem ging stoßweise zwischen seinen geöffneten Lippen, und er wandte den Kopf, als Emrys sich an sein Hemd klammerte und ihn schüttelte. »Was ist passiert?!« Sie klang hektisch und hysterisch.

Lane umfasste mit beiden Händen ihre Handgelenke, während eine einzelne, dicke Träne über sein hübsches Gesicht rollte. »Er hat die Augen geöffnet.« Die Worte waren ein Wispern, aber sie schrien nach Hoffnung und Optimismus. Er befreite sich aus Ems Griff und sah mich über ihren Kopf hinweg an. »Ich muss es Cy und Brynn sagen. Er ist noch keineswegs über den Berg, aber alle dort drin«, er deutete mit dem Finger über seine Schultern auf den hektischen Raum hinter ihm, »scheinen das für ein gutes Zeichen zu halten. Wenn sein Blutdruck während der Nacht stabil bleibt, wollen sie ihn morgen als Allererstes in den OP bringen, um die Kugel rauszuholen. Sie befindet sich in der Nähe seiner Wirbelsäule, und sie machen sich Sorgen, dass sie wandern und ernsthaften Schaden anrichten könnte.«

Lane mähte uns auf dem Weg zu seiner Familie praktisch um, aber ich konnte ihm keinen Vorwurf machen. Außerdem hatte ich alle Hände voll damit zu tun, Em daran zu hindern, sich an allen Krankenschwestern vorbeizudrängen, damit sie an Suttons Seite eilen konnte. Sie wollten niemanden zusätzlich im Raum haben, während sie alles unternahmen, um den mittleren Warner-Bruder wach und wohlauf zu halten. In seinem Körper steckten so viele Schläuche und Kanülen, dass ich seine Gestalt in der Mitte des Bettes kaum erkennen konnte, aber Em schien genau zu wissen, wo sie hinsehen musste.

»Er sieht mich direkt an.« Ihre Worte waren so leise, dass ich mir nicht sicher war, ob sie genau das gesagt hatte. Doch dann drehte sie sich zu mir um und wiederholte sie, ihr Herz strahlte aus ihren Augen und Hoffnung zeigte sich deutlich auf ihrem Gesicht.

Ich spürte eine warme Hand, die sich auf meinen Rücken legte, und ich brauchte nicht hinzusehen, um zu wissen, dass Cy hinter mir stand. Alles in mir wollte alles in ihm, daher kribbelte es in mir, wann immer er in meiner Nähe war, und meine Sinne schärften sich in seiner Gegenwart.

»Das scheinen gute Neuigkeiten zu sein.« Seine Stimme war schroff an meinem Ohr, aber ich hörte die zögerliche Erleichterung darin.

Brynn hüpfte neben mir auf und ab und klatschte in die Hände. »Natürlich sind es gute Neuigkeiten. Er ist wach.«

Lane legte ihr eine Hand auf die Schulter und drückte sie. »Immer einen Schritt nach dem anderen, Liebes.«

Die Brüder wollten sich keine Hoffnungen machen, damit sie nicht zerstört wurden, falls es mit Suttons Zustand wieder bergab ging. Sie wappneten sich gegen den Schlag.

Abrupt begann der Mann in der Mitte des Bettes zu zucken. Cy fluchte über meinen Kopf hinweg, und Brynn schnappte so laut nach Luft, dass eine der Krankenschwestern in der Nähe der Tür, wo wir herumlungerten, sich umdrehte und uns mit schmalen Augen ansah. Lane rieb sich grob das Gesicht, und ich machte einen Satz vorwärts, um Em festzuhalten, als sie auf die Tür zutaumelte.

»Hat er einen Krampfanfall?«

Als sich niemand die Mühe machte, ihr zu antworten, kreischte Emrys die Frage noch einmal mit voller Lautstärke heraus, woraufhin einer der Ärzte den Raum verließ. Er warf nur einen einzigen Blick auf ihr Gesicht, bleich und mit etlichen Stichen genäht, und legte ihr eine Hand auf den Arm, die sie sofort abschüttelte.

»Hat. Er. Einen. Krampfanfall.« Sie betonte jedes Wort mit großer Kühle und verschränkte die Arme vor der Brust.

Ich jubilierte insgeheim darüber, dass sie nicht klein beigab. Es ließ mich gegen alle Hoffnung glauben, dass der Weg zurück zu der alten Em doch nicht superlang sein würde.

»Das ist kein Krampfanfall. Er hat auf den Atemschlauch und all die Zugänge reagiert, die wir gelegt haben. Er hat starke Schmerzen, und wegen der Kugel, die immer noch in ihm steckt, ist es nicht gut, dass er so um sich schlägt.« Der Arzt sah die Brüder an. »Seine Situation ist immer noch kritisch, aber dies ist ein großer Schritt in die richtige Richtung.«

Lane schaute zu Boden und stieß einen tiefen Seufzer aus, während ich spürte, wie Cy zustimmend das Kinn senkte. »Lassen Sie uns wissen, wie wir helfen können, Doc.«

»Geben Sie ihn nicht auf. Ihr Cowboys hier draußen seid stark. Ich vertraue darauf, dass ihr Bruder durchkommen wird.«

Wir alle drehten uns um, als die Krankenschwester, die uns nach Ems Ausbruch angefunkelt hatte, den Kopf zur Tür herausstreckte und unsere kleine Versammlung störte.

»Er versucht, etwas zu sagen, aber er kann wegen des Atemschlauchs nicht sprechen. Es regt ihn auf. Meinen Sie, wir sollten den Schlauch ziehen?«

Der Arzt schüttelte den Kopf. »Nein. Ich will nichts bewegen, bis wir die Kugel aus seiner Brust geholt haben. Wenn sie seine Wirbelsäule trifft, könnten wir es mit einem ganz neuen Problem zu tun bekommen. Geben Sie ihm etwas zum Schreiben oder ein Handy und stellen Sie fest, ob er darauf eine Nachricht tippen kann. Ehrlich, es verblüfft mich, dass er nach dem Blutverlust und der schweren Verletzung noch so viel Kampfgeist in sich hat.«

Lane schnaubte. »Er ist ein sturer Kerl.«

Ohne Vorwarnung piepte kurz darauf ein Handy.

Cy sah Lane an. »Ich habe ihn im Hubschrauber begleitet und mein Handy seit Ewigkeiten nicht mehr gesehen.«

Lane zog ein Telefon aus seiner Tasche und las, was auf dem Bildschirm stand. Er runzelte die Stirn und sah zuerst mich und dann Emrys an, bevor er ihr schweigend das Handy reichte. »Denk daran, dass er durch die Hölle gegangen ist und dass er im Moment Gott weiß welche Medikamente im Leib hat.«

Em sah auf den Bildschirm, keuchte auf und ließ das Handy fallen, als sei es kochend heiß. Glücklicherweise hatte Cy schnelle Reflexe und schaffte es, das Gerät aufzufangen, bevor es auf den gefliesten Boden prallte. Em schlug die Hände vors Gesicht und drehte uns allen den Rücken zu, bevor sie langsam durch den Flur zu ihrem Zimmer zurückkehrte.

»Em?« Ich rief ihren Namen und machte Anstalten, ihr zu folgen, verharrte aber, als Cy mir eine Hand auf die Schulter legte und mir das Telefon reichte.

Dort standen schwarz auf weiß die Worte: *Schickt sie nach Hause. Ich will sie nicht hier haben.*

Ich konnte das unwillige Knurren nicht unterdrücken, das mir entwich. Sutton hatte sie gerettet, aber ich wusste, dass er sie genauso schnell vernichten konnte. Ich wusste, dass er mürrisch und verdrossen war, aber ich hatte keine

Ahnung gehabt, dass er grausam sein konnte, erst recht nicht auf der Schwelle zum Tod.

»Wie konnte er ihr *das* sagen?« Also, er war während der letzten Tage bewusstlos gewesen, daher konnte er unmöglich wissen, dass sie ihm nicht von der Seite gewichen war. Aber er musste wissen, dass sie ihm dafür danken wollte, dass er sich für sie eine Kugel eingefangen hatte.

Cy legte mir den Arm um die Schultern und zog mich an sich. »Im Moment bin ich einfach glücklich darüber, dass er wach ist und überhaupt kommunizieren kann. Ich verspreche, ihm später dafür in den Hintern zu treten, dass er sich deiner Freundin gegenüber wie ein Arschloch benimmt. Aber lass uns fürs Erste glücklich darüber sein, dass er der Genesung einen Schritt näher gekommen ist.«

Ich knirschte mit den Zähnen und kämpfte gegen den Drang an, ihn daran zu erinnern, dass der Moment alles war, was wir hatten. Und binnen einer Sekunde hatte sein Bruder sich vom Helden in einen Schurken verwandelt. Em ging bereits unter, und Suttons Zurückweisung hatten die Last, die sie trug, noch schwerer gemacht. Ich würde sie nicht untergehen lassen. Nicht, solange ich lebte.

Kapitel 19

So viel Glück haben wir nicht

Nachdem Sutton Emrys so gefühllos weggeschickt hatte und sie im Flur nicht mehr zu sehen war, beruhigte er sich. Die Ärzte hörten auf, ihn zu umschwärmen. Er verlor während der nächsten Stunden immer wieder das Bewusstsein, aber sein Herzschlag stabilisierte sich, und die Ärzte hatten vor, ihn morgen früh gleich als Erstes zu operieren.

Ich kehrte zurück, um nach Em zu sehen. Ich war überrascht, als sie mich fertig angezogen vor ihrem Zimmer empfing. Sie trug Straßenkleidung, und ihr Haar war gebürstet und zu einem Zopf geflochten.

Ihr Blick wirkte immer noch leer und teilnahmslos, aber die entschlossene Neigung ihres Kinns war ein vertrauter und willkommener Anblick. »Ich will nach Hause, Leo.«

Ich nickte ihr zu und schluckte, bevor ich über meine Schulter dorthin sah, wo Cy und Lane sich vor Suttons Zimmer immer noch zusammendrängten. »Okay, Em. Wir fliegen nach Hause.« Die Worte kamen mir nur schwer über die Lippen, denn so sehr ich ihr in jeder Weise helfen wollte, bedeutete eine Heimkehr, dass ich Cy verlassen musste. »Du musst mir bis morgen Zeit geben. Heute Abend können wir nicht mehr fliegen, aber ich verspreche dir, dass ich dafür sorge, dass du morgen Nacht in deinem eigenen Bett schläfst.«

Sie nickte schwach, und ihre dunklen Brauen zuckten in die Höhe. »Du kommst mit mir, oder?«

Ich schluckte abermals und presste die Augen zusammen. Mein Herz schmerzte. »Ja, Em, ich komme mit. Ich werde an deiner Seite sein, solange du mich brauchst.«

»Danke, Leo.«

Ich fand nicht, dass ich in der Angelegenheit eine Wahl hatte, obwohl es sich anfühlte, als würde meine Seele entzweigerissen. »Lass mich mit den Jungs reden. Sie haben Zimmer in einem Hotel in der Nähe reserviert. Wir können heute Nacht dort schlafen, und ich organisiere alles. Ich muss immer noch mit der Drogenbehörde reden und meine Aussage machen.« Es würde eine lange Nacht werden – ohne eine Möglichkeit, Cy Lebewohl zu sagen. Mir tat der Kopf weh bei dem Gedanken an all das, und das Herz wurde mir schwer angesichts der Tatsache, dass dies vielleicht das letzte Mal war, dass ich die Cowboys sehen würde, die nicht ganz echte Cowboys waren.

Ich ging zu den Brüdern hinüber, und ohne dass ich ein Wort zu sagen brauchte, versteifte Cy sich und verschränkte die Arme vor seiner breiten Brust. »Du gehst fort, nicht wahr?«

Ich biss mir auf die Unterlippe und nickte langsam. »Em will nach Hause, Cy. Ich muss sie hinbringen.«

Seine dichten Brauen zuckten, und der Sturm rollte dunkel in den grauen Tiefen seiner Augen. »Ich gebe dir eine Keycard von meinem Zimmer.« Seine Brust hob und senkte sich, aber es war, als hätte uns eine schwarze Wolke in den Flur begleitet, die nun darauf wartete, eisigen Regen auf all die Hitze und Wärme zwischen uns zu ergießen. »Sieh zu, dass du einen Weg findest, mir Lebewohl zu sagen, Leo.«

Meine Zähne gruben sich so fest in meine Unterlippe, dass ich Blut schmeckte. Mir tat alles weh.

»Das mache ich.« Die Worte waren gebrochen und hässlich, weil ich ihm nicht Lebewohl sagen wollte, obwohl ich wusste, dass das die ganze Zeit über auf uns gewartet hatte. »Ich muss Em ins Hotel bringen, Flüge nach Hause buchen und mit Wyatt und Grady reden. Ich komme zu dir, Cy. Ich werde nicht einfach verschwinden, versprochen.«

Trotz meiner Beteuerungen fühlte keiner von uns sich besser, und ich spürte seinen bohrenden Blick, als er beobachtete, wie ich wegging.

Das Hotel befand sich tatsächlich direkt neben dem Krankenhaus, daher war Em schnell in Cys Zimmer untergebracht. Es dauerte ein wenig länger, ein verlässliches Netzsignal zu finden, um nach Flügen zu suchen, und ich brauchte ein Weilchen, um mich von dem Zimmer loszureißen, das nach Cy roch und in dem seine Sachen lagen. Über das Fußende des Bettes geworfene Jeans, ein Hemd, das achtlos neben dem Waschbecken fallen gelassen worden war, und wenig überraschend ein Haufen Männerzeug für sein Haar, das Lane mitgebracht haben musste, als er von der Ranch gekommen war. Es entlockte mir ein Lächeln, dass der Mann sich um sein Haar sorgte, aber einen Scheißdreck auf sein Handy gab. Ich wollte dort verweilen. Ich wollte alles von Cy in mich aufnehmen und so tun, als könnte ich ihn immer noch riechen und ihn in der Luft um mich herum fühlen, wenn ich zu Hause war. Es war eine Lüge, die ich mir selbst nicht einmal ansatzweise abnahm, daher griff ich nach seinem weggeworfenen T-Shirt, dem von Jack Daniel's, das er bei unserer ersten Begegnung getragen hatte, und vergrub die Nase darin. Ich hoffte, dass es nicht sein Lieblings-T-Shirt war, denn ich würde es mitnehmen, wenn ich morgen früh abreiste, und nichts würde mich daran hindern.

Em schlief, oder zumindest hatte sie die Augen geschlossen und lag still da wie ein Stein, nachdem ich ihr mitgeteilt hatte, dass unser Flug morgen früh um zehn ging. Wir mussten von Billings nach Denver fliegen und dann dort ein paar Stunden auf unseren Anschlussflug warten. Sie hatte mir zugenickt, aber ich war mir nicht sicher, ob die Worte zu ihr durchgedrungen waren. Sie hatte schon schlecht ausgesehen, bevor Sutton sie weggeschickt hatte, und jetzt sah sie hohl und erschöpft aus. Es war schwer, Leben in ihr zu finden, selbst wenn ihr Trotz und ihr Schmerz an der Oberfläche der emotionalen Mauer waren, die sie um sich herum aufbaute, um sich zu schützen. Als ich mir sicher war, dass sie noch atmete und nicht in ihren eigenen Tränen ertrank und am lautlosen Schluchzen erstickte, suchte ich nach der Zimmernummer der Männer von der Drogenbehörde und klopfte an die Tür.

Wyatt öffnete sie, nur im Hemd, ohne seinen Blazer. Außerdem hatte er seine Anzughose gegen ein paar Jeans mit einem Loch im Knie eingetauscht. Er hatte solche

Ähnlichkeit mit Webb, dass ich stutzte, bis ich Grady an dem kleinen Schreibtisch im Raum sitzen sah, wo er seinen Laptop beschimpfte. Das Netz hier war wirklich ätzend.

Wyatt führte mich in den Raum und schaltete ein winzig kleines Gerät ein, von dem er mir erklärte, dass es das Gespräch aufzeichnen würde. Dann bombardierte er mich mit einer Million Fragen. Mir war nicht bewusst gewesen, wie müde und angespannt ich war, bis ich über jedes einzelne verrückte Erlebnis seit meiner Landung in Wyoming berichtet hatte. Ich hätte am liebsten losgeheult. Ich wollte mich auf eins der Betten werfen, das Gesicht in einer Decke vergraben und schreien, bis meine Lunge platzte. Ich wollte das Aufnahmegerät an die Wand werfen und zusehen, wie es zersplitterte. Ich wollte Wyatt an den Schultern packen und ihn schütteln, während ich ihm sagte, dass nicht genug Ausdrücke im Wörterbuch stünden, um alles zu beschreiben, was ich verloren hatte, und noch mehr, was ich im Laufe der letzten Woche gewonnen hatte.

Stattdessen ballte ich nur die Hände zu Fäusten, sodass meine Fingernägel sich so tief in meine Handflächen bohrten, dass es blutete, während ich bedächtig jede einzelne Minute der vergangenen Woche durchging. Ich sprang langsam und präzise und sorgte dafür, dass ich jede Einzelheit erwähnte, jeden Moment der Furcht und der Panik einfing, die mich überwältigt hatten, sobald mir klar geworden war, dass wir angegriffen wurden.

Beide Männer hörten mit einem mitfühlenden Ohr zu und beobachteten mich, um alles mitzubekommen, was ich vielleicht übertrieb oder wegließ. Es war ein intensives Gespräch, und als ich mich danach erhob, um in Cys Zimmer zurückzukehren, fühlten meine Beine sich wie Wackelpudding an. Wyatt bot an, mich zu begleiten, aber ich lehnte ab. Ich brauchte den kurzen Weg, um meine Verteidigungswälle wieder hochzuziehen, damit ich für Em stark sein konnte. Bei meinem Bericht darüber, wie ich sie oben auf dem Baum gefunden hatte, mit Schnitten im Gesicht und innerlich zerstört, hatte ich einen Kloß im Hals, den ich nicht herunterschlucken konnte. Wyatt erwähnte, dass sie immer noch mit ihr reden müssten und dass sie wahrscheinlich als Zeugin für den Fall benötigt werden würde. Aber er versicherte mir, dass sowohl er als auch Grady verstanden, dass sie noch nicht bereit war für den Druck, den das für sie bedeuten würde. Ehrlich gesagt konnte ich nicht absehen, wann sie in der Lage sein würde, wieder auf eigenen Füßen zu stehen und zu kämpfen, aber das behielt ich für mich.

An der Tür hielt ich inne, um mich zu sammeln und meine wahren Gefühle hinter einer Maske aus Zuversicht zu verstecken – nur für den Fall, dass Em noch wach war. Selbst wenn sie schlief, hatte ich das Gefühl, als müsste ich sie darüber täuschen, wie erschüttert ich war.

Das Licht war aus, aber ich konnte deutlich sehen, dass das Bett leer war und meine beste Freundin nicht darin lag. Ich erlebte einen Moment der Panik, bevor ich mich daran erinnerte, dass sie vielleicht einfach im Bad war. Licht fiel durch den Spalt am unteren Rand der Tür, und ich konnte hören, dass sich jemand in dem kleinen Raum bewegte. Ich rieb mir den Nacken und ging auf die Tür zu.

»Em, die Krankenschwester hat gesagt, dass deine Nähte nicht nass werden dürfen. Ich habe dir doch versprochen, dir beim Waschen zu helfen.« Die Prozedur war nicht einfach, wenn man bedachte, an wie vielen Stellen ihre Haut gegenwärtig von Klammern und Fäden zusammengehalten wurde.

Ich bekam keine Antwort, daher klopfte ich an die Tür und rief ihren Namen noch ein wenig lauter. Die Tür sprang unter meiner Hand auf, und ich blinzelte verwirrt bei dem Anblick, der mich begrüßte. Mein Gehirn machte dicht, und mein Herz übernahm die Kontrolle, als Cy, der sich gerade ein Handtuch um seine schlanke Taille schlang, sich mir zuwandte. Wasser strömte verlockend über die Muskeln, die seine Schultern durchzogen. Er musterte mich von Kopf bis Fuß. Dann fuhr er sich mit einer Hand über sein offensichtlich müdes Gesicht, aber seine Lippen verzogen sich zu diesem seltenen Lächeln, und ich spürte, wie es mich mitten im Herzen traf.

Müde und voller Angst um seinen Bruder, ausgelaugt und zerschunden von unserer Woche durch die Hölle und zurück … und doch … Er lächelte trotz allem für mich, lächelte mich an. Es war das kostbarste Geschenk, das ich je empfangen hatte, und ich würde es für immer in Ehren halten.

»Sutton schläft. Sie haben ihm ein Beruhigungsmittel gegeben, damit er still liegt und die Kugel sich nicht unbeabsichtigt verlagert. Er bewegt sich nicht, daher hat der Doc mir und Lane einen Tritt gegeben und uns befohlen, uns auszuruhen. Er meint, das Warten sei schwerer als gedacht, denn obwohl er bei Bewusstsein ist, hängt Suttons Leben immer noch am seidenen Faden.«

Er kam einen Schritt näher, und ich streckte eine Hand aus, bis sie in der Mitte seiner breiten Brust ruhte. Er fühlte sich so warm an, so vital und lebendig. Ich hatte keine Ahnung, wie ich von diesem Mann weggehen und damit klarkommen sollte.

»Wo ist Em?« Ich keuchte auf, als er eine Hand auf meine legte, langsam auf mich zukam und mich zurückdrängte. Seine nackten Füße schoben meine quer durch den Raum, bis meine Kniekehlen gegen die Bettkante mitten im Zimmer prallten.

»Ich bin aufgetaucht und habe ihr gesagt, dass ich nur meinen Scheiß einpacken müsse, damit ich in ein anderes Zimmer umziehen könne. Sie hatte einen kleinen Anfall, weil ich nicht bei Sutton im Krankenhaus war, und hat gefragt, wer heute Nacht an seinem Bett sitzen würde, während wir auf seine Operation warteten. Ich habe ihr geantwortet, dass das Personal uns für die Nacht aus dem Zimmer verbannt habe, und bevor ich sie aufhalten konnte, war sie auch schon zur Tür raus. Ich habe sie eingeholt und sie auf die Intensivstation begleitet.« Er schüttelte den Kopf und umfasste mit beiden Händen mein Gesicht. Dann drückte er meinen Kopf nach hinten und beugte sich vor, bis unsere Lippen sich fast berührten. »Die Krankenschwestern haben nicht einmal versucht, ihr auszureden, in sein Zimmer zu gehen. Sie hat sich auf den Stuhl neben seinem Bett gesetzt und mir erklärt, sie würde am Morgen wieder hier bei dir im Zimmer sein, bevor er aufwachte. Ich dachte, ich komme hierher zurück, dusche mich und warte auf dich, damit wir einen richtigen Abschied haben können. Ich weiß nicht, was Sutton sich dabei gedacht hat, eine solche Frau wegzuschicken. Aber irgendetwas sagt mir, dass er es mehr bereuen wird als jede andere beschissene Entscheidung, die er in Bezug auf Frauen getroffen hat, sobald sein Zustand sich bessert.«

Ich seufzte, und ihn überlief ein Schauer. Dann ließ ich die Hände über die steinharte Fläche seiner Brust wandern und sammelte dabei versteckte Wassertröpfchen ein. Ich zielte auf diesen wirkungslosen Knoten, der das zu dünne Handtuch an seiner Taille zusammenfasste, und er wusste es. Seine Bauchmuskeln spannten sich unter meinen Fingerspitzen an, und seine Schenkel drückten sich gegen meine. Ganz zu schweigen davon, dass der Stoff des Handtuchs nichts dazu beitrug, die mächtige Erektion zwischen seinen Beinen zu verbergen.

»Dein Bruder ist ein Held, ihr alle seid Helden. Sie wird nicht vergessen, dass er ihr das Leben gerettet hat, ganz gleich, wie hart er sie von sich stößt. Im Moment blutet sie aus zu vielen Wunden, um zu begreifen, dass es bei ihm genauso ist.«

Ich schob einen Finger in den Knoten und zog ein wenig daran. Mehr war nicht nötig, dass das Handtuch herabfiel und all diese prächtige, stramme Männlichkeit zur Schau gestellt wurde. Bei dem Anblick schnappte ich nach Luft, und das Wasser lief mir im Mund zusammen. Selbst in dem schwachen Licht war er der schönste Mann, den ich je gesehen hatte. Es gab mir ein Gefühl von Macht, ein Gefühl, etwas Besonderes zu sein, weil ich diejenige war, vor der er stand, nackt und selbstsicher. Cy war auch an einem guten Tag schwer durchschaubar, aber in der Dunkelheit und mit dem über uns schwebenden Ende unserer Beziehung war die Wichtigkeit dieses Augenblicks nicht zu übersehen.

Ich reckte mich, um ihm einen richtigen Kuss zu geben, dann ließ ich meine eifrigen Finger den harten Schaft umfassen, der sich gegen meinen Bauch drückte. Sein Schwanz pochte in meiner Hand, und seine Hüften bewegten sich ruckartig auf meine zu, während unsere Zungen miteinander tanzten. Wir fielen übereinander her, als würde sich unsere Lebenszeit dem Ende nähern. Es war chaotisch. Es war gierig. Es war nass und wild. Wenn es vorbei war, würde es blaue Flecken und Schmerzen geben, aber das bedeutete, dass es ein Kuss war, den ich mit mir nehmen konnte, wenn ich morgen in das Flugzeug stieg. Es war ein Kuss, den ich behalten durfte, und ich wollte, dass er ihn auch mit nach Hause nahm. Meine Lippen kribbelten, und meine Wirbelsäule brannte, als er mich näher an sich zog und die Finger in meine Haut grub. Er stieß ein Knie zwischen meine Beine und drückte seine Hüften und seinen erigierten Schwanz in meine Lende. Ich umkreiste mit dem Daumen die Spitze und spürte an meinen schmerzenden Lippen sein Knurren. Mein Mund stand unter Angriff, aber es fühlte sich an wie Liebe, nicht wie Krieg. Es war eine Schlacht, aus der niemand als Sieger hervorgehen würde, denn wir beide gewannen, und ich wusste, dass wir beide verlieren würden, sobald die Sonne am Morgen aufging und wir uns offiziell verabschieden mussten.

»Immer so heiß und so strahlend, Sonnenschein. Du brennst auf die beste Art und Weise.« Ich schluckte ein wenig und schob ihn einen Schritt zurück, damit ich mich vor ihm auf die Bettkante setzen konnte. Sein Schwanz zuckte erwartungsvoll. Ich umkreiste die Schwanzspitze mit dem Daumen und drückte den Schaft, während ich mit dem Zeigefinger die empfindlichen Linien unter der Eichel nachzeichnete.

Ich dachte, er sei derjenige, der brannte. Ich dachte, er sei derjenige, der alles entzündet hatte, das lange in mir geschlafen hatte. Er war der Funke, aber ich war die Flamme. Ich war diejenige, die all die Sehnsucht und Gefühle der Unzulänglichkeit niederriss und an ihrer Stelle etwas Besseres aufbaute. Ich war diejenige, die begriff, dass, nur weil die falschen Leute einen nicht liebten, es nicht bedeutete, Angst davor haben zu müssen, dass die richtigen einen liebten.

Ich beugte mich vor, senkte den Kopf und drückte ihm einen Kuss mitten auf die Brust. Seine Hände auf meiner Haut spannten sich an, und ihm stockte der Atem. Ich ließ eine Hand um seine Hüfte kreisen und grub die Finger in seinen Hintern. Die Muskeln dort zuckten in meinen Fingern, als ich jeden wohldefinierten Bauchmuskel an seinem Unterleib mit der Spitze meiner Zunge nachzeichnete. Sein Bauch und der dünne Streifen dunkler Haare, der zu seiner Schwanzwurzel hin verlief, kitzelte meine Nasenspitze, als ich mich immer weiter nach unten bewegte. Ich ließ meine Zunge um seinem Bauchnabel kreisen und wurde damit belohnt, dass er meinen Namen zwischen seinen Zähnen hindurch zischte.

Ich ließ die Hand langsam an seinem Schaft auf und ab wandern, der ungeduldig in meiner Hand pulsierte, und senkte den Kopf, damit ich die pralle Eichel in die feuchte Wärme meines wartenden Mundes nehmen konnte. Ich wimmerte, als ich seine Hitze spürte. Er füllte meine Sinne und hinterließ auf jedem Teil von mir, der ihn berührte, einen Abdruck. Ich schwor, dass meine Zunge diesen ersten Geschmack nie vergessen würde, diese erste Berührung, bei der er fluchte und die Hüften nach vorn stieß.

Eine seiner Hände landete auf meinem Kopf, und dann schob er die Finger in mein Haar. Er drückte mich näher heran, und ich musste langsam und ruhig ausatmen, während er sich tiefer in meinem saugenden Mund versenkte. Cy war nicht der Typ, der Dinge langsam und ruhig anging, daher brannte sein bestes Stück auf meinen Lippen und pulsierte in meinem Mund, während er leicht gegen mein Gesicht stieß und mir die ganze Zeit über sagte: »Nur ein klein wenig mehr« und »Leo, verdammt, ich bin ganz dein.«

Das heiße Verlangen in seiner Stimme hatte etwas an sich, und die straffe Anspannung, die seine Muskeln von Kopf bis Fuß erfasste, weckte in mir den verzweifelten Wunsch, ihm zu geben, was er wollte. Ich saugte ihn tiefer in mich hinein. Ich drückte ihn fester. Ich spürte, wie er ächzte und stöhnte. Ich musste die Augen schließen und mich darauf konzentrieren, einen stetigen Rhythmus aufrechtzuerhalten, in dem meine Faust und meine Lippen an ihm hinauf- und hinabstrichen. Der Anblick seiner stählernen Halsmuskeln und der hervorspringenden Adern war alles, was nötig war, um mein Herz rasen und mein Blut sieden zu lassen.

Ich war diejenige, die diesen Ausdruck auf sein Gesicht brachte.

Ich war diejenige, die ihn dazu trieb, schmutzige, schmutzige Dinge zu sagen, während er um Beherrschung rang.

Ich war diejenige, die das Verlangen aufleckte, das aus ihm heraustropfte – würzig und salzig auf meiner Zunge.

Ich war diejenige, für die er gleichzeitig hart und sanft war.

Ich war diejenige, die all seine Sanftheit und all seine Härte bekam.

Ich war diejenige, die ihn ganz in sich aufnahm und dann eine Wiederholung verlangen würde, denn das hier würde unser Lebewohl sein, und ich wollte, dass die Erinnerungen, die wir heute schufen, zu den besten gehörten, die wir alle beide haben konnten.

Ich bearbeitete ihn mit allem, was ich hatte. Händen, Lippen, Zähnen, Zunge. Ich atmete genauso schwer wie er und konnte daran, wie sein Rücken sich anspannte und seine Stöße sprunghaft und wild wurden, erkennen, dass er nah dran war zu kommen. Es war mehr, als ich jemals von irgendeinem Mann genommen hatte, mit dem ich intim gewesen war, aber für ihn wollte ich alles und noch mehr.

Ich war kurz davor, selbst zu kommen, während ich beobachtete, wie die sehnigen Muskeln in seinem Bauch sich zusammenzogen und wieder entspannten. Ich wollte mich selbst berühren, während ich beobachtete, wie seine Augen sich trübten und ihn düster und gefährlich aussehen ließen. Er biss die Zähne zusammen und verlagerte seinen Griff auf meinem Kopf, sodass seine Hände meinen Hinterkopf umfassten.

Ich wollte, dass er zum Höhepunkt kam, und er wollte mich der Länge nach unter sich auf dem Bett haben.

Er war stärker, daher bekam er seinen Willen, bevor ich mit geschwollenen, glänzenden Lippen protestieren konnte. Er musste den Knopf an meiner Jeans öffnen. Dieser kleine Punkt pulsierte so heftig bei seiner Berührung, dass ich den Rücken vom Bett hob, die Augen verdrehte und seinen Namen stöhnte. Meine Unterwäsche wurde zur Seite gezogen, die Knöpfe meiner Bluse flogen unter ungeduldigen Händen in eine Million Richtungen, und meine schmerzenden Brustwarzen stellten sich siegreich auf, als sie freigelassen wurden, weil er die Körbchen meines BHs herabgezogen und aus dem Weg geschoben hatte.

Es war an mir, zitternde Finger in sein dickes Haar zu schieben, während sein dunkler Kopf sich auf meine Brust senkte, sodass seine Zähne über bettelnde Haut kratzen konnten. Ich wimmerte und erzitterte unter seinem Gewicht. Er drängte mich, die Hüften anzuheben, damit er Jeans und Slip aus dem Weg bekam, aber er murmelte irgendetwas um meine Brustwarze herum. Der Druck seines Mundes und der Biss seiner Zähne fühlten sich wie eine herrliche Folter an. Ich wollte, dass es niemals endete.

Ich flüsterte seinen Namen, als er endlich den Rest meiner Kleider aus dem Weg schaffte. Meine Beine spreizten sich rastlos, diese erhitzte Stelle zwischen ihnen sehnte sich schmerzhaft pochend nach seiner Berührung. Er beobachtete die Bewegung mit halb geschlossenen Augen, und ich konnte nicht verhindern, dass meine Glieder unter seinem eindringlichen Blick erzitterten. Ich legte mir eine Hand tief auf den Bauch und die andere auf die Brust, die er angefeuchtet und bereit verlassen hatte. Ich berührte die Stelle, an der ich seine Hände brauchte, und er beobachtete mich.

Er schüttelte langsam den Kopf und strich mit der Zunge über die Wölbung seiner Unterlippe. »Es gibt so viele Dinge, die ich mit dir tun will. Die Liste ist endlos, und ich habe das Gefühl, dass ich hier gegen die Uhr arbeite, Leo.«

Er beugte sich vor und drückte seinen Mund auf meinen. Der Kuss war sanft und kostbar.

»Ich will dich an meiner Zunge spüren. Ich will, dass du unter meinen Fingern erzitterst, und ich will über diesen perfekten Brüsten kommen.« Wieder schüttelte er den Kopf, und seine Mundwinkel zuckten in die Höhe, als er mich anlächelte. »Ich will, dass du deinen Blowjob später einmal beendest. Ich will dich auf allen vieren sehen und dich von hinten nehmen. Ich will, dass du auf meinem Gesicht sitzt und ich mit meinem Bart über die Innenseiten dieser herrlichen Schenkel kratzen kann. Ich will all das, aber es ist nicht genug Zeit dafür.«

Ich schluckte und schob die Hand, die mit meiner Brustwarze spielte, zu meiner Kehle hinauf. Die meisten dieser Dinge hatte ich noch nie getan, aber ihn auflisten zu hören, auf welche Weise er mich lieben wollte, machte mich wütend auf das Schicksal, weil ich sie mit ihm nicht erleben würde. Und wenn nicht mit ihm, dann niemals. Ich vertraute ihm. Das war die Sache, die bei den Männern in meinem Leben die ganze Zeit über gefehlt hatte. Ich konnte mich ihnen nie so öffnen, wie ich mich Cy öffnete, denn ich hatte ihnen nicht vertraut und mir selbst auch nicht.

Ich griff nach ihm und seufzte, als er sich auf mich herabziehen ließ. Er stützte sich mit einem Arm über meinem Kopf ab, und wir stießen beide einen Seufzer der Zufriedenheit aus, als ich die Beine hoch um seine Taille schlang. Sein Schwanz fand meine feuchte Stelle mühelos, und ich keuchte ein wenig, als er die Spitze über die seidige, feuchte Haut gleiten ließ. Mein Puls hämmerte erwartungsvoll, aber ich hielt ihn zärtlich und ehrfürchtig umfangen.

»Im Moment gibt es keine Uhr, Cy. Es gibt nur dich und mich. Wir würden es ticken hören, denn es gibt keinen Ort, an dem der Laut sich verstecken könnte. Alles, was ich hören kann, ist dein Herzschlag und meiner, die beide rasen, um mit all dem Schritt zu halten. Alles, was ich sehe, bist du, und alles, was ich fühle, ist die Art, wie du mir das Gefühl gibst, wichtig und etwas Besonderes zu sein. Du hattest nicht viel Zeit dafür, aber du hast es geschafft. Im Moment konzentrieren wir uns auf die verschiedenen Wege, wie wir einander haben können, und nicht auf die, die wir nicht gehen können.«

Denn wenn ich anfing, über alles nachzudenken, was ich vermissen würde, sobald es Tag wurde, und mich auf die Erfahrungen mit ihm konzentrierte, die ich niemals machen würde, würde ich zerbrechen. Und dieses leidenschaftliche Lebewohl würde sich in ein tränenreiches verwandeln, und das wollte ich um unserer beider willen nicht.

Seine Hüften drängten zur selben Zeit nach vorn, als er sich herabsinken ließ, sodass unsere Oberkörper sich berührten, während unsere Zungen tanzten und unsere Herzen gemeinsam vorwärtsmarschierten und im gleichen Rhythmus schlugen. Ich war nichts als flüssiges Verlangen und warme Begierde, daher sank er tief in mich hinein und stieß sein Becken auf die köstlichste Weise an meins. Ich wand mich ein wenig, damit ich ihn ganz in mich aufnehmen konnte. Ich liebte es, wie er mich ausfüllte und selbst das winzigste Plätzchen beanspruchte, als hätte er ein Anrecht darauf. Wie er mich mit seinem Gewicht in die Matratze drückte, gefiel mir. Ich mochte, wie er mich liebte und wie er mich ermutigte, ihn meinerseits zu lieben. Mir gefiel, wie er meinen Mund liebte und seine Küsse die sexy, raue Art nachahmten, mit der sein Schwanz in meinen Körper hinein- und wieder herausglitt. Seine Zunge neckte meine auf die gleiche Weise, wie er mein gieriges, schmerzendes Zentrum neckte, aus dem er sich fast zur Gänze zurückzog. Ich flehte und bettelte ihn an, wieder in mich hineinzustoßen, nur um erleben zu müssen, wie er Zentimeter für Zentimeter zurückkehrte, so langsam, dass ich dachte, ich würde den Verstand verlieren. Ich starb beinahe, als er herrisch in mich hineinstieß, mein Kinn umfasste und seine Linie sanft mit dem Daumen nachzog.

Er nahm sich von meinem Körper, was er brauchte, und gab mir, was ich von seinem brauchte. Er wandte den Blick keine Sekunde von meinem Gesicht ab, und ich spürte, dass er mich beobachtete und auf diesen Moment wartete, in dem er mir so viel Lust bereitete, dass ich mehr nicht ertragen konnte. Er wollte sich einprägen, wie ich aussah, wenn er mich zum Orgasmus brachte, wenn er mich in Verlangen und Sehnsucht vergehen ließ. Er wollte wissen, dass er der Einzige war, der mich so aussehen lassen konnte, und ich brauchte es ihm nicht zu sagen, denn mein ganzer Körper bezeugte diese Tatsache.

Ich warf den Kopf von einer Seite auf die andere. Meine Oberschenkel pressten sich wie ein Schraubstock um seine Seiten. Meine Finger kratzten zornige Linien der Leidenschaft auf seinen Rücken. Meine Lippen schrien seinen Namen, wieder und wieder. Mein Innerstes schmolz und wurde geflutet von Befriedigung. Meine Brustwarzen wurden so hart, dass sie sich in seinen Oberkörper bohrten. Meine Wangen wurden heiß und erfüllt von einer Röte, von der ich wusste, dass sie sich Stunden halten würde. Und das alles konnte er sehen, konnte er fühlen. Das alles war der Beweis, dass wir zusammen Momente geschaffen hatten, denen es bestimmt war, von Dauer zu sein. Das einzige Geheimnis, das ich hatte, das einzige, das seine lustverhangenen Augen nicht sehen konnten, war das Zersplittern meiner Seele und meines Herzens. Ich wollte nicht nur diesen Moment … ich wollte alle Momente, und ich wollte sie mit ihm.

Sobald meine Muskeln sich um ihn herumkrampften, sobald er beobachtete, wie ich über die Klippe der Ekstase fiel, zu der er mich hingestoßen hatte, spürte ich, wie er losließ. Seine Stöße verloren ihren berechnenden Rhythmus. Er hämmerte in mich hinein und jagte seinem eigenen Moment nach, seiner eigenen Erlösung, und er brauchte nicht sehr weit zu laufen. Seine Beine verkrampften sich und sein Rücken verhärtete sich unter meinen Beinen, die ihn umschlangen. Er ächzte meinen Namen mit gepresster Stimme, dann ließ er den Kopf nach vorn fallen. Seine Nase vergrub sich in der Kuhle meines Halses, und er biss zärtlich in die Wölbung meines Schlüsselbeins.

Er füllte mich auf eine andere Weise aus, und ich nahm alles in mich auf. Bei dem heftigen Rausch von Verlangen schwirrte mir der Kopf, und die Reglosigkeit, mit der er über mir lag, nachdem er sich verausgabt hatte, wühlte mich innerlich auf. Ich wollte nicht gehen, aber ich konnte auch nicht bleiben.

»Der beste Abschied aller Zeiten.« Ich flüsterte ihm die Worte ins Ohr und spürte sein Seufzen an meinem Hals.

Er hob den Kopf, die Augen unendlich dunkel und undeutbar. »Der Abschied zählt nicht. Es ist alles, was davor war, was wichtig ist. Mit der Zeit werde ich das Lebewohl vergessen … Alles andere aber …«

Seine Worte verloren sich, und ich wollte ihm sagen, dass ich mich ebenfalls an alles erinnern würde, aber ich bekam die Worte nicht heraus. Ich war gierig. Ich wollte mehr als Erinnerungen.

Ich strich ihm mit einer Hand übers Gesicht, ließ seine Barthaare meine Finger kitzeln und zeichnete die silbernen Strähnchen nach, die ihn so distinguiert und gleichzeitig herb aussehen ließen. Ich spürte, wie meine Mundwinkel zu einem Grinsen emporzuckten, ähnlich dem, das er mir für gewöhnlich schenkte, und ich zog die Brauen hoch. »Also, wegen dieser Sache, die du gesagt hast, dass ich mich auf dein Gesicht setzen soll …« Ich stieß einen spitzen

Schrei aus, als er uns mit einem Lachen, das sich schnell in ein Knurren verwandelte, herumrollte.

Sag, was du meinst … Ich wollte ihm offenbaren, dass ich mir ziemlich sicher war, ihn lieben zu können und – was vielleicht noch wichtiger war – mich von ihm lieben zu lassen. Aber ich behielt die Worte für mich, denn er würde hören, dass ich sie ernst meinte, und ich hätte es furchtbar gefunden, wenn er etwas Ähnliches erwidert hätte. Es hätte den Abschied noch schwerer gemacht, als er ohnehin sein würde.

Kapitel 20

Keine Zeit zu verschwenden

Ich dachte, dass mein Leben, sobald ich wieder in der Bay Area war, seinen vertrauten eingeschliffenen Rhythmus zurückerlangen würde, den ich jahrelang wie eine Schlafwandlerin durchlebt hatte. Es war das, was ich kannte. Es waren Gewohnheiten und Routinen. Ich dachte, ich würde in der Lage sein, die Sehnsucht zu begraben, die mich verschlang, sobald ich ins Flugzeug stieg und in meinen Alltag zurückkehrte. Dass alles in mir, das nach der Wildnis und nach Cyrus Warner verlangte, von den Geräuschen der Stadt und dem Tamtam, mit dem ich mich abzulenken pflegte, übertönt würden.

Ich irrte mich. Ich irrte mich so sehr.

Sobald klar wurde, dass Em auf keinen Fall allein gelassen werden konnte, landete ich im Chaos. Sie war teilnahmslos, schreckhaft und benahm sich wie ein Schatten ihres früheren Ichs. Sie wollte nicht mit ihrer Familie reden. Sie weigerte sich, wieder zu arbeiten, selbst nachdem die Verbände von ihrem Gesicht entfernt und die Fäden gezogen worden waren. Sie isolierte sich vom Rest ihres gesellschaftlichen Kreises und verschanzte sich in meinem Gästezimmer. Sie kam nur heraus, wenn ich sie dazu zwang oder wenn ich eine Nachricht von Cy erhielt, die uns auf den neuesten Stand brachte, was Suttons Zustand betraf.

Sie schien für diese Momente zu leben. Wann immer Neuigkeiten per E-Mail oder eine kurze Textnachricht kamen, verlor ihr Gesicht etwas von Teilnahmslosigkeit, die es sonst überzog. Es waren die einzigen Momente, in denen ich in ihrem dumpfen Blick einen Schimmer von Leben aufblitzen sah.

Mit Sutton ging es bergauf. Die Fortschritte vollzogen sich langsam, quälend langsam, da es während der Operation, bei der die Kugel entfernt worden war, Komplikationen gegeben hatte. Cy äußerte sich nicht eingehend darüber, aber die Quintessenz war, dass sein Bruder motorische Probleme hatte und weit davon entfernt war, aus dem Krankenhaus entlassen werden zu können. Es ließ sich in diesem Stadium nicht vorhersagen, wie dauerhaft irgendwelche der Schäden sein würden, daher versuchten alle, Suttons Einstellung positiv zu beeinflussen. Es war nicht überraschend, dass der mürrische Cowboy sich jedes Mal störrisch widersetzte. Cys Nachrichten waren niemals lang, kamen immer gleich zur Sache und waren ohne jeden persönlichen Touch. So glücklich sie Em machten, auf mich hatten sie den gegenteiligen Effekt.

Jedes Mal, wenn ich eine Nachricht öffnete, hatte ich das Gefühl eines Messers im Herzen. Ich wusste, dass er nicht schreiben würde, dass er mich vermisste, und ich wusste, dass ich nichts anderes tun konnte, als genauso förmlich zu antworten.

Es tat weh, ihm nicht zu sagen, dass ich mich fühlte, als würde ich ohne ihn sterben. Ich mochte ein unvollständiges Leben gelebt haben, bevor mir mit Gewalt die Augen geöffnet worden waren, aber das verblasste im

Vergleich zu einem Leben, in dem ich mich nur als halber Mensch fühlte. Ich schwor, dass mehr als die Hälfte meiner Seele und alles, was sie ausmachte, hoch oben im Hinterland von Wyoming zurückgeblieben waren. Ich hatte sie in den Händen eines unfassbaren Mannes gelassen, und mein Herz sagte mir, dass es ihm gehörte. Das Ganze war unvernünftig, was mich auf den Gedanken brachte, dass es Liebe sein müsse oder etwas, das ihr beängstigend nahe kam.

Als ob es nicht schon ein Vollzeitjob gewesen wäre, mich um Emrys' emotionalen Zustand zu kümmern, musste ich ein paar Tage nach meiner Rückkehr wieder in meinen tatsächlichen Job zurückkehren. Ich hatte keinen Urlaub mehr und musste die letzten Tage, an denen ich krankgeschrieben war, dazu nutzen, Emrys in meiner Wohnung einzuquartieren und sie so lange zu bearbeiten, bis sie zum Arzt ging. Ich wollte sie zu einem Spezialisten bringen – wegen der Narben in ihrem Gesicht und auf ihrer Brust –, aber sie lehnte es kategorisch ab. Oft ertappte ich sie dabei, wie sie sich im Badezimmerspiegel anstarrte und ihr die Tränen übers Gesicht rannen, das jetzt alles andere als perfekt war. Sie sprach nie darüber, und ich bedrängte sie nicht. Ich hatte Angst, dass sie zu fragil dafür war, und keine Ahnung, ob ich die notwendigen Fähigkeiten besaß, sie wieder aufzurichten. Ich wusste, dass sie professionelle Hilfe brauchen würde, also verbrachte ich zwischen der Arbeit, der Abwehr besorgter Anrufe von Emrys' Eltern und dem emotionalen Strudel daheim meine Zeit damit, Nachforschungen über Traumatherapeuten sowohl in der Bay Area als auch in Wyoming anzustellen. Ich tauchte nicht zu tief in die Frage ein, warum ich mich genötigt fühlte, an beiden Orten zu suchen, aber so oder so war ich bewaffnet mit den Namen der bestqualifizierten Profis, wenn sie bereit war, diesen Schritt zu tun.

Ich wusste nicht, wie es sein würde, mich wieder der Frau meines Ex-Freundes zu stellen. Früher hatte ich mir solche Sorgen darüber gemacht, welche Auswirkungen die Wahrheit auf meine Karriere und meinen Ruf haben würde. Die Verzögerung beeinflusste nun mein Gewissen und meine Integrität. Mir blieben immer noch einige Wochen, während derer ich für ihre Firma arbeiten würde, und die Dinge liefen so gut, dass sie mir gewiss ein Angebot machen würde, die Arbeit fortzusetzen, die mein Team für sie verrichtete. Wann immer ich in ihr Büro ging und ihr gegenübersaß, lächelte mir das Foto ihrer glücklichen Familie entgegen und verhöhnte mich. Bedauern und Reue lagen mir zunehmend wie ein Stein im Magen. Ich wusste ohne jeden Zweifel, dass gefeuert zu werden gewiss nicht das Schlimmste war, was mir in diesem Leben zustoßen konnte. Man brauchte nur einen Blick auf die zerstörte Frau zu werfen, die mein Zuhause als Zuflucht benutzte, um das zu erkennen. Ich wusste auch, dass es, wie immer meine Aussprache mit Chris' Frau verlief, nicht so schlimm schmerzen oder solch verheerende Folgen haben konnte, wie es geschmerzt hatte, Cy zu verlassen.

Ich wartete auf einen Tag, an dem wir beide bis spät in den Abend arbeiteten. Ich wusste, dass das Gespräch unerfreulich verlaufen würde und dass es sehr gut damit enden konnte, dass ich meine Kündigung bekam, daher wollte ich keine Zeugen oder eine Szene. Ich übte den ganzen Tag, was ich sagen wollte. Ich ging es im Kopf tausendmal durch und bereitete mich sogar darauf vor, dass es sehr hässlich werden könnte. Ich würde ihr erlauben, mich zu schlagen, wenn sie das brauchte. Das war nur fair, aber sie würde nur einmal zuschlagen dürfen. Den Rest ihrer Wut würde sie mit nach Hause zu ihrem ehebrecherischen Mann nehmen müssen.

Als ich sie fragte, ob sie eine Minute Zeit hätte, lächelte sie mich an, und ich fühlte mich prompt wie Schleim. Sie war schlau. Sie war erfolgreich. Sie war hübsch und sie war nett. Der Kosmetikvertrag war bisher einer meiner liebsten gewesen, und alles in mir krampfte sich zusammen bei dem Wissen, dass ich eine Rolle dabei gespielt hatte, sie zu täuschen. Auch ohne eine Ahnung davon gehabt zu haben.

»Ich wollte auch mit Ihnen reden, Leora.« Bei der Benutzung meines vollen Namens durchzuckte mich ein Stich. Ich war so daran gewöhnt, Leo zu sein, die kleine Löwin, dass ich vergaß, dass ein anderes Ich überhaupt existierte.

Ich wollte mich nicht setzen, weil dies sich wie ein Gespräch anfühlte, das man im Stehen führen sollte, aber ich nahm trotzdem Platz und schlug die Beine übereinander. Ich faltete die Hände so fest, dass meine Nägel sich schmerzhaft tief in meine Haut bohrten.

»Wegen des Vertrags?« Ich wollte nicht, dass sie mir eine unglaubliche Chance anbot, unmittelbar bevor ich die Welt um sie herum einstürzen lassen würde. Das kam mir weder fair noch richtig vor.

Sie nickte mir zu und legte die Hände aneinander, sodass ihre manikürten Finger vor ihren säuberlich geschminkten Lippen schwebten. »Ja, ich wollte mit Ihnen über den Vertrag sprechen und Ihnen mitteilen, dass ich, wenn wir ihn tatsächlich verlängern, gern hätte, dass Sie das Team leiten. Sie haben hier großartige Arbeit geleistet, und ich will Sie an Bord behalten.«

Ich öffnete den Mund, um einzuwerfen, dass ich etwas Wichtiges zu sagen hätte, als sie eine Hand hob und eine perfekt gezupfte Braue hochzog. »Ich muss eines wissen, bevor ich den neuen Vertrag an unsere Chefs weiterleite, nämlich dass ihre persönliche Beziehung zu meinem Mann kein Thema sein wird. Ich brauche Sie als enge Mitarbeiterin, wenn wir mit der Marke expandieren und einen Blick auf den globalen Markt werfen wollen. Ich kann nicht dulden, dass Ihr Privatleben sich mit Ihrem beruflichen vermischt. Ich habe Ihnen während der vergangenen Monate Ihre Zögerlichkeit durchgehen lassen, weil klar ist, dass Sie in Ihrem Job genial sind, aber wenn wir weitermachen, müssen Sie das unter den Teppich kehren und eine tapfere Miene aufsetzen.«

Mir klappte der Unterkiefer herunter, als wäre ich eine Schlange, die gerade ein Kaninchen im Ganzen herunterwürgen musste. Ich hörte meinen Atem keuchend meiner Lunge entweichen und war mir ziemlich sicher, dass ich kurz das Bewusstsein verloren hatte, denn als ich den Blick erneut auf sie richtete, sah sie ungeduldig und verärgert aus, nicht am Boden zerstört oder so, als hätte ich ihr gerade das Herz gebrochen.

»Ich … wir … Sie …« Die Worte waren ein Schnaufen,

als ich mir an die Kehle griff und mich zwang, mich zu konzentrieren und zu beruhigen. »Wie lange wissen Sie schon, dass ich eine Affäre mit Ihrem Mann hatte?«

Sie wedelte mit einer Hand vor ihrem Gesicht herum und verdrehte die Augen, als sei das eine überaus dumme Frage. »Chris ist hübsch anzusehen, tut im Bett seinen Job und ist ein passabler Vater. Er ist weder ein Atomwissenschaftler noch ist er eine Herausforderung. Er protzt nicht mit seinen Affären, aber er verbirgt sie auch nicht.« Ihre andere Braue zuckte nun ebenfalls in die Höhe. »Ich war immer die Brotverdienerin und diejenige mit Elan und Ambition, und er hat mich in allem unterstützt, was ich getan habe. Ich wollte ein Imperium, er wollte, dass ihm jemand seinen Schwanz lutschte. Als ich dazu nicht bereit war, hat er sich jemand anderen gesucht. Solange er seine Freundinnen nicht in die Nähe meiner Kinder bringt oder sie den Leuten vorzeigt, mit denen ich Geschäfte mache, lasse ich ihm seinen Spaß. Und ehrlich: Ich habe auch meinen.« Sie beugte sich ein wenig auf ihrem Stuhl vor und sah mir fest in die Augen. »Sie waren die erste Frau, bei der ich mir tatsächlich Sorgen gemacht habe. Ich wusste, dass ich Ihre speziellen Fähigkeiten benötige, aber da Sie auf Chris hereingefallen sind, musste ich mich fragen, wie klug und engagiert Sie wirklich sind.«

Sie grinste mich an, und obwohl ich dachte, sie würde boshaft und unangenehm werden, schien es tatsächlich ihr typisches, freundliches Lächeln zu sein. Ich war so verwirrt, dass mir ein wenig übel wurde. Ich überlegte, ob sie genauso nett zu mir sein würde, wenn ich mich auf ihren

Boden erbrach, wie sie es aufgenommen hatte, dass ihr Ehemann mich gevögelt hatte.

»Sie haben Chris einen Tritt verpasst, sobald sie das Foto auf meinem Schreibtisch gesehen hatten. Ich stelle Ihren Geschmack in puncto Männern nach wie vor infrage, aber nicht Ihre Integrität. Ich denke, Ihre Schuldgefühle haben Sie nur umso härter arbeiten lassen.«

Ich beugte mich auf dem Stuhl vor und bettete die Stirn auf das Knie, das bei meinen übereinandergeschlagenen Beinen oben war. »Wann immer ich Sie gesehen habe, habe ich mich gefühlt, als würde mich Säure bei lebendigem Leib von innen auffressen. Ich wollte Ihnen sagen, was passiert war, aber ich hatte solche Angst. Sie haben die ganze Zeit über Bescheid gewusst und nie ein Wort darüber verloren.«

Sie schnaubte leise. »Nicht ich bin diejenige, die die Affäre hatte. Ich war nicht dazu verpflichtet, Ihnen das Leben zu erleichtern oder dafür zu sorgen, dass Sie mit Ihrem Betrug leichter leben konnten.«

Sie hatte recht. Sie schuldete mir nichts, aber mir gefiel nicht, wie sie meine Gewissensbisse ausgenutzt hatte, um mich zu einer Schachfigur zu machen, die sie benutzen konnte, wie es ihr in den Kram passte.

»Er hat es mir so leicht gemacht.« Ich erstickte fast an den Worten, als in meinem Kopf aufblitzte, wie schwer Cy es mir machte. Er würde sich nicht anpassen, es sei denn, ich sorgte dafür. Im Moment war ein so großes Loch in mir, dass ich ihn brauchte, um es zu füllen, damit ich überhaupt irgendetwas verstehen konnte. Ein halbes Leben vor ihm, gar kein Leben ohne ihn – oder zumindest keines, das ich wollte.

Sie warf mir einen mitfühlenden Blick zu, und mir kam die Galle hoch. Ich tat ihr leid … dass ich so töricht gewesen war, auf jemand so Simplen wie ihren Ehemann hereinzufallen. Ich wollte ihr Mitleid nicht und wusste tief in mir, dass ich nicht für oder mit jemandem tätig sein wollte, für den es okay war, die Gefühle einer anderen Person für sich arbeiten zu lassen.

»Genau das hat er getan. Deshalb sind wir überhaupt so lange zusammengeblieben. Er machte es mir leicht, mein Leben um ihn herum zu leben. Aber jetzt zu dieser Vertragsverlängerung …«

Sage, was du meinst, und meine, was du sagst. Ich stand auf und sah sie kopfschüttelnd an. »Ich kann keine Vertragsverlängerung unterzeichnen. Ich beende mit Freuden den, zu dem ich mich bereits verpflichtet habe, aber ich will ihn sicher nicht verlängert haben.«

Sie musterte mich stirnrunzelnd und wirkte ehrlich verwirrt. »Geht es darum, dass Sie nicht für eine Frau arbeiten wollen, von der Sie wissen, dass sie über Sie und den Mann in Ihrem Bett Bescheid weiß?«

Wieder schüttelte ich den Kopf und spürte, wie ein Lächeln sich andeutete, so eines wie das angedeutete Lächeln von Cy. »Nein. Es geht darum, dass ich den Lärm satthabe. Ich will nicht Menschen mit cleveren Worten und Hochglanzbildern dazu verleiten, Geld für Dinge auszugeben, die sie nicht brauchen. Ich will nicht leicht und unkompliziert verführen und verführt werden.« Ich trat einen Schritt auf die Tür zu und sah die Frau gelassen an. »Ich will von vornherein wissen, womit ich es zu tun habe, denn Sie können in jeder Silbe, die gesprochen wurde, die Wahrheit läuten hören. Ich will es kompliziert und problematisch. Ich will wieder auf ein Pferd steigen, und zwar jedes Mal, wenn es mich abwirft, und ich will keine Angst haben, verletzt zu werden, denn ...« Ich trat noch einen Schritt auf die Tür zu, und mein Herz hämmerte gegen meine Rippen, während Entschlossenheit wie Feuer in meinem Blut brannte. Alles, was in meiner Vergangenheit passiert war, würde nachklingen, aber ich konnte dafür sorgen, dass das, was nach meinem Abschied davon geschehen war, die wichtigste Entscheidung in meinem Leben sein würde. »Ich will ausnahmsweise einmal in meinem Leben glücklich sein, und ich will es ernst meinen, wenn ich sage, dass ich glücklich bin. Ich bin nicht nur fertig mit Ihrer Firma, sobald mein Vertrag ausläuft, ich bin fertig mit diesem halben Leben.« Es war an mir, sie mit hochgezogenen Brauen zu mustern, bevor ich eine Hand auf die Klinke legte und die Tür öffnete. »Was nutzt Ihnen ein Imperium, wenn Sie die Einzige sind, die alles zu schätzen weiß, wofür Sie so hart gearbeitet haben?«

Sie stieß abermals ein spöttisches Lachen aus, aber ich spürte, dass sie mehr als irritiert war. Sie war jetzt tatsächlich zornig. Ich wollte ihr sagen, dass sie ein viel besseres Leben haben könne, wenn sie sich um ihre Ehe sorgte, statt um ihr Geschäft. Aber es war nicht mein Job, ihre Beziehung zu retten, nicht, wenn sie diejenige war, die den Betrug überhaupt erst zugelassen hatte.

»Ein schlechter Geschmack in puncto Männern und ein schlechter Geschäftssinn. Glauben Sie ja nicht, dass ich Ihren Chefs nichts von Ihrem unprofessionellen Benehmen sagen werde und von Ihrer Weigerung, weiter für meine Firma zu arbeiten. Sie werden nicht glücklich werden.«

Ich zuckte die Achseln und versuchte bereits herauszufinden, was ich mit Em und dem Mietvertrag für meine Wohnung machen sollte, statt mich um den Zustand meiner früheren Karriere zu sorgen. »Das einzige Glück, das mich interessiert, ist mein eigenes.« Und das Glück eines gewissen nicht ganz echten Cowboys, aber das brauchte sie nicht zu wissen. Sie würde die Herausforderung nicht schätzen und verdiente nicht zu erfahren, dass mein Männergeschmack sich gewaltig verbessert hatte.

Ich schloss die Tür, obwohl sie immer noch mit mir sprach, und konnte nichts gegen das Grinsen tun, das auf meinen Lippen lag, während ich in meine Wohnung zurückkehrte.

Ich riss die Tür mit mehr Schwung auf als nötig und rief aus Leibeskräften Ems Namen. Sie reagierte nicht, was nichts Neues war, daher ging ich ins Gästezimmer, um ihr mitzuteilen, dass ich meinen Job kündigen und das größte Risiko aller Zeiten wagen würde. Ich dachte, sie würde sich für mich freuen. Ich dachte, sie würde meine Entscheidung unterstützen. Ich dachte, sie würde mich vielleicht sogar umarmen und ihr hübsches Lächeln auf ihr frisch vernarbtes Gesicht zurückkehren lassen. Ich dachte, sie würde zu einer Kugel zusammengerollt unter der Decke auf dem Bett liegen, wie immer, seit wir nach Hause gekommen waren.

Ich hatte falsch gedacht.

Der Raum war leer. Das Bad war leer, und nirgendwo in meinem Haus war ein Zeichen von ihr zu finden. Zuerst geriet ich in Panik und rief sie nicht weniger als zwanzig Mal hintereinander auf ihrem Handy an. Jeder Anruf wurde auf den Anrufbeantworter umgeleitet, und als ich ihre Eltern anrief, waren sie genauso ratlos und verwirrt wie ich. Ich lief durch die Wohnung auf der Suche nach irgendetwas, das mir einen Hinweis darauf liefern würde, wohin sie gegangen war, als mein Handy klingelte. Ich wollte den Anruf in meinem hektischen Zustand nicht entgegennehmen, aber es war die Nummer meiner Großmutter, und auf keinen Fall konnte ich sie ignorieren, nachdem wir so lange nichts voneinander gehört hatten.

»Hey, Gram. Das ist im Moment kein guter Zeitpunkt, kann ich dich ein wenig später zurückrufen?« Ich wollte mich bei der Polizei melden und eine Vermisstenanzeige aufgeben. Ich wollte Grady und Wyatt anrufen und feststellen, ob sie irgendeine Möglichkeit hatten, sie aufzuspüren. Okay, das war vielleicht ein klein wenig irrational, aber ich war verzweifelt und wollte nur meine Freundin wiederfinden.

»Leo, du musst mir eine Minute zuhören.« Sie schlug diesen Ton bei mir nur an, wenn ich in Schwierigkeiten steckte oder wenn etwas Schlimmes passiert war. Gewöhnlich hatten diese beiden Möglichkeiten mit einer einzigen Person zu tun, und ich war mehr als fertig mit ihr und damit, wie sie mich fallen gelassen hatte. Ich hatte mehr Liebe in mir, als ich zu verteilen wusste. Ich vermisste ihre Liebe nicht mehr.

Ich stöhnte und fuhr mir mit einer Hand durchs Haar. »Gram, wenn es etwas mit Mom zu tun hat, ist es mir egal.«

»Es geht nicht um deine Mutter, Liebes, es geht um Emrys.«

Ich hörte auf, die Schubladen in dem Raum zu durchwühlen, der jetzt leer war, und schaute zu dem Spiegel auf, vor dem meine beste Freundin stundenlang geweint hatte. Ich wusste nicht, was sie sah, wenn sie sich im Spiegel betrachtete, aber ich sah nur dieselbe zauberhafte, warmherzige, wunderbare Freundin, die mich über Wasser gehalten hatte, als ich unterzugehen drohte. Ihr Äußeres hatte sich verändert und vielleicht auch ihr Inneres, aber sie war nach wie vor aus demselben Holz geschnitzt, das sie zu meiner Lieblingsperson auf der ganzen Welt machte.

»Was ist mit Em?« Ich flüsterte die Worte und wandte mich um, als ich ein Klopfen an meiner Wohnungstür hörte. Da ich dachte, dass es vielleicht die Frau war, von der wir sprachen, rappelte ich mich nicht besonders anmutig hoch und rannte ins Wohnzimmer.

»Sie hat mich heute angerufen und mir erzählt, du hättest einen Mann kennengelernt. Sie hat gesagt, dieser sei ganz anders als der letzte. Sie hat mir erzählt, dass du nicht zu ihm gehen würdest, solange du das Gefühl hättest, du müsstest bleiben und dich um sie kümmern. Daher hat sie mich gefragt, ob es in Ordnung wäre, wenn sie für ein Weilchen bei mir wohnen würde.« Meine Großmutter seufzte. »Ich habe gefragt, warum sie nicht zu ihren Eltern könne, und sie hat mir gesagt, ich würde es verstehen, sobald ich sie sah.«

Ein weiterer Seufzer, dieser war tief und traurig. Das Hämmern an der Wohnungstür wurde lauter und ungeduldiger, und ich fragte mich, ob Chris' Frau ihre Meinung geändert hatte und mich doch noch schlagen wollte.

»Ihr armes Gesicht. Das Mädchen braucht Ruhe, und sie braucht jemanden zum Reden.«

Ich ging um die Couch herum, nahm die Kette von der Tür und schob den Riegel zurück, ohne durch das Guckloch zu schauen. Dies war die Stadt, nicht der Wilde Westen, daher wusste ich, dass es töricht war, aber ich war abgelenkt und besorgt. »Gram, hat sie dir erzählt, was passiert ist?«

»Nein, nicht alles, aber ich entnehme ihren Worten, dass auch sie einen Mann kennengelernt hat. Ihre Augen sind so traurig, Leo. Sie braucht Zeit.«

Ich schniefte ein wenig und kämpfte gegen die drohenden Tränen an. »Ich habe mich um sie gekümmert. Ich wollte ihr helfen.« Ich hatte das Gefühl, das sei mein Job, mein richtiger Job, einer, dem ich nicht den Rücken kehren würde, bis er erledigt war.

»Ich weiß, Schätzchen, aber sie macht sich Sorgen, dass du dich auf sie konzentrieren und dich selbst vergessen wirst. Ich liebe Emrys, als wäre sie ein Teil meiner Familie. Ich werde mich um deine Freundin kümmern, während du dich um dich kümmerst. Und dann kannst du kommen und sie holen und mitnehmen, und ihr könnt euch umeinander kümmern. Im Moment braucht sie Raum, Leo. Sie leidet, und sie weiß nicht, wie sie mit diesem Leid umgehen soll. Das kannst du bestimmt verstehen.«

In ihrem Ton lag ein trockener Humor, bei dem ich die Lippen verzog.

»Was immer passiert ist, ich weiß, dass du für sie da warst. Im Moment bist du mit dieser Erinnerung verknüpft, und so gern du ihr helfen möchtest, machst du die Dinge vielleicht noch schlimmer.«

Ich fand es schrecklich, aber meine Großmutter war nie der Typ gewesen, der um den heißen Brei herumredete. Wenn Em Zeit für sich brauchte, würde ich ihr jede Menge davon geben.

»Ich passe auf mich auf, Gram.« Ich öffnete die Tür, bereit, eine Erklärung für den ganzen Lärm zu fordern, und alles in mir, das kalt und träge gewesen war, erwachte mit neuem Feuer zum Leben.

Auf meiner Türschwelle stand der Cowboy, auf den ich die ganze Zeit gewartet hatte.

Enge, verblichene Blue Jeans, die von einem Gürtel mit einer Schnalle vom Umfang meines Kopfes zusammengehalten wurden – in der Mitte dieser attraktiven, muskulösen Taille. Eine breite Brust bedeckt mit einem gut sitzenden karierten Hemd mit Perlmuttknöpfen und schwarzen Paspeln. Die Cowboystiefel an seinen Füßen sahen genauso neu aus wie die, die ich bei unserer letzten Begegnung getragen hatte, aber der schwarze Stetson auf seinem dunklen Haar war ein Hut, den ich liebte und der ihm unglaublich gut stand. Er trug keine Lederchaps und hatte sich einen Bart wachsen lassen, der jetzt zu einem perfekt gepflegten Ziegenbärtchen gestutzt war. Er war ein wahr gewordener Traum vom Wilden Westen, und ich hatte ihn so sehr vermisst, dass ich kein Wort herausbrachte. Wir sahen einander lange in verzücktem Schweigen an, bis ich die Stimme meiner Grandma durchs Telefon kreischen und mich fragen hörte, ob ich noch am Apparat sei.

Wie ein Roboter drückte ich mir das Telefon ans Ohr und sagte meiner Granny, dass ich sie zurückrufen würde. Ich schaute nicht hin, wo es landete, als ich das Ding über meine Schulter warf und nach dem Hemd des großen, grüblerischen Mannes vor mir griff.

Es waren nur ein paar Wochen gewesen, aber es hatte sich angefühlt wie eine Ewigkeit. Zeit hatte keine Bedeutung, was diesen Mann und meine Gefühle für ihn betraf. Ich hatte es für unmöglich gehalten, mich innerhalb einiger weniger Tage zu verlieben, aber ich hatte mich geirrt. Ich hätte auch nie gedacht, dass es möglich war, mich in jemanden zu verlieben, der hart war, der eine Herausforderung darstellte, der mich zwang, damit zu leben, statt es zu umgehen. Ich hatte mich auch in diesem Punkt geirrt. Mir gefiel die Arbeit, die Cy machte, und mir gefiel die Arbeit, die er in mich investieren musste. Ich wusste, dass es nur Stunden gedauert hatte, dass ich mein Herz an ihn verloren hatte, und bloß Minuten, um zu begreifen, dass ich ihn nicht vergessen konnte. Es gab keine einfache Lösung für die Frage, wie wir mit dem, was zwischen uns war, leben könnten, daher machte ich mir nicht die Mühe, die Frage zu stellen.

Stattdessen drückte ich meinen Mund auf seinen, während seine Hände mich um die Taille fassten, sobald er die Tür hinter sich zugeschlagen hatte. Ich brauchte keine Worte, um ihm zu sagen, wie sehr ich ihn vermisst hatte, weil mein Kuss und meine gierigen Hände meine

Gefühle für mich übermittelten. Ich brauchte auch nicht zu hören, warum er hier war und dass er, seit ich fort war, das Gefühl hatte, in seinem Leben würde etwas fehlen. Er drückte mich gegen die Tür und hielt mein Gesicht ganz fest, als sei ich etwas Kostbares und Unersetzliches. Dies war kein Begrüßungskuss, dies war ein Kuss, der unser Schicksal besiegelte. Dies war ein Kuss, der die fehlenden Stücke ausfüllte und Versprechen gab, die wir mit Sicherheit halten würden. Dies war ein Kuss, der mein Herz Funken des Glücks und der Erleichterung sprühen ließ.

Er biss in meine Unterlippe, und ich wimmerte. Er knurrte dicht an meinen Lippen, senkte die Hände auf meine Oberschenkel herab, und seine rauen Finger fanden mühelos ihren Weg unter den Saum meines langweiligen Arbeitsrocks. Ich sah besser aus in den engen Jeans, in denen er mich bisher gesehen hatte, aber der wenig bemerkenswerte graubraune Rock machte es ihm jedenfalls leichter, mit seinen gierigen Händen an ihm vorbeizukommen. Sein Becken drückte sich gegen meins, und er hob meine Beine um seine Taille, sodass wir uns so intim aneinanderpressen konnten, wie es nur möglich war, ohne tatsächlich Sex zu haben.

Ich sah ihn mit einer hochgezogenen Braue an, denn seine Zurschaustellung von Stärke war beeindruckend, aber unnötig. Ich war bereits wie gebannt von ihm und wollte ihn auf eine Weise, die gleichzeitig schmerzhaft und heilend war. Und ich hatte keine Probleme damit, ihm Zugang zu jedem Teil von mir zu gewähren, den er berühren wollte. Der Nebel, der seinen Blick getrübt hatte, hatte sich gehoben, die Wolken waren abgezogen und entblößten ein wunderschönes Grau. Diese Klarheit, dieses Licht im Dunkeln, das hindurchschien, sagte mir mehr, als alle Worte es vermocht hätten, warum er auf meiner Türschwelle erschienen war. Er hatte nur noch ein halbes Herz zu geben, und er wollte, dass ich es bekam.

Ich brachte ihn zum Lächeln.

Ich machte ihn glücklich.

Ich war sein Sonnenschein und Sturm.

Er neigte seinen Kopf, bis wir Stirn an Stirn waren, während seine hektischen Atemzüge über meine feuchten, geschwollenen Lippen strichen. Auge in Auge, Herz an Herz, Hitze an Hitze, alles von uns schmiegte sich ineinander. Da waren keine fehlenden Stücke mehr, denn zusammen waren wir ein Ganzes.

Ich ließ die Arme sinken, die ich ihm um die Schultern gelegt hatte, um nach seinem Hemd zu greifen. Dann öffnete ich es mit beiden Händen und war enttäuscht, dass die Druckknöpfe mühelos aufsprangen, statt durch die Luft zu fliegen. Seine Haut war glühend heiß unter meinen Fingern, und sein Herz raste.

Mit der Nasenspitze zeichnete er die Umrisse meines Kinns nach, dann ließ er sie unter mein Ohr wandern, während er winzige süße Küsse überall dorthin verteilte, wo mein Puls für ihn hämmerte. Die Krempe seines Stetsons verdeckte sein Gesicht und seine Züge, als er den Kopf senkte, und so sehr es mir gefiel, wie er darin aussah, gefiel mir die Art, wie er mich anschaute, noch mehr. Ich stieß den Hut mit dem Handrücken von seinem Kopf und bedauerte nichts, als ich seine Augen auflodern sah und er die Zähne zusammenbiss, während ich ihm die Beine um die Taille schlang, um ihn voranzudrängen.

Die Finger einer seiner Hände gruben sich hart in meine Hüfte, während die andere Hand unter die elastische Spitze schlüpfte, um bis ins Zentrum meines Verlangens vorzudringen. Meine Vagina war genauso glücklich wie der Rest von mir, ihn zu begrüßen, und es ließ sich nicht verbergen. Der Stoff zwischen meinen Beinen war bereits durchnässt, als er mit den Fingern durch die Feuchtigkeit fuhr und mein sehr bedürftiges Geschlecht neckte.

Ich flüsterte seinen Namen mit einem erstickten Keuchen, als er endlich an meiner Klitoris rieb. Mein Körper vibrierte bei der kurzen Berührung, und das ganze Verlangen, das während der letzten paar Wochen aufgestaut worden war, überkam mich. Ich legte ihm den Daumen unters Kinn und zwang seinen Kopf hoch, damit ich seine Lippen mit meinen versiegeln konnte.

Ich hatte es vermisst, wie er schmeckte.

Ich hatte es vermisst, wie er mich liebkoste.

Ich hatte vermisst, wie er sich an mich gedrückt anfühlte, und ich hatte das Gefühl vermisst, als könnte ich die ganze Welt erobern, wenn ich der Grund war, warum er seufzte und zitterte – und das nur durch eine flüchtige Berührung meiner Zunge und ein Knabbern meiner Zähne.

Er zog die Seidenbluse, die ich bei der Arbeit unter meinem Blazer getragen hatte, aus dem Rock. Da ich diese Bluse wirklich gern mochte und sie in Zukunft weiter tragen wollte, lehnte ich mich zurück, sodass meine Schultern sich gegen die Tür drückten, und ich zog den teuren

Stoff über meinen Kopf. Die Körbchen meines Spitzen-BHs wurden sofort nach oben gezogen, sodass mein Busen ein wenig auf und ab hüpfte. Er grinste und sah aus wie ein Wolf, der seine Beute erspäht hatte. Es machte mir nichts aus, sein Opfer zu sein, solange ich ebenfalls etwas zu essen bekam.

Ich schloss eine Hand um seinen Hals, sodass die daraus hervortretende Ader unter meinen Fingern pochte. Währenddessen kämpfte ich mit der anderen Hand mit dieser gewaltigen Gürtelschnalle, die mich schnell verärgerte. Sie sah cool aus, aber sie wog eine Tonne, und als ich endlich herausgefunden hatte, wie sie sich öffnen ließ, schlug sie so hart gegen mein Bein, dass es wehtat. Ich funkelte ihn an, doch seine Augen waren auf meine Brustwarzen gerichtet, die sich für ihn zusammenzogen und aufgerichtet hatten. Sie bettelten um seinen Mund. Sie flehten um seine Zunge. Er verschwendete keine Zeit, hob mich ein wenig hoch und senkte den Kopf nur um einen Millimeter, sodass er eine vor Sehnsucht harte Knospe in den Mund nehmen konnte. Die Hitze umschloss sie, und Flammen züngelten an mir. Ich wurde noch feuchter, und er musste beschlossen haben, die Zeit sei reif, das Spiel zu beenden.

Seine Zähne kratzten über meine erregte Brustwarze. Sein Bart schürfte meine Haut leicht auf, während er von einer Brust zur anderen wechselte.

Da ich mit dem Gewicht und dem steifen Leder seines Gürtels kämpfte, zog er das Ding durch die Schlaufen und öffnete geschickt seinen Hosenknopf. Der Druck seiner Erektion und die Hitze seiner Hand trieben ein kleines

Flattern des Verlangens durch meine feuchten Schamlippen. Er musste mich auf dem Boden abstellen, um mir meinen Slip hinunterzuziehen, aber er gab mir nicht genug Zeit, um aus dem Rock zu schlüpfen, bevor er ihn um meine Taille zerrte und mich wieder hochhob. Meine Beine spreizten sich weit für ihn. Sobald der schwere Stoff seiner Jeans aus dem Weg war, rieb er seinen harten, unbeugsamen Schwanz an meinem weichen, feuchten Geschlecht, und wir stöhnten beide rau und atemlos.

Ich schob die Finger in sein Haar, während er weiter an meinen schmerzenden Nippeln nagte. Ich warf den Kopf zurück, bis er an die Tür schlug, und ich biss mir auf die Unterlippe, als Cy die Hüften vorschob und weiter an mir entlangglitt. Ich verfluchte ihn ungeduldig, als er sich selbst rieb, aber mein Gezappel ignorierte, um ihn dorthin zu bekommen, wo ich ihn brauchte. Ich wollte ihn in mir. Ich wollte, dass er mich ausfüllte und noch feuchter machte. Ich wollte, dass er mich direkt ansah, während wir uns miteinander bewegten, damit er erkennen konnte, dass er alles für mich war und dass ich die Absicht hatte, alles für ihn zu sein. Ich wollte, dass er mich beherrschte und beglückte.

Ich legte einen Arm um seine kräftigen Schultern. Sie waren stark genug, um mich und die ganze Welt aufrecht zu halten. Ich legte ihm eine Hand auf die Wange und beugte mich vor, damit ich seine Lippen berühren konnte, dann drehte ich den Kopf, sodass meine Lippen auf sein Ohr trafen. Ich zeichnete die äußere Wölbung mit der Zungenspitze nach und spürte, wie sein ganzer, kräftiger Körper erbebte.

»Ich habe dich vermisst, Cy.« Die Worte kamen von einem Ort, der jenseits jedweder Zweifel oder Vorbehalte lag, die ich sonst gehabt hatte. Es waren Worte, die das Gefühl von Angst, das Gefühl, unerwünscht zu sein, überlebt hatten. Es waren Worte, die eine Zukunft malten und meine Vergangenheit überwältigten. Es waren Worte, die mich gleichzeitig stärker und schwächer machten, als ich es je gewesen war, denn ich vermisste ihn, und ich vermisste die Frau, die ich war, wenn ich mit ihm zusammen war.

Er schloss kurz die Lider über seine vor Lust verhangenen Augen, und ohne Vorwarnung sank er in mich. Beim Druck seines Eindringens riss ich die Augen auf, und mein Atem stockte. Ich spürte jeden brennenden Zentimeter von ihm, während sich sein harter Schwanz an empfindlichen Nerven rieb. Er griff unter meine Kniekehlen und presste sich tiefer in mich hinein. Ich war so offen, wie ich es nur je gewesen war, sowohl im buchstäblichen als auch im übertragenen Sinne. Er sah alles von mir, er nahm alles von mir, und es fühlte sich wie ein Feuersturm an, als er in mir pulsierte und hämmerte.

Sein Becken stieß hart und schnell an meines. Hier ging es nicht um Verführen oder Betören. Es entsprang einem animalischen, hemmungslosen, angespannten Bedürfnis. Es merzte den Stachel aus, getrennt gewesen zu sein, und setzte etwas Unvergessliches an seine Stelle. Einer prägte sich dem anderen ein, wenn der eine sich bewegte, musste der andere ihm folgen. Ich fühlte Cy an jeder Linie und Kurve meines Körpers. Und als er sich tiefer und tiefer in mich gleiten ließ, konnte ich an seinen angestrengten Zügen und dem mit Macht angespannten Kiefer sehen, wie er sich um Beherrschung bemühte. Wir verbanden uns in Leidenschaft, so fest, dass nichts uns würde je trennen können.

»Leo … zwei Wochen sind zwei zu viel. Ich werde es nicht viel länger durchhalten.« Dieses seltene Lächeln, das mir gehörte, glitt über seine Züge. Ich spürte, wie meine inneren Muskeln sich um ihn zusammenkrampften, was ihm ein überraschtes Ächzen entlockte. Das Ziegenbärtchen machte sein Grinsen verrucht und gefährlich. Es war heiß. Er war so heiß. Wir waren zusammen heiß.

Er würde vor mir kommen, und für einen Mann wie Cy war das nicht in Ordnung. Er dachte an sich, aber nicht, bevor er an mich gedacht hatte … was ihn irgendwie perfekt machte. Ich strich ihm mit einer Hand übers Schlüsselbein und über die gewölbten, harten Flächen seiner Brust. Da gab nichts nach, da war nur sehnige Stärke. Er würde mich ewig halten und mich niemals im Stich lassen. Ich kitzelte seine Bauchmuskeln, die sich unter meiner Berührung zusammenzogen und strafften. Meine Finger glitten mühelos zwischen uns und neckten uns beide gleichzeitig. Ich wusste genau, wo ich hingreifen sollte, damit wir beide kamen.

Die Rückseiten meiner Finger tanzten über seinen harten Schwanz, während er sein Tempo verlangsamte, schwer atmete, auf mich herabschaute und sich eine ganz neue Art von Sturm in seinen Augen zusammenbraute. Ich lächelte ihn an, und als er mein Lächeln erwiderte, ließ sich nicht leugnen, was wir beide brauchten. Ich strich mit den Fingern über meine Klitoris, die kleine Knospe steif und hungrig nach Aufmerksamkeit. Die sanfte Liebkosung genügte. Ich schloss die Augen, und mein Innerstes zog sich um Cys Schwanz zusammen. Er ächzte, als ich mich an ihn klammerte, und es bedurfte nur weniger bedächtiger Kreise mit meiner Fingerspitze und des gezielten Drucks meines Daumens, um zu kommen. Ich war nicht die Einzige, denn sobald ich auf dem Höhepunkt angelangt war, hörte ich Cy »Gott sei Dank« murmeln, als er kurz nach mir folgte. Knie zitterten, Becken rieben sich aneinander, so derb, dass es Spuren hinterlassen würde, Muskeln bebten, während Lungen um Luft rangen. Lippen verzogen sich zu einem Lächeln, das sich unendlich in die Länge dehnte, und Herzen stolperten übereinander, als sie überflossen, um den anderen wissen zu lassen, dass sie noch da waren.

Ich würde noch tagelang den Abdruck seiner Jeans, der sich in die Innenseite meiner Schenkel gekerbt hatte, spüren. Ich würde ihn nicht vergessen und wollte es auch nicht.

»Ich habe dich auch vermisst, Leo.« Er ließ mich von sich hinuntergleiten und drückte mich gegen die Tür, hielt mich gefangen, nicht dass ich irgendwohin laufen würde. »Ich habe einmal eine Frau geliebt und losgelassen, aber dich, Leo, kann ich einfach nicht gehen lassen, und das meine ich ernst. Ich bitte dich nicht, dort zu sein, wo ich bin, aber ich bitte dich, mir zu erlauben, dort zu sein, wo immer du bist, wenn ich es einrichten kann.« Er seufzte, und seine ernsten Augen sagten mir mehr als seine Worte. »Es ist mir immer gelungen, mit beiden Beinen fest auf der Erde zu stehen. Ganz gleich, was mit mir passiert ist, ich bin stehen geblieben. Du bist fortgegangen, und ich bin auf die Knie gefallen, Sonnenschein.«

Meine Kehle schnürte sich zu, und Tränen stiegen mir in die Augen. Meinetwegen war noch nie jemand auf die Knie gefallen, und die Tatsache, dass es diesem Mann passiert war, dieser Bastion von Stärke und Tapferkeit, gab mir das Gefühl, die mächtigste Frau auf der Welt zu sein … und die, die am meisten geliebt wurde. Er war bereit, sein Leben für mich um seine Geschichte und seine Verpflichtungen herum zu leben. Er war bereit, die Herausforderung anzunehmen.

Ich legte die Hände auf sein Gesicht und trat vor, damit mein Kopf die Stelle an seiner Brust berührte, wo sein Herz donnerte und seine Seele leuchtete.

»Es ist so laut hier, Cy. Ich kann nichts sehen oder hören, das von Belang wäre. Ich will nicht mehr in diesem Chaos verloren sein. Ich will eine Frau sein, der zugehört wird, weil sie sagt, was sie meint. Und genauso meine ich ernst, wenn ich dir sage, dass ich dich über alles liebe.« Ich sah ihm in die Augen und beobachtete, wie unsere Momente sich von gestohlenen Bruchstücken zu einem ganzen Leben ausdehnten. »Ich weiß nicht, wie es fürs Erste gehen könnte. Du kommst zu mir, ich komme zu dir, und wenn wir einander sehen, werden wir zusammen kommen.«

Er grinste mich an, und ich wackelte mit den Augenbrauen. »Ich bin der Herausforderung gewachsen.«

Ich wusste es nun: Der einfache Weg hatte mich nirgendwohin geführt, während die Berge, die zu erklimmen mich immer mit schrecklicher Angst erfüllt hatte, mir alles gegeben hatten.

Er nickte, und ich küsste ihn. Ich sagte ihm, wie sexy er in Cowboymontur aussehe, aber dass ich ihn noch lieber ohne sie sehen würde. Die Schnalle war nervig, seine Stiefel machten ihn noch größer, als er es ohnehin schon war, der Hut verbarg sein tolles Haar und seine noch tolleren Augen.

Er würde immer der Cowboy sein, der nicht ganz ein Cowboy war, und das war in Ordnung für mich, denn er würde *mein* nicht ganz echter Cowboy sein. Mich scherte nicht, was er *nicht* war, denn was er war, brachte mich dazu, selbst besser zu sein. Er ließ mich wertschätzen, was ich hatte, statt etwas zu vermissen, was ich nicht hatte.

Er war alles für jeden, aber ich war die einzige Person, die ihn zum Lächeln bringen konnte.

Kapitel 21

Es geht doch nichts über die Gegenwart

»Bist du ein echtes Cowgirl?«

Die Frage kam von einem kleinen Mädchen, das erst neun oder zehn Jahre alt war. Sie entlockte mir ein Lächeln und Lane ein Schnauben, der neben mir stand, als wir die Familie willkommen hießen, die er am nächsten Tag zum Ausritt begleiten würde. Sie war ein süßes Ding, aber ihre Skepsis, meine Authentizität betreffend, war ganz besonders entzückend. Ich meine, ich sah heruntergekommen aus, hatte verwaschene Jeans an, die am Saum ausgefranst waren und an den Knien aufgerissen. Eine viel kleinere Version von Cys schwarzem Stetson prangte auf meinem Kopf. Der Stetson war ein Muss, um meine blasse Haut daran zu hindern, sich kirschrot zu färben. Außerdem sah er zufälligerweise toll aus, wenn ich mein gelocktes Haar zu zwei Zöpfen flocht. Ich hatte eine Vorliebe für eng anliegende, karierte Blusen. Die Justin-Roper-Stiefel, die ich gekauft hatte, bevor ich das erste Mal einen Fuß auf diese staubige Erde gesetzt hatte, waren jetzt endlich eingetragen. Ich war immer noch sauer auf diese riesige Gürtelschnalle und wie schwierig sie es machte, in Cys Hose zu gelangen, daher weigerte ich mich, selbst eine zu tragen. Aber sogar ohne sie fand ich, dass meine Cowgirlmontur ziemlich gut aussah.

Typisch für dieses entzückende kleine Mädchen, mich sofort zu durchschauen.

Ich zwinkerte ihr zu und versetzte Lane mit dem Ellbogen einen Stoß, damit er aufhörte zu lachen. »Ich bin nicht ganz ein Cowgirl, aber ich bin nah dran.« Ich deutete mit dem Daumen auf den grinsenden Mann neben mir und lächelte sie an. »Aber dieser hier ist echt. Du kannst dir keinen besseren Cowboy wünschen, mit dem du deine Ferien verbringen und von dem du dir Wyoming zeigen lassen kannst.«

Das schien sie zu beruhigen, und sie hüpfte mit dem Rest ihrer Familie davon, als Lane sie zu einer der Hütten führte, damit sie sich auf den Abend vorbereiten konnten.

Ich würde niemals ein Cowgirl sein, dafür war zu viel Stadt in meinem Blut. Doch je länger ich meine Tage unter dem freien Himmel verbrachte und je mehr frische Luft ich einatmete, umso stärker wurde das Gefühl, dass dieses ungezähmte Land in mir Wurzeln schlug. Ich hatte kein Problem damit, mich in Schale zu werfen, um neue Klienten zu treffen. Es gefiel mir. Die Tatsache, dass das, was ich zur Arbeit trug, oft am Ende des Tages staubig und zerrissen war, war hundertmal befriedigender als ein Tag, an dem ich einen Leinenrock unzerknittert halten musste – und Stilettos unzerkratzt. Ich liebte das Leben hier. Ich liebte die Menschen hier. Ich liebte die Frau, die ich hier war. Und ich wusste das alles noch mehr zu schätzen, denn es hatte viel länger gedauert, hierher zurückzukehren, als ich ursprünglich gedacht hatte.

Zwei Monate lang häuften Cy und ich eine gottlose Menge an Flugmeilen an, um einander zu sehen. Ich musste mein Projekt bei Chris' Ehefrau beenden. Eine Aufgabe, die mit jedem verstreichenden Tag immer unerträglicher wurde. Die Frau wollte mich nicht gehen lassen, und sie ließ nicht davon ab, dass ich ihr mehr schuldete, als ich zu geben bereit war. Sie versuchte, mich dazu zu beschwatzen zu bleiben. Sie versuchte, mir zu drohen. Sie versuchte, mich zu bestechen, und als all das scheiterte, hatte sie sogar den Nerv, Chris zu mir zu schicken, um mich zum Bleiben zu bewegen.

Zum Pech für meinen Ex wählte er für seinen Besuch ein Wochenende aus, als Cy bei mir war. Sobald er von Cy – eine himmelhohe Säule aus Zorn – begrüßt wurde, zog er den Schwanz ein und kehrte blitzschnell zu seiner Frau zurück. Er musste erwähnt haben, dass ich in puncto Männer viel bessere Entscheidungen getroffen hätte, denn sie war endlich still und ließ mich in Frieden das Projekt zu Ende führen. Sobald es abgeschlossen war, wollte ich alles, was ich besaß, in einen Koffer werfen und das erste Flugzeug nehmen, das ich in Richtung Wyoming bekommen konnte, aber das war unmöglich.

Suttons Verletzungen waren viel schlimmer als geahnt, und niemand war bereit, sich dem zu stellen. Während des ganzen ersten Monats nach seiner Entlassung aus dem Krankenhaus konnte er nicht gehen, und erst nach intensiver Physiotherapie gelang es ihm, sich mit einem Rollator zu bewegen. Er nahm die Veränderungen nicht gut auf und ließ seinen Zorn an seiner Familie aus. Cy machte sich Sorgen um seinen Bruder, und seine Sorge führte dazu, dass er auf beängstigende Weise überbehütend war, was Sutton nur noch weiter erzürnte. Der mürrische Cowboy war verdrossen und in sich gekehrt. Er hatte kaum etwas mit den täglichen Vorgängen auf der Ranch und bei der

Reisefirma zu tun, und Cy sagte, er gebe sich kaum Mühe, Daye zu sehen. Lane hatte während eines meiner allzu kurzen Besuche angedeutet, dass der launische Warner auch ziemlich tief in die Flasche schaute und außerdem Schmerzpillen einwarf, selbst wenn er sie nicht zu brauchen schien. All das verstärkte eine Angespanntheit und Feindseligkeit im Haus und veranlasste Cy, mehrere Angestellte aus der Umgebung zu engagieren, um das auszugleichen.

Ich hatte nicht die Absicht, mich mitten in das Familiendrama der Warners einzumischen, obwohl spätnächtliche Telefonate, sexy Sitzungen über Skype und definitiv nicht jugendfreie Facetime-Chats irgendwann anstrengend wurden. Ich liebte es, Cys raue Stimme zu hören, und es hatte etwas unleugbar Erotisches zu beobachten, wie er nur mit dem Klang meiner Stimme zum Höhepunkt kam. Aber nichts davon konnte es mit dem echten Leben aufnehmen. Ich musste ihn berühren, meine Lippen wollten ihn schmecken, mein Herz das seine spüren. Die Entfernung machte die Sache zwar zärtlicher, aber auch sehnsuchtsvoller und begehrlicher.

Außerdem musste ich, während Cy sich um Sutton kümmerte, immer noch sicherstellen, dass Emrys zurechtkommen würde. Wenn ich nicht übers Wochenende nach Wyoming flog, dann begab ich mich an die sonnigen Strände von Florida, um nach meiner besten Freundin zu sehen. Sie machte mental keine großen Fortschritte, aber anscheinend war der Nachbar in der Wohnanlage meiner Großmutter ein pensionierter Schönheitschirurg und gelegentlich Grams Freund für gewisse Stunden, wie ich zu meiner Verblüffung herausgefunden hatte. Irgendwie war es ihm gelungen, Em dazu zu überreden, einem von ihm empfohlenen Chirurgen die Narben auf ihrem Gesicht zu zeigen. Sie erklärte sich bereit, sie behandeln zu lassen, damit sie weniger deutlich sichtbar waren und ihr Gesicht wieder schön wurde, aber sie war immer noch verdrossen und in sich gekehrt – verloren in sich selbst.

Sie weigerte sich, mit einem Profi zu sprechen, und stimmte nur zu, ihre Familie zu sehen, wenn sie unangekündigt auf der Türschwelle meiner Gram auftauchten und darauf drangen, etwas Zeit mit ihr zu verbringen. Es war nicht gerade hilfreich, dass beide Eltern bei ihrem Anblick in Tränen ausgebrochen waren. Die Narben auf ihrem Gesicht waren kaum noch zu sehen, aber die auf ihrer Brust war immer noch sichtbar und wirklich schrecklich. Es war nicht zu übersehen, dass Em direkt auf der Schwelle des Todes gestanden hatte und sich glücklich schätzen konnte, dass keine Antwort gekommen war, als sie angeklopft hatte.

Meine Grandma machte ihre Sache großartig und bot ihr eine Schulter zum Weinen an und einen sicheren Ort, an dem sie sich vor der Welt verstecken konnte. Em war ziemlich gut darin, all die anderen Rentnerinnen beim Bridge und beim Bingo zu schlagen, aber irgendwann war ihre Zeit abgelaufen. Gram wollte mit dem Schönheitschirurgen eine Kreuzfahrt machen, und weil die Anlage ausschließlich für ältere Menschen gedacht war, konnte Em unmöglich allein in der Wohnung bleiben. Ich bereitete mich darauf vor, auf die Ranch zu ziehen, daher wurde es Zeit für Hartnäckigkeit.

Ich setzte mich mit Em hin und sagte ihr, dass ich für sie

da sein würde, ganz gleich, was dafür nötig war. Ich erklärte ihr, ich würde verstehen, dass sie in ihrem eigenen Tempo genesen musste, aber sie schien auf ihrem Weg stecken geblieben zu sein. Ich flehte sie an, mit mir zu kommen, um mit einem Therapeuten zu reden, und dann fuhr ich das schwere Geschütz auf und sagte ihr, dass es für Sutton eine genauso harte Zeit war, wieder auf die Beine zu kommen, wie für sie. Ich wollte nicht, dass sie sich die Schuld an der Verfassung des Cowboys gab, aber sie musste wissen, dass sie nicht die Einzige war, die mit Wunden aus der Konfrontation im Wald hervorgegangen war. Ich hoffte, dass der Schock über Suttons Zustand sie zu der Erkenntnis brachte, dass sie nicht allein war.

Mein Plan ging nach hinten los.

An dem Tag, an dem ich eigentlich aufbrechen wollte und vorhatte, Em zurück nach Kalifornien und zu ihren Eltern zu bringen, wachte ich in einer leeren Wohnung auf. Gram hatte ihre Kreuzfahrt angetreten und Em war zusammen mit ihrer kärglichen Habe verschwunden. Diesmal hatte sie keinen Ort, an den sie fliehen konnte. Diesmal war da kein Sand, in den sie den Kopf stecken konnte. Ich hatte keine Ahnung, wohin sie davongelaufen war, aber ich bezweifelte, dass sie schnell genug lief, um all die Dämonen und den Zweifel hinter sich zu lassen, die sie jagten.

Ich rief meine neuen Freunde an, die für die Regierung arbeiteten, und bat Grady, für mich ein Auge auf sie zu haben. Sie brauchten sie immer noch für den Fall, dass sie gegen das Kartell gerichtlich vorgehen konnten, daher wusste ich, dass sie sie nicht allzu weit weggehen lassen würden, bevor sie sie zurückholten. Grady gab mir sein Wort, dass ich einen Anruf bekommen würde, wenn sich in Bezug auf Em etwas Verdächtiges ergab. Ich tat das Härteste, was ich je getan hatte … Ich ließ sie allein.

Meine Bereitschaft, ihr zu helfen, hatte kein Verfallsdatum. Aber meine Toleranz dafür, sich selbst kaputtzumachen und die Schuld für etwas auf sich zu laden, für das man nichts konnte, umso mehr. Ich wollte nicht mit Engelszungen zu jemandem reden, der sich die Ohren zuhielt.

Alles in allem dauerte es ungefähr vier Monate auf der Ranch, um so weit anzukommen, dass ich das Gefühl hatte dazuzugehören.

Zuerst hatte ich Cy gesagt, ich würde in einer der Hütten auf dem Gelände wohnen oder mir etwas in Sheridan suchen, während wir uns aneinander gewöhnten. Ich wollte nicht, dass unsere gemeinsame Zeit mit Worten und Sorgen gefüllt wurde. Ich wollte, dass unsere gemeinsame Zeit ein Wirbelwind von Händen, Mündern und nackten Leibern war, während wir versuchten, so viel vom anderen zu bekommen wie nur möglich. Wir kannten einander immer noch nicht allzu gut, und ich wollte nichts überstürzen, das so wichtig war.

Cy warf mir diesen Blick zu, der mir sagte, ich sei übertrieben vorsichtig und argwöhnisch. Es war der Blick, der ausdrücken sollte, dass er wisse, dass ich immer noch auf der Flucht sei. Ich sei daran gewöhnt, jeden um Armeslänge von mir wegzuhalten, und er weigere sich, das mit sich machen zu lassen. Er sagte mir, wenn ich in eine Hütte zöge, dann würde er das ebenfalls tun. Wenn ich mir eine

Wohnung in Sheridan mietete, würde er mit mir zusammen dort einziehen, bis ich bereit war, die Ranch mein Zuhause zu nennen. Und er wies darauf hin, dass das ein lächerlicher Plan war. Er gab ein wenig nach, als ich mich gegen seine aufdringliche und fordernde Einstellung wehrte, und stimmte zu, dass ich mein eigenes Zimmer im Haupthaus haben könne, da es jede Menge freie Räume gebe, die ich mit Beschlag belegen könne. Ich fand, das war ein fairer Kompromiss, und sagte Ja.

Es vergingen Monate, und ich hatte noch keine Nacht in dem Zimmer verbracht, wo meine Sachen waren. Der Raum fungierte als begehbarer Kleiderschrank, denn genau, wie ich es Cy im Krankenhaus gesagt hatte, gestaltete es sich auch: Wo er war, war auch ich. Ich wollte nicht ohne ihn ins Bett gehen.

Es war leicht, mich in seinem Leben und in seinem Bett niederzulassen. Nicht ganz so glatt ging es über die Bühne, mich in seinem Geschäft zurechtzufinden. Der Mann war ein Kontrollfreak, und es war, als würde ich mit dem Kopf gegen eine sehr sexy Steinmauer schlagen, wann immer ich versuchte, ihm beim Marketing und der Außendarstellung der Ranch zu helfen. Er war ein geschickter Geschäftsmann, aber er konnte einfach nicht so gut mit Menschen. Ich rief ihm wieder und wieder ins Gedächtnis, dass ich meinen Lebensunterhalt damit verdient hatte, Menschen dazu zu überreden, Geld auszugeben. Aber ich kam damit nicht weiter, bis ein Konkurrent in Jackson Hall mich kontaktierte und fragte, ob ich Interesse hätte, an einer neuen Kampagne für ihn zu arbeiten.

Ich sagte Cy, er könne mich jetzt entweder durch die

Tore seines Hauses lassen oder zusehen, wie ich den Feind in die Schlacht führte. Und schließlich, nach einigen Tagen mieser Laune und einigen Nächten ohne Sex, ließ er sich überreden. Das Rummachen war schön, aber etwas anzupacken, das ewig da sein und von Generation an Generation von Warners weitergereicht würde, war noch besser. Es war lohnend, Menschen davon zu überzeugen, dass Cys Ranch und seine Touren durchs Hinterland unter Lanes Führung besser waren als die aller anderen, denn ich glaubte wirklich fest daran. Ich gehörte jetzt hierher, und ich wollte, dass alle, die zu Besuch kamen, diesen Ort ebenfalls liebten und sich von ihm verwandeln ließen, so, wie ich es erlebt hatte. Ich meinte jedes einzelne Wort ehrlich, das ich sagte, als ich mich daranmachte, die Leute in aller Welt zu überzeugen, dass sie ihre Sorgen hinter sich lassen und hierherkommen mussten, um den Lärm auszublenden.

Cy saß den ganzen Tag in Telefonaten fest, daher bekam ich nicht viel von ihm zu sehen. Er war zu den Gästen immer noch nicht übertrieben freundlich, aber es wurde besser. Sein permanent finsterer Blick war durch ein Grinsen ersetzt worden, und der Sturm in seinen Augen wütete jetzt nur noch, wenn wir allein waren.

Ich ging gerade durch das riesige ländliche Haus, als mein Telefon piepte und eine E-Mail ankündigte. Wann immer das geschah, hoffte ich, es würde Em sein … aber sie war es nie.

Als ich diesmal sah, wer der Absender war, wurde meine Enttäuschung beiseitegedrängt, und ein Lächeln umspielte meine Lippen. Der Inhalt der kurzen E-Mail entlockte mir ein Kichern, als ich in Cys Büro trat. Sofort wanderte mein Blick zu dem großen Schreibtisch und dem noch größeren Mann dahinter. Er war immer noch am Telefon, und die finstere Miene auf seinem Gesicht ließ darauf schließen, dass ihm nicht gefiel, was immer er am anderen Ende der Leitung hörte. Ich ging zu ihm hinüber, kletterte über eins seiner Beine und setzte mich mitten auf seinen Schreibtisch direkt vor ihn hin, während ich eine Antwort auf die E-Mail in mein Smartphone tippte. Sein anderes Bein presste sich gegen die Außenseite meines Knies, sodass ich gefangen war. Es gefiel mir, dass seine finstere Miene einem verführerischen Grinsen gewichen war.

Er bevorzugte noch immer weiße T-Shirts und abgetragene Jeans. Sein Haar saß jeden Tag perfekt. Er trug immer noch Motorradstiefel statt Cowboystiefel, und seinen Stetson setzte er nur auf, wenn ich ihn anflehte, ihn mit ins Bett zu bringen. Er blieb nie lange oben, aber mir gefiel, wie er auf seinem dunklen Schopf aussah. Ich ließ ihn mit all den schmutzigen Dingen durchkommen, die er mit mir machen wollte, wenn er den Hut trug. Es war eine Schwäche, und wenn er ihn aufhatte, konnte ich ihm niemals irgendetwas abschlagen.

Nicht dass ich es je gewollt hätte.

Das sprichwörtliche Erklimmen der sexuellen Berge mit Cy war etwas, das ich um nichts in der Welt verändern würde. Die Aussicht von oben war unschlagbar … die Aussicht von unten war auch nicht schlecht.

Er sah zu, dass er das Gespräch zu Ende brachte, rollte den Lederstuhl näher an mich heran und legte mir beide Hände um die Hüften.

»Was lässt dich grinsen, als würdest du nichts Gutes im Schilde führen, Sonnenschein?«

Ich drückte die Krempe meines Hutes mit einem Finger zurück und legte mein Telefon auf seinen Schreibtisch. »Ich habe eine E-Mail von Evan bekommen. Sie versucht, ihre Mom dazu zu überreden, in den Weihnachtsferien mit ihr und Ethan wieder auf die Ranch zu kommen. Ihre Eltern lassen sich scheiden, und es hört sich so an, als würde Meghan ihren Ex bis aufs Hemd ausziehen. Ich schätze, es hat ihr die Augen geöffnet, mitten im Wald in eine Schießerei geraten zu sein.«

Die Schießerei war auch der Grund, warum sie nicht allzu scharf darauf war, wieder auf die Ranch zu kommen, obwohl die beiden sie endlos darum anbettelten. All das, was passiert war, hatte Evan und Ethan mit den besten Storys versorgt, die sie in der Schule hatten erzählen können. Sie waren die beliebtesten Kids in ihren Klassen geworden, sobald ihre Gesichter in den Nachrichten aufgetaucht waren.

Cyrus lachte befreit und nutzte seinen Griff um meine Taille, um mich näher heranzuziehen. Ich legte ihm die Hände auf die Schultern und winkelte die Knie an, damit ich auf ihn klettern konnte.

»Außerdem hat sie erwähnt, sie habe einen neuen Fußballtrainer, und der sei wirklich süß.«

Cy ächzte und legte mir die Hände auf den unteren Rücken, damit er beide Seiten meines Hinterns festhalten konnte. Ich kam seinem Wunsch mit einem Seufzen nach, als er mich ein klein wenig hochhob und mich wieder mit den Beinen links und rechts herabließ, sodass die Naht meiner Jeans, wo ich weich und warm war, gegen die Stelle gepresst wurde, wo er gerade hart und steif wurde.

»Sie muss lernen, Jungen ihres eigenen Alters nachzulaufen.« Er stieß ein Brummen aus, als ich mich auf der Suche nach mehr Reibung auf ihm bewegte. Er drückte daraufhin meinen Hintern und hob mich hoch, ließ mich aber erneut herunter.

»Sie schreibt, er sei erst zwanzig. Nicht toll, aber besser als das, wo sie schon mal war.« Ich beugte mich vor, damit ich seine Lippen mit meinen berühren konnte. Er schmeckte immer nach Kaffee und Leben. Ich grinste, als mich der grau melierte Bart über seiner Lippe kitzelte. »Wie laufen die Geschäfte?«

Er seufzte und gab mir einen Kuss, der härter und feuchter war und erheblich länger dauerte als der, den ich ihm gegeben hatte.

»Die Geschäfte laufen gut, was wir zu einem nicht geringen Teil dir verdanken.«

Ich wollte mich in dem Kompliment sonnen, stattdessen küsste er mich abermals.

»Du kannst jemanden einstellen, der den Papierkram erledigt und das Telefon übernimmt, wenn du nicht den ganzen Tag hier gefangen sein willst.« Er verdiente genug Geld mit beiden Geschäftszweigen. Es war nicht nötig, sich an diesen Schreibtisch zu ketten, wenn er es nicht wollte.

Er rieb seine stachelige Wange an meiner, und ich erschauerte. Die gleiche Wirkung hatten seine forschenden Finger, als sie sich unter den Saum meiner Bluse schoben. Er zog sie aus meiner Jeans.

»Ich habe nichts dagegen. Es ist alles ein Spiel, und ich bin ein besserer Spieler als die meisten.« Er saß immer noch gern im Sattel, aber er war besser darin, gute Verträge auszuhandeln, als Zäune zu flicken und bei der Geburt von Kälbern zu assistieren. Er hatte nichts dagegen, sich die Hände schmutzig zu machen, bevorzugte aber, sich mit den Mitspielern in der Branche zu messen. Er baute das Vermächtnis seines Vaters wieder auf, in all den Bereichen, in denen das seinem alten Herrn nicht gelungen war. Modernes Denken kam ins Spiel und wurde auf diesem uralten Land in die Praxis umgesetzt. Und es war wunderschön zu sehen, wie die Vergangenheit und die Zukunft auf eine solch wunderbare Weise zusammenkamen.

Meine Bluse rutschte über meinen Kopf und segelte zwischen einem Atemzug und dem nächsten zu Boden. Mein BH folgte bald. Jetzt war ich an der Reihe, ihn auszuziehen, und die Baumwolle seines T-Shirts war weicher als das Kratzen seines Brusthaares auf den harten Spitzen meiner entblößten Brüste. Die leichte Reibung ließ mir den Atem stocken, genau wie das verführerische Kratzen eines heruntergezogenen Reißverschlusses. In diesem maskulinen Büro wurden alle möglichen Geschäfte getätigt, aber das Geschäft, bei dem ich am Ende von einem harten Schwanz ausgefüllt wurde und an heißer Haut wimmerte, war das beste, fand ich.

Es gefiel mir, wie er hinter seinem großen Schreibtisch aussah, und ihm gefiel, wie ich aussah, wenn ich mich darüberbeugte, den Hintern in die Luft gestreckt.

Hosen fielen herab, Hände trafen auf Holz, als er sich über mir bewegte. Meine Brüste füllten seine Hände, und ich wurde erfüllt von ihm. Ich bettete die Stirn auf die kühle Oberfläche und keuchte, als er von hinten in mich eindrang. Es wurde nie langweilig. Es hörte nie auf, sich wichtiger als jeder Sex anzufühlen, den ich je zuvor gehabt hatte. Es gab mir immer wieder das Gefühl, genau dort zu sein, wo ich hingehörte.

Er knabberte an meinem Hals. Sein Oberkörper drückte mich weiter über den Schreibtisch, während er meine Hüften zu sich zog und gleichzeitig in mich stieß. Wir bewegten uns im Einklang miteinander, als seien wir von Kopf bis Fuß dazu geschaffen, verbunden zu sein.

Soweit es Nachmittags-Quickies betraf, rangierte dieser ganz hoch oben. Es gelang mir, durch meinen Orgasmus zu kommen und durch seinen, ohne meinen Hut zu verlieren. Die Erkenntnis brachte mich zum Lachen, als er mich umdrehte und mit der Nase über die empfindliche Innenseite meines Schenkels strich. Ich schob meine Finger in sein Haar und griff nach meinem Telefon, als ein Piepen neben mir auf dem Schreibtisch eine Textnachricht ankündigte. Ich seufzte tief und befriedigt, als er mit der Zungenspitze durch meine Kniekehle fuhr und sein Zeigefinger gemächlich all dem Sex und der Befriedigung nachspürte, die überall auf der Innenseite meiner Beine verschmiert waren. Auf seinem Gesicht stand ein selbstgefälliges Lächeln, das sich schnell änderte, als ich hochfuhr und fast über die Schreibtischkante kippte, als ich die Nachricht las, auf die ich gewartet hatte, seit Emrys verschwunden war.

Zittrig legte ich Cy eine Hand auf die Schulter, um mich festzuhalten, als er aufstand und zwischen meine gespreizten Beine trat. Er legte mir die Hände auf beide Seiten meines Halses und drückte mit den Daumen meinen Kopf zurück, damit ich ihn ansah.

»Was ist passiert, Sonnenschein?« Seine tiefe, raue Stimme schaffte es immer, mich zu beruhigen.

»Es ist Em.« Ich hielt mein Telefon mit einer Hand hoch und schlang die Finger der anderen um sein Handgelenk, damit ich seinen Puls fühlen konnte. »Sie sagt, sie kommt mich besuchen.«

Seine rabenschwarzen Brauen zuckten so weit hoch, dass sie fast seinen Haaransatz berührten. »Sie kommt hierher?«

Ich las die Nachricht noch einmal und nickte dumpf. »Ja. Sie kommt hierher.«

»Weiß sie, wie schlecht es Sutton geht?« Der mittlere Warner-Bruder war aus dem Haupthaus ausgezogen und trank, bis er alles vergaß, während er in seinem Kummer unterging. Cy hasste es. Lane hasste es. Sein Verhalten brach Brynn das Herz, und ich wusste nicht, was ich tun sollte.

Ich war immer noch sauer auf ihn, weil er Em weggeschickt hatte. Aber ich fühlte mich schlecht bei dem Gedanken, dass sein Heldentum zu nichts anderem als Herzensleid geführt hatte. Ich neigte dazu, ihm aus dem Weg zu gehen, wenn seine Brüder ihn zwangen, sich zu ihnen ins Land der Lebenden zu gesellen. Ich hatte keine Ahnung, was Ems Auftauchen für den verwundeten Krieger bedeuten würde.

»Sie weiß Bescheid. Um ehrlich zu sein, befand sie sich bei unserer letzten Begegnung in keiner besseren Verfassung.«

Ich drückte sein Handgelenk und schaute ihn unter meinen Wimpern hinweg an. »Soll ich ihr schreiben, dass sie nicht kommen kann?« Es würde mich umbringen, es ihr zu sagen, aber ich würde es tun, und dann würde ich zu ihr reisen, wo immer sie war.

Er sah mich lange und nachdenklich an, dann schimmerte auf seinem auf perfekte Weise rauen Gesicht dieses Lächeln, das er nur für mich aus dem Hut zauberte und das meine Welt auf den Kopf gestellt hatte. »Es könnte Sutton guttun, von deiner Freundin wachgerüttelt zu werden. Wenn es schlecht läuft, werden wir auch damit fertig, wie immer.«

Ich stieß einen erleichterten Seufzer aus und sagte ihm mit all meiner Aufrichtigkeit und aus ganzem Herzen: »Ich liebe dich über alle Maßen, Cy.«

Seine breite Brust hob und senkte sich unter seinem eigenen tiefen Atemzug, als er antwortete: »Und ich liebe dich über alle Maßen, Leo.«

Wir meinten jedes Wort ernst.

Danksagung

Wie immer ein riesengroßes Dankeschön an alle, die dieses Buch in die Hand genommen und ihm eine Chance gegeben haben. Ich liebe meine Leser so sehr. Ich wüsste wirklich nicht, wie ich meinen Traum ohne euch wahr werden lassen könnte. IHR SEID ALLES.

Dasselbe gilt für alle Blogger und Buchliebhaber da draußen. Danke, dass ihr tut, was ihr tut. Danke, dass ihr die Welt an eurer Liebe zum Lesen und zu Liebesromanen teilhaben lasst. Danke, dass ihr mir eine Chance gebt, euch an meinen Geschichten teilhaben zu lassen.

Es waren nicht wenige, die »NEIN, UM GOTTES WILLEN« gerufen haben, als ich ihnen von diesem Buch erzählt habe. Es waren eine ganze Menge. Das war schwer zu verdauen und hat ehrlich gesagt meinem Selbstvertrauen ziemlich zugesetzt. Man hört nicht gern, dass man etwas Neues nicht ausprobieren sollte, dass das, was man für ein romantisches Abenteuer hält, nicht gut genug sein könnte. Es wird auch langweilig, immer wieder zu hören, man solle dieses oder jenes schreiben, weil es sich besser verkaufe. Ich will nur die Geschichten schreiben, die ich auch lesen möchte. Die, die in meinem Kopf sind und herauskommen wollen. Es gehört einiges dazu, all diese Neins zu ignorieren und sich auf die Suche nach den Leuten zu machen, die Ja sagen werden.

Daher muss ich mich wirklich bei denen bedanken, die mich bestärkt haben.

Meine Agentin Stacey gibt mir nie ein Nein. Sie stellt mich nie infrage, wenn ich ihr sage: »Darüber schreibe ich jetzt einen Roman.« Sie heißt jede verrückte Idee willkommen und glaubt an jedes neue Buch genauso wie an das, das davor kam. Das ist cool, denn wenn mein Selbstvertrauen abhandenkommt, hat sie immer noch genug Vertrauen in mich für uns beide.

Als ich meiner Mutter erzählte, dass ich über »nicht ganz Cowboys« schreiben wollte, sagte sie: »Mach's einfach, verdammt.« Sie sagte, die Leute würden es lesen oder auch nicht, aber das wüsste ich erst, wenn ich das Buch schreiben und es veröffentlichen würde. Manchmal ist es leicht zu vergessen, dass meine Reise zum Schreiben und Veröffentlichen mit nichts anderem als Zufall und Glück begonnen hat, und Mom ist gut darin, mich daran zu erinnern, dass alles passieren kann. Es ist das Risiko wert.

Offensichtlich wusste Mel (Melissa Shank) schon vorher von diesen wilden Jungs. Sie hat mir nie gesagt, ich sei verrückt, weil ich mich so weit von dem entfernen wollte, was ich normalerweise schreibe. Sie hat mich ermutigt, das aufs Papier zu bringen, was mich glücklich macht, und das kann ein Autor gar nicht oft genug hören. Wenn Leidenschaft und Geschäft irgendwo auf dem Weg kollidieren, kann der handwerkliche Teil des Schreibens den Wunsch, etwas aus dem Herzen heraus zu schaffen, verdrängen. Mel sagt mir immer – und ich meine *immer* –, ich solle schreiben, was ich schreiben wolle.

Ich muss meinen Freunden Ali, Denise, Stacey und Heather, meiner besten Freundin, danken. Sie waren alle der Meinung, dass das Buch nicht schlecht sei, und wollten am liebsten sofort mit dem nächsten Band weitermachen, als sie diesen gelesen hatten. Das gab mir das Gefühl, auf dem richtigen Weg zu sein. Natürlich sind sie nicht objektiv, sie sind zu meinen Gunsten parteiisch, weil sie mich lieben, aber trotzdem bedeutete es mir alles, dass ihnen mein Text gefiel (obwohl Ali an Leo überhaupt keinen Gefallen finden konnte).

Mir hat ein Dreamteam geholfen, dieses Buch in lächerlich kurzer Frist in professionelle Form zu bringen. Alle, die dazugehörten, haben mir auf meine verzweifelten E-Mails hin geholfen, das erste Mal seit vier Jahren im Selbstverlag zu veröffentlichen (und das auch noch im Guerilla-Stil). Ihre Bereitschaft dazu weiß ich in aller Bescheidenheit sehr zu schätzen.

Elaine York hat diese Geschichte in etwas verwandelt, das viel besser war, als ich es mir je vorgestellt habe. Ich habe bei der Arbeit mit ihr sehr viel gelernt und glaube nicht, dass ich jemals auf so wunderbare Weise herausgefordert worden bin, meine Geschichte besser zu machen und aufzupolieren. Lektorate und Überarbeitungen sind immer schwierig, aber dieses Mal hat sich der Kampf wirklich gelohnt.

Meine Freundin C. J. Pinard sorgt schon lange dafür, dass all meine i ihren Punkt und meine T ihren Querstrich bekommen. Sie ist akribisch und wundervoll. Ich habe wirklich nicht gern eine Freundin gebeten, noch in allerletzter Minute einen Termin für mich zu finden, aber weil sie fantastisch ist, hat sie natürlich zugesagt. Ihr könnt euch bei ihr bedanken, dass es in diesem Buch nicht Millionen von überlangen Satzungetümen gibt.

Ich muss auch meiner süßen, frechen Freundin CA Borgford danken. Wir waren von Anfang an Buchfreunde, und sie hat mich immer ermutigt, die Dinge auf meine Art und Weise und mit meinem eigenen Blickwinkel zu machen. Es war ein großes Vergnügen, mit jemandem zu arbeiten, den ich beruflich sehr schätze! Sie hat meinen Text richtiggehend aufgehübscht.

Ich bin KP Simmon, meiner Publicity-Managerin, zu großem Dank verpflichtet. Als ich sie ohne Vorwarnung mit diesem Projekt überfiel, hat sie mich nicht erwürgt – wenn sie es versucht hätte, hätte ich es ihr nicht einmal verübeln können. Sie hat sich der Sache mit Haut und Haaren verschrieben und mit den wenigen Informationen, die sie hatte, einen Schlachtplan entworfen wie ein Feldherr. Es ist schwer, ein Buch geheim zu halten und gleichzeitig beim Publikum Begeisterung zu wecken für etwas Cooles, das bald kommen wird. KP macht immer einen tollen Job, aber bei diesen wilden Jungs hat sie sich wirklich selbst übertroffen. Es ist schön, jemanden so unerschütterlich und felsenfest in seiner Ecke stehen zu haben.

Zu guter Letzt muss ich meinem besten Kumpel, Mike Maley, danken. Dieses Jahr war für mich in vielerlei Hinsicht missraten, und ich glaube, vor allem Mike hat mich in dieser Zeit aufrecht- und zusammengehalten. Er ist ein guter Mann und ein toller Freund. Ich bin so dankbar, dass er einer von meinen Leuten ist.

Wenn du es bis hierher geschafft und »Mine to Save – Gefährliche Hingabe« gelesen hast, würde ich mich sehr freuen, wenn du dir eine Minute Zeit nimmst, um auf einer der Verkaufswebsites eine Rezension für das Buch zu hinterlassen. Ob gut oder schlecht, wenn du anderen Lesern deine Gedanken zu einem Buch mitteilst, macht das einen großen Unterschied.